FICANDO LONGE DO FATO DE JÁ ESTAR
MEIO QUE LONGE DE TUDO

DAVID FOSTER WALLACE

Ficando longe do fato de já estar meio que longe de tudo

Tradução
Daniel Galera e Daniel Pellizzari

Seleção e prefácio
Daniel Galera

5ª reimpressão

COMPANHIA DAS LETRAS

Copyright © 2009 by David Foster Wallace Literary Trust

Grafia atualizada segundo o Acordo Ortográfico da Língua Portuguesa de 1990, que entrou em vigor no Brasil em 2009.

Título original
Na ordem de aparição: "Getting Away from Already Pretty Much Being Away from It All" — publicado originalmente na *Harper's* (1994) como "Ticket to the Fair"; "A Supposedly Fun Thing I'll Never Do Again" — publicado originalmente na *Harper's* (1996) como "Shipping Out"; "Some Remarks on Kafka's Funniness from Which Probably Not Enough Has Been Removed" — publicado originalmente na *Harper's* (1999); "Consider the Lobster" — publicado originalmente na revista *Gourmet* (2004) e em seguida no volume *The Best American Essays 2005*; "This is Water" — discurso de abertura no Kenyon College, publicado originalmente em 2009; "Federer as Religious Experience" — publicado originalmente no *New York Times* (2006).

Capa
Elisa von Randow

Preparação
Ana Cecília Agua de Melo

Revisão
Jane Pessoa
Ana Luiza Couto

Dados Internacionais de Catalogação na Publicação (CIP)
(Câmara Brasileira do Livro, SP, Brasil)

Wallace, David Foster, 1962-2008.
   Ficando longe do fato de já estar meio que longe de tudo / David Foster Wallace ; tradução Daniel Galera e Daniel Pellizzari ; seleção e prefácio Daniel Galera. — 1ª ed. — São Paulo : Companhia das Letras, 2012.

   ISBN 978-85-359-2179-3

   1. Ensaios norte-americanos I. Galera, Daniel II. Título.

12-11142   CDD-814

Índice para catálogo sistemático:
1. Ensaios : Literatura norte-americana 814

Todos os direitos desta edição reservados à
EDITORA SCHWARCZ S.A.
Rua Bandeira Paulista, 702, cj. 32
04532-002 — São Paulo — SP
Telefone: (11) 3707-3500
www.companhiadasletras.com.br
www.blogdacompanhia.com.br
facebook.com/companhiadasletras
instagram.com/companhiadasletras
twitter.com/cialetras

Sumário

Prefácio: Preste atenção — *Daniel Galera*, 7

1. Ficando longe do fato de já estar meio que longe de tudo, 21
2. Uma coisa supostamente divertida que eu nunca mais vou fazer, 103
3. Alguns comentários sobre a graça de Kafka dos quais provavelmente não se omitiu o bastante, 229
4. Pense na lagosta, 236
5. Isto é água, 263
6. Federer como experiência religiosa, 276

Prefácio
Preste atenção

Daniel Galera

Quando se diz que David Foster Wallace foi um dos escritores mais importantes de sua geração, leitores distantemente cientes ou mesmo íntimos de sua obra quase sempre pensam em sua prosa de ficção, em especial na sua obra-prima *Infinite Jest*, o romance de 1100 páginas publicado em 1996 que catapultou o autor à posição de ícone geracional nos Estados Unidos. Wallace também é tido como um escritor difícil, experimental, inclinado a testar ou mesmo torturar o leitor com virtuosismo técnico, exibicionismo vocabular, enumerações enciclopédicas, notas de rodapé em cascata e orações subordinadas que serpenteiam por páginas. Seus livros podem assustar pela extensão, pela linguagem, pela densidade e pela complexidade. Tudo isso é verdade.

Também é verdade que poucos autores recentes — ou nenhum, se ficarmos na esfera reduzida da literatura que por falta de termo melhor podemos chamar de "exigente" — foram capazes de estabelecer uma conexão tão íntima com seus leitores. Quando Wallace se matou, em 2008, aos 46 anos, a internet foi inundada por depoimentos emocionados de leitores que pareciam ter perdido um amigo próximo ou mesmo um parente. Era uma intimidade insuspeitada, cujas reais dimensões só se revelaram quando se espalhou a notícia chocante de que aquela voz, que para tantos soava como uma extensão de seus próprios discursos internos, a voz da autoconsciência, tinha se retirado do mundo sem aviso.

Essa comoção, fartamente documentada em fóruns literários, blogs e elegias póstumas nos cadernos culturais, deu nova relevância a duas perguntas: 1) Como uma obra tão marcada pela dificuldade pode gerar tamanha empatia? e 2) Como convencer o leitor em geral, e em particular o brasileiro, a se aventurar nesse terreno com fama de íngreme em busca das propagandeadas recompensas? A resposta para as duas perguntas pode estar na outra grande vertente da escrita de David Foster Wallace: as reportagens, ensaios e demais textos de não ficção.

Em 2005 a Companhia das Letras publicou no Brasil o livro de contos *Breves entrevistas com homens hediondos*, que até a chegada da presente antologia permaneceu sendo o único livro de Wallace traduzido no país. A recepção por parte da crítica e do público brasileiros foi muito tímida. Lançado originalmente em 1999, após o sucesso de *Infinite Jest*, o livro contém alguns de seus contos mais admirados e bem realizados, entre eles "Octeto", "A pessoa deprimida", "Para sempre em cima", e algumas das entrevistas fictícias com homens hediondos que dão título ao volume. O conjunto é desigual, permeado de explorações estilísticas e metaficcionais, alternando momentos de poderoso envolvimento narrativo com exercícios de linguagem que podem funcionar para poucos. Podemos apenas especular se o primeiro livro de contos de Wallace, *Girl with Curious Hair* [Garota de cabelo esquisito], publicado em 1989 e em muitos sentidos mais acessível, teria atraído um número maior de leitores, e é compreensível que se tenha adiado até recentemente a aventura de traduzir um livro vasto e complicado como *Infinite Jest* no Brasil (o tradutor Caetano W. Galindo está se dedicando à empreitada). O fato é que, à exceção de um pequeno séquito de entusiastas, que em boa parte já tinha condições de desfrutar da produção do autor no idioma original, Wallace permaneceu praticamente desconhecido pelo leitor brasileiro até 2008, quando o choque de sua morte mudou um pouquinho a situação. Mas não muito.

O que nos traz a este livro. Por que uma antologia? Mais que isso, por que *esta* antologia?

Como era de se esperar, o suicídio de David Foster Wallace, justamente por seu caráter trágico e impactante, despertou um interesse renovado por sua vida e obra nos Estados Unidos e no resto do mundo. A revelação de que ele sofria de depressão crônica desde a adolescência — surpreendente se contemplamos a ambição e a consistência de sua produção, mas também coerente com detalhes conhecidos de sua biografia e sobretudo com a precisão exasperante com que tratou do tema em seus contos e romances — e a informação de que havia deixado os originais inacabados de seu primeiro romance desde *Infinite Jest* (publicado em 2011, *The Pale King* foi recebido com entusiasmo por público e crítica) contribuíram para consolidá-lo rapidamente como uma figura literária cultuada.

Ainda em 2008, poucas semanas após a morte de Wallace, quando já começavam a surgir os primeiros sinais desse reconhecimento póstumo, entrei em contato com sua agente, Bonnie Nadell, propondo organizar e publicar no Brasil uma antologia de seus textos de não ficção, escolhendo os melhores dentre os mais acessíveis, na esperança de apresentá-lo uma segunda vez aos leitores brasileiros e quem sabe, no futuro, abrir caminho para a publicação do restante de sua obra no país. O que parecia ser um tiro no escuro acabou acertando o alvo. A agente não apenas gostou da ideia como informou que uma experiência semelhante havia sido realizada na Alemanha, resultando em boa recepção não somente para a antologia, mas também para outros títulos de Wallace traduzidos na sequência. Montei o projeto com a ajuda dela, e a Companhia das Letras embarcou sem titubear.

Exponho aqui a gênese desta antologia para esclarecer que não se trata necessariamente de uma coleção dos melhores textos dentro do conjunto da obra do autor, tampouco dos melhores ou mais importantes dentro de toda sua produção não ficcional. A intenção é a de oferecer uma introdução, ou, melhor ainda, uma *apresentação* do autor para aqueles que ainda não tiveram a oportunidade de conhecê-lo ou não conseguiram se sentir envolvidos por seu trabalho num primeiro contato e, ao mesmo tempo, tornar disponíveis também em língua portuguesa alguns textos que os leitores iniciados conheciam apenas no idioma original. Sendo assim, buscou-se uma seleção sucinta e ao mesmo tempo variada de reportagens, palestras e ensaios. A proposta é reforçada pelo fato de que alguns de seus melhores e mais importantes textos de não ficção *estão* entre os mais acessíveis e bem-humorados.

Além disso, é um erro ver a não ficção de Wallace à sombra de sua ficção, o que espero que venha a ficar claro após a leitura dos textos. O próprio Wallace gostava de desdenhar de suas incursões no mundo da reportagem e do ensaio. Numa entrevista concedida ao programa de televisão *The Charlie Rose Show* em 1997, logo após a publicação de seu primeiro volume de ensaios, *A Supposedly Fun Thing I'll Never Do Again* [Uma coisa supostamente divertida que eu nunca mais vou fazer], ele declarou: "Penso em mim como um escritor de ficção, e um escritor de ficção sem lá muita experiência, então se tem alguma gracinha por trás de vários ensaios do livro, essa gracinha é 'Ai, puxa, olha só para mim, um não jornalista que foi enviado para cobrir essas coisas jornalísticas'". A gracinha por trás da própria tirada autodepreciativa é que muitos ensaios de Wallace são brilhantes e influentes justamente por causa dessa *persona* de escritor brincando de jornalista, a qual se revela por meio de uma grande inventividade narrativa e um assombroso poder de observação. A marca deixada por Wallace no jornalismo literário atual é comparável à de Hunter S. Thompson e pode ser verificada no estilo de novos ensaístas americanos como John Jeremiah Sullivan.

No conjunto, sua não ficção elabora com humor, sofisticação intelectual e uma atenção descomunal ao detalhe os mesmos temas centrais de sua ficção, entre os quais podemos citar o narcisismo como motor da alienação moderna, o poder destrutivo da ironia alçada à condição de visão de mundo totalizante, o niilismo travestido de liberdade e inconformidade, o preço espiritual dos vícios (em especial o vício em entretenimento) e a questão do que podemos fazer para tentar fugir da prisão de nossas próprias cabeças, caso esta não seja uma batalha perdida. A julgar por boa parte do que escreveu, Wallace tinha esperança na batalha. Numa entrevista de 1993,[1] ele afirmou: "A ficção pode oferecer uma visão de mundo tão sombria quanto desejar, mas para ser realmente muito boa ela precisa encontrar uma maneira de, ao mesmo tempo, retratar o mundo e iluminar as possibilidades de permanecer vivo e humano dentro dele".

David Foster Wallace nasceu em fevereiro de 1962 em Ithaca, Nova York, e passou a infância e a juventude em cidades pequenas do estado de Illinois, no modorrento Meio-Oeste americano. Herdou dos pais o interesse por filosofia e literatura — o pai é filósofo e a mãe professora de inglês — e desenvolveu ao mesmo tempo um interesse profundo pelo tênis, chegando a participar de torneios juvenis. Formou-se em filosofia e letras pela Universi-

---

[1] "An Interview with David Foster Wallace", *Review of Contemporary Fiction*, vol. 13, nº 2, Summer, 1993, pp. 127-50.

dade de Amherst, e seus trabalhos de conclusão para esses cursos foram respectivamente a tese *Richard Taylor's 'Fatalism' and the Semantics of Physical Modality* ["Fatalismo" de Richard Taylor e a semântica da modalidade física] e o romance *The Broom of the System* [A vassoura do sistema], que seria publicado em 1987 e o colocaria instantaneamente no radar da literatura americana. Antes de ser percebido como escritor, Wallace foi visto como um prodígio acadêmico. O mundo parecia esperar que ele se tornasse um filósofo ou matemático, mas foi na literatura de ficção que, após uma crise emocional severa, ele acabou encontrando um ponto de apoio e uma válvula de escape para seu talento pressurizado. *Girl with Curious Hair*, seu livro seguinte, é uma coletânea de contos notável, mas teve recepção morna. Em 1996, porém, todas as expectativas seriam superadas com a chegada de *Infinite Jest*.

Colossal em tamanho e ousadia, fragmentado e saturado de informação como a existência moderna, o livro estabeleceu um novo parâmetro de ambição para os seus contemporâneos e cristalizou de maneira gloriosa o projeto literário de seu autor: conciliar o experimentalismo formal de seus heróis pós-modernistas, como John Barth, Donald Barthelme e William Gaddis, com a força emotiva da literatura mais convencional e a preocupação moral propositiva do romance social. Para Wallace, a nova vanguarda precisava ser um pouco conservadora. Se a forma do romance deve se adaptar aos tempos, é para que ele continue propondo ao leitor maneiras de compreender o mundo e viver uma vida melhor. Em *Infinite Jest*, ao tematizar o vício e o entretenimento vazio e radicalizar a descrição da autoconsciência de seus personagens com recursos metaficcionais, digressões sucessivas e notas de rodapé em profusão, Wallace apontou para o que julgava mais urgente transcendermos se quiséssemos ter uma vida menos isolada e ansiosa. Seu estilo estabeleceu uma conexão direta com o consciente coletivo de sua geração. Muitos de seus leitores concordariam com a afirmação do crítico do *New York Times* A. O. Scott, para quem "[a voz literária de Wallace] é instantaneamente reconhecível mesmo quando é ouvida pela primeira vez. Era — é — a voz dentro da nossa própria cabeça".

Wallace começou a publicar resenhas literárias e pequenos artigos ainda no fim dos anos 1980, durante seus anos de graduação, mas o embrião do estilo jornalístico que desenvolveu nos vinte anos seguintes talvez esteja em seu primeiro texto para a revista *Harper's*, da qual se tornaria um colaborador frequente. "Tennis, Trigonometry, Tornadoes" [Tênis, trigonometria, tornados], publicado em 1991, é um ensaio autobiográfico em que o autor conta como na adolescência, jogando tênis, aprendeu a realizar complicados cálculos geométricos para descobrir como se beneficiar dos ventos fortes que varriam a zona rural de Illinois. Quando começou a disputar torneios mais sérios em quadras de mais qualidade, protegidas do vento, seu jogo foi por água abaixo. O padrão se expande por toda a obra de Wallace: a filtragem intelectual obsessiva, mais uma prisão do que uma escolha, é solapada assim que desafios maiores e conflitos maduros se apresentam. O tênis, também um dos assuntos principais em *Infinite Jest*, apareceria em dois outros artigos que se tornariam clássicos da crônica esportiva: "The Sting Theory" [Teoria das Cordas], publicado na *Esquire* em 1996, e "Federer como experiência religiosa".

Em 1993, Wallace publicou um de seus ensaios mais famosos, "E Unibus Pluram: Television and U.S. Fiction" [E Unibus Pluram: a televisão e a ficção nos Estados Unidos], no qual denuncia a influência nociva da ironia da linguagem televisiva na literatura de ficção. "A ironia, embora prazerosa, tem uma função quase exclusivamente negativa", afirma. "É crítica e destrutiva, boa para limpar o terreno. Com certeza era assim que nossos pais pós-modernos a viam. Mas é particularmente inútil quando se trata de construir alguma coisa para pôr no lugar das hipocrisias que expõe."[2] Sua crítica ao abuso da ironia estéril na literatura antecipou a disseminação do "consumo irônico" e a ascensão dessa figura retórica a discurso predominante da sociedade conectada.

Assim como "E Unibus Pluram", vários outros ensaios e reportagens importantes ficaram de fora por questões de 1) extensão do livro e 2) adequação à proposta editorial. Entre eles estão "David Lynch não perde a cabeça",[3] em que Wallace discorre sobre o cinema de David Lynch e visita o set de filmagens de *A estrada perdida* tomando o cuidado de não falar com o diretor em momento algum apesar de tê-lo à disposição a um palmo do nariz, e "Up, Simba", sobre a campanha presidencial de John McCain à presidência dos Estados Unidos.

Entre os textos selecionados, além do já citado perfil do tenista Roger Federer, de "Alguns comentários sobre a graça de Kafka dos quais provavelmente não se omitiu o bastante" (uma breve palestra sobre o humor em Kafka) e "Isto é água" (um discurso de paraninfo), temos o trio de grandes reportagens exemplares do estilo de jornalismo literário praticado por Wallace: "Ficando longe do fato de já estar meio que longe de tudo", uma hilária incursão socioantropológica numa feira rural de Illinois; "Uma coisa supostamente divertida que eu nunca mais vou fazer", relato minucioso, para dizer o mínimo, de uma experiência de viagem num navio de cruzeiro; e, finalmente, "Pense na lagosta", misto de artigo sobre feira gastronômica e tratado de ética alimentar. Na seção seguinte comentarei rapidamente os textos escolhidos. Pode ser que você prefira ler o livro antes.

---

[2] Tradução de Sérgio Rodrigues postada no blog Todoprosa.
[3] Publicado na revista *Arte e Letra: Estórias B* (2008), tradução de Caetano W. Galindo.

Numa entrevista publicada no *Boston Phoenix* em 1998, quando indagado a respeito da diferença entre escrever ficção e não ficção, Wallace respondeu: "Não sou jornalista e não finjo ser, e a maioria dos artigos incluídos em *A Supposedly Fun Thing I'll Never Do Again* foi passada para mim com instruções enlouquecedoras do tipo 'Apenas vá para tal lugar, gire 360 graus algumas vezes e nos conte o que viu'". O ensaio "Ficando longe do fato de já estar meio que longe de tudo", de 1993, foi o primeiro a deixar bem claro o que David Foster Wallace era capaz de fazer com uma pauta tão vaga. Estruturado como um diário, com entradas de data e horário, o texto começa com uma bela descrição do sentimento de atravessar de carro a planura ilusória da região rural de Illinois, na verdade uma sutilíssima "onda senoidal", e em seguida expõe o cômico processo de obtenção das credenciais de imprensa. Wallace retrata a si mesmo como um intruso desorientado e fora de lugar, a quem só resta sublinhar repetidas vezes sua falta de jeito, catalogar com sarcasmo e perplexidade o que transcorre à sua volta e bolar teorias intelectuais para explicar o que se passa. Seu contraponto é a Acompanhante Nativa, uma amiga que se mistura ao clima de celebração da feira agrícola, flertando com caubóis e comendo porcarias sem culpa, ou seja, ressaltando, por contraste, o distanciamento do narrador. As descrições às vezes fazem pensar num extraterrestre ultraeloquente. "Os rostos dos cavalos são compridos e por algum motivo lembram caixões." Uma luta de boxe na categoria infantil é descrita como "um vale-tudo encarniçado entre dois molequinhos que ficam parecendo ter cabeças grandes demais para o corpo por causa dos capacetes". O texto se mantém engraçado quase o tempo todo, mas a graça apenas ressalta a alienação do observador, que atinge proporções aterrorizantes nas últimas páginas, quando entra em cena um gigantesco e cruel brinquedo do parque.

Esse procedimento foi levado às últimas consequências naquele que talvez seja o seu ensaio mais importante e aclamado,

"Uma coisa supostamente divertida que eu nunca mais vou fazer", conhecido também como "o texto do navio". Escalado novamente pela *Harper's* para dar uma espiada num ecossistema pitoresco da classe média americana — dessa vez um passeio de uma semana pelo Caribe a bordo de um navio de cruzeiro turístico — e retornar contando o que viu, Wallace produziu um relato de mais de cem páginas esmiuçando a experiência de ser "mimado até a morte" em alto-mar. O sentimento de deslocamento e a ansiedade trazida pela autoconsciência irônica, já explorados em outros textos, são exacerbados aqui com uma verborragia deliciosa e com o uso repetido de notas de rodapé por vezes quilométricas. Se no relato da Feira de Illinois ele parece mais interessado nos funcionários do parque e animais enjaulados do que nos visitantes que estão ali presentes para desfrutar a ocasião sem questionamentos, a bordo do *Nadir* ele se atém principalmente aos membros mais invisíveis da tripulação, aos eventos mais bisonhos do roteiro de atrações a bordo e ao funcionamento mecânico das entranhas da embarcação. É tão hilariante quanto desesperador acompanhar a obsessão de Wallace pelo sistema de descarga a vácuo da privada de seu camarote ou pela presciência misteriosa da camareira que de algum modo sempre sabe a hora certa de arrumar a cama. É certo que podemos detectar algum esnobismo ou desprezo em sua postura (quando descreve seus companheiros de mesa de jantar, por exemplo), mas mesmo isso é digerido e reaproveitado para ressaltar o tormento de ver o mundo com uma mente que não consegue parar de narrar, calcular e explicar a experiência imediata — a mesma condição que faz Hal, o personagem mais autobiográfico de *Infinite Jest*, terminar quase literalmente trancado dentro da própria caveira.

Faço essa menção repentina à sua obra de ficção para salientar que o jornalismo de Wallace toma liberdades ficcionais que não são aceitas por defensores de um jornalismo rigorosamente objetivo. Em 2011, o escritor Jonathan Franzen, que era um dos melhores amigos de Wallace e manteve com ele uma relação ambígua de respeito e competição, comentou em conversa com o jornalista David Remnick, num evento da *New Yorker*, que Wallace teria inventado diálogos em seu ensaio sobre o cruzeiro. É impossível saber até que ponto isso é verdade, mas o próprio Wallace declarou numa conversa com David Lipsky, publicada no livro *Although of Course You End Up Becoming Yourself* [Embora no fim você acabe se tornando você mesmo], que teria colocado falas de outras pessoas na voz da Acompanhante Nativa no ensaio da Feira de Illinois. É o tipo de coisa que, se confirmada, faria um purista da objetividade torcer o nariz. Mas essa seria uma maneira equivocada de abordar o jornalismo literário de Wallace, no qual o compromisso de fidelidade diz respeito sobretudo à experiência do repórter, ou do escritor brincando de jornalista, o que justifica a prevalência ocasional de expedientes literários.

Essa liberdade adquire outra feição no ensaio "Pense na lagosta", publicado originalmente em 2004 na *Gourmet Magazine*. Enviado para cobrir o Festival da Lagosta do Maine, Wallace inicia o texto com um relato um tanto semelhante ao da Feira de Illinois, até se deparar com o processo de cozimento das lagostas, que são atiradas vivas na panela fervente. De repente o ensaio se transforma numa extensa investigação científica e filosófica sobre a legitimidade de causar sofrimento animal em nome do hedonismo gastronômico. Wallace não hesita em concluir o texto conclamando os leitores da revista a refletirem sobre sua postura ética diante da questão.

Em "Alguns comentários sobre a graça de Kafka dos quais provavelmente não se omitiu o bastante", Wallace sugere que a espirituosidade do autor tcheco pode ser "inacessível a jovens que nossa cultura treinou para ver piadas como entretenimento e entretenimento como conforto". Mais que isso, ele parece fazer um mea-culpa de seu próprio estilo de sarcasmo distanciado ao dizer que "o humor de Kafka não possui quase nenhum dos formatos e códigos típicos do divertimento contemporâneo dos Estados Unidos. Não há jogos de palavras recorrentes nem acrobacias aéreas verbais, e pouco no que se refere a tiradinhas jocosas e sátiras mordazes". Acima de tudo, o texto é um testemunho do talento didático do autor (de 2002 até um pouco antes de sua morte, Wallace foi professor de literatura e escrita criativa no Pomona College) e um exemplo perfeito de *punch* literário. O texto que versa sobre a "piada fundamental em Kafka" funciona estruturalmente como uma piada bem contada que faz eclodir, em vez do riso, um belo *insight* metafísico.

Em 2005, Wallace fez um discurso de paraninfo para uma turma de formandos no Kenyon College. O texto, intitulado "Isto é água", circulou na internet por anos até ser publicado como livro após a sua morte. Partindo de uma parábola sobre dois peixinhos incapazes de perceber a água em que vivem imersos, Wallace discorre sobre a necessidade de prestar atenção constante ao mundo e exercitar a empatia para conseguir enfrentar a solidão essencial de uma vida adulta. É um texto de caráter francamente edificante, com toques de moralismo e religiosidade, que salienta o tempo todo os clichês em que se apoia. "É claro que isso não passa de uma platitude banal", ele diz sobre a parábola dos peixinhos, "mas o fato é que nas trincheiras cotidianas da existência adulta as platitudes banais podem ter uma importância vital." Wallace era leitor de livros de budismo e autoajuda (há indícios de que lia tudo que é tipo de livro que existe) e gostava de lembrar que clichês nada mais são que verdades que ficaram desgastadas pelo uso recorrente. É um texto inspirador, construído com extrema habilidade, que ganha ainda mais significado se posicionado no conjunto de sua obra, no espectro oposto de contos quase instransponíveis como "Oblivion" [Oblívio], publicado em 2004 na coletânea de mesmo título.

Por fim, temos em "Federer como experiência religiosa" um exemplo condensado das principais virtudes da obra de Wallace. Convidado pelo *New York Times* para escrever um perfil do maior tenista vivo e quiçá de todos os tempos, Wallace assistiu à partida entre Federer e Nadal na final de Wimbledon em 2006 e produziu uma reportagem esportiva como nenhuma outra. O texto é ao mesmo tempo um tratado sobre a evolução do tênis moderno, uma veneração apaixonante pelo tenista suíço e uma meditação sobre o corpo e a mortalidade. Diversas narrativas se expandem e se entrelaçam, de maneira entrecortada, em blocos de texto e notas de rodapé, entre elas a história de um menino de sete anos que sobreviveu ao câncer e foi o convidado daquela ocasião para realizar o cara e coroa ritual que dá início à partida. Wallace discorre sobre a "beleza cinética" do tênis, sugerindo que ela tem a ver com "a reconciliação do ser humano com o fato de possuir um corpo". Fala dos "Momentos Federer" que colocam espectadores como ele de joelhos diante da televisão. Descreve pontos complexos da partida com uma precisão eletrizante e faz uso de metáforas poderosas e dados matemáticos para recriar para o leitor o ponto de vista de um tenista de elite. Trata o que seria o momento decisivo de sua apuração, uma entrevista cara a cara com Federer, com relativo desdém e tira o máximo rendimento de um comentário casual feito pelo motorista do ônibus de imprensa. E encerra seu artigo com dois exemplos do que podemos chamar de "Momentos DFW". O primeiro pode até passar despercebido, mas causa impacto assim que nos damos conta dele: Wallace não conta como a partida termina. Federer e Nadal são apresentados como dois combatentes lutando pela supremacia no tênis moderno, mas ele abandona o confronto sem mais explicações depois de narrar um lance do quarto game do segundo set. O segundo exemplo está no fato de que a verdadeira conclusão do artigo, seu clímax em todos os sentidos, está numa nota de rodapé colocada no penúltimo parágrafo. A epifania é um adendo. Você precisa prestar atenção.

    Na ficção de David Foster Wallace, exigir um grande esforço do leitor costuma ser parte da estratégia, seja por meio da extensão, da linguagem ou da complexidade das técnicas narrativas empregadas. Sua não ficção, em comparação, é intelectualmente estimulante e ao mesmo tempo calorosa, convidativa e com frequência hilária. É isso que esperamos que o leitor encontre nesta antologia. Para os recém-chegados, que seja uma porta de entrada. Para os de casa, que ajude a constatar que a aparente distância entre a alta exigência de seus contos e o acolhimento de sua não ficção esconde o terreno comum do rigor, das inquietações e da compaixão.

1. Ficando longe do fato de já estar meio que longe de tudo

05/08/93/8h00. O Dia da Imprensa acontece cerca de uma semana antes da abertura da Feira. Devo comparecer ao Prédio Illinois lá pelas 9h00 para conseguir Credenciais de Imprensa. Imagino as Credenciais como um cartãozinho branco na faixa de um fedora. Nunca fui considerado Imprensa na vida. Meu principal interesse nas Credenciais é poder andar de graça nos brinquedos e em todo o resto.

Acabo de chegar da Costa Leste para ir à Feira Estadual de Illinois a convite de uma revista classuda da Costa Leste. Por que exatamente uma revista classuda da Costa Leste está interessada na Feira Estadual de Illinois continua sendo um mistério para mim. Suspeito que de vez em quando os editores dessas revistas dão um tapa na testa, lembram que cerca de 90% dos Estados Unidos ficam entre as Costas e resolvem mobilizar alguém com chapéu de explorador para fazer uma cobertura antropológica de qualquer coisa rural e interiorana. Acho que decidiram me mobilizar dessa vez porque na verdade eu cresci perto daqui, a apenas duas horas de carro de Springfield, no sul do estado. Só que eu nunca fui à Feira Estadual quando era novo — meio que dei o serviço por encerrado ao chegar no nível da Feira Municipal.

Em agosto a neblina matinal leva horas para se desmanchar. O ar parece lã molhada. 8h00 é cedo demais para justificar o ar-condicionado do carro. Estou na I-55 indo para sso. O sol é um borrão num céu mais opaco do que nebuloso. O milho surge colado aos acostamentos e se estende até a borda do céu. O milho de agosto é da altura de um homem alto. Hoje em dia o milho de Illinois chega à altura do joelho lá pelo dia 4 de maio, graças aos avanços em fertilizantes e herbicidas. Gafanhotos estridulam em todos os campos, um som elétrico e estridente que alcança o interior do carro em alta velocidade com um estranho efeito Doppler. Milho, milho, soja, milho, rampa de acesso, milho e a cada punhado de quilômetros uma vivenda muito afastada num recanto distante — casa, árvore c/ balanço de pneu, celeiro, parabólica. Silos de grãos são a coisa mais próxima de prédios. A Interestadual é monótona e sem cor. Os outros carros ocasionais parecem todos fantasmagóricos e seus motoristas têm o semblante entorpecido pela umidade. Uma neblina paira logo acima dos campos como se fosse a mente da terra ou algo assim. A temperatura passa dos 27 e já começa a subir com o sol. Vai chegar a 32 ou mais às 10h00, dá para prever: o ar já mostra sinais daquele retesamento característico, como se estivesse se recolhendo para enfrentar um longo cerco.

Credenciais às 9h00, Boas-Vindas e Pauta às 9h15, Tour de Imprensa em Trenzinho Especial às 9h45.

Cresci na região rural de Illinois mas fazia tempo que não voltava e não posso dizer que senti falta — o calor lêvedo, a desolação opulenta do milho interminável, a planura.

Mas é como andar de bicicleta, de certa forma. O corpo nativo se reajusta automaticamente à planura, e conforme sua calibragem melhora, dirigindo, você começa a perceber que a planura uniforme é apenas aparente. Há irregularidades, altos e baixos, leves porém ritmados. O tiro retilíneo da I-55 começará, da forma mais tênue, a se elevar, talvez 5° num quilômetro e meio, para então descer de novo com a mesma sutileza, e então você verá mais adiante uma ponte passando por cima de um rio — o Salt Fork, o Sangamon. Os rios são caudalosos, mas nada parecido com os arredores de St. Louis. Essas sutis elevações que depois descem até rios são morainas glaciais, marcas do antigo gelo que se depositava rente à superfície do Meio-Oeste. Os rios mirrados têm origem em escoamentos glaciais. O caminho inteiro é uma dessas ondas senoidais, mas é como ter pernas de marinheiro: se você não passou anos aqui, nunca irá sentir. Para o povo das Costas, a topografia do IL rural é um pesadelo, algo que dá vontade de baixar a cabeça e atravessar correndo — o opaco do céu, a constância do verde enfadonho das plantações, a paisagem plana e enfadonha e infinita, uma monotonia para os olhos. Para os nativos é diferente. Para mim, pelo menos, ela se tornou sinistra. Na época em que fui embora para fazer faculdade a região já parecia menos enfadonha do que vazia, solitária. Solitária tipo meio-do-oceano. Você pode passar semanas sem enxergar um vizinho. Dá nos nervos.

05/08/9H00. Mas então ainda falta uma semana para a Feira e há algo de surreal no vazio de áreas de estacionamento tão enormes e complexas que possuem seu próprio mapa. As partes do Pátio da Feira que posso ver ao entrar de carro estão divididas em estruturas permanentes e tendas e estandes em variados graus de edificação, dando à coisa toda a aparência de alguém parcialmente vestido para um encontro muito importante.

05/08/9H05. O homem que processa as Credenciais de Imprensa é insípido, pálido, usa bigode e veste uma camisa de malha de manga curta. Enfileirados diante de mim estão repórteres experientes dos periódicos *Today's Agriculture*, *Decatur Herald & Review*, *Illinois Crafts Newsletter*, *4-H News* e *Livestock Weekly*. No fim das contas a Credencial de Imprensa é somente uma fotografia de rosto plastificada com uma boquinha de jacaré para prender no bolso; não há fedoras no recinto. Duas senhoras mais velhas de um órgão local de horticultura puxam conversa comigo em jargão profissional. Uma das senhoras descreve a si mesma como Historiadora Extraoficial da Feira Estadual de Illinois: sai por aí exibindo slides da Feira em asilos e almoços do Rotary. Começa a emitir dados históricos em alta velocidade — a Feira teve início em 1853; houve uma Feira em cada ano da Guerra Civil, mas não durante a Segunda Guerra, e também não houve Feira em 1893 por alguma razão; o Governador não teve condições de cortar pessoalmente a fita do Dia de Inauguração somente duas vezes etc. Me ocorre que eu provavelmente deveria ter trazido um bloco de notas. Também percebo que sou a única pessoa no recinto que está de camiseta. É uma cafeteria com iluminação fluorescente dentro de algo chamado Centro da Melhor Idade do Prédio Illinois, não refrigerada. Todas as equipes de TV locais dispuseram seus apetrechos sobre as mesas e estão encostadas nas paredes descansando e conversando sobre as enchentes apocalípticas de 1993 ocorridas um pouco mais para oeste e que seguem em andamento. Todos usam bigodes e camisas de malha de manga curta. Na verdade os únicos outros homens do recinto sem bigode e camisa de golfe são os repórteres de TV locais, quatro deles, todos vestidos com ternos de corte europeu. São alinhados, não suam e têm profundos olhos azuis. Estão reunidos em pé junto ao palanque. O palanque tem um pódio, uma bandeira e uma faixa dizendo A GENTE QUER CURTIÇÃO!, o que deduzo ser provavelmente o Tema da Feira desse ano, mais ou menos como os Temas dos bailes de formatura do colégio. Uma ausência cativante de atrito paira sobre os repórteres de TV, todos possuidores de cabelo curto e loiro e uma maquiagem vagamente alaranjada. Uma vivacidade. Fico sentindo uma ânsia esquisita de votar neles para alguma coisa.

As senhoras mais velhas atrás de mim dizem que apostaram que estou aqui para cobrir ou a corrida de carros ou a música pop. Não têm intenção de ofender. Explico por que estou aqui, mencionando o nome da revista. Elas se olham, os rostos radiantes. Uma delas (não a Historiadora) chega a espalmar as mãos contra as bochechas.

"*Amo* as receitas", diz ela.

"*Adoro* as receitas", diz a Historiadora Extraoficial.

E acabo meio que propelido até uma mesa só de mulheres com mais de 45 e apresentado como enviado da revista *Harper's*, e todas se olham com uma reverência astronômica e concordam que as receitas são realmente de primeira categoria, coisa fina, o que há de melhor. Uma receita seminal envolvendo Amaretto e algo denominado "chocolate de confeiteiro" está sendo relembrada e discutida quando a microfonia de um alto-falante dá início ao processo de Boas-Vindas à Imprensa & Coletiva Oficial da Feira.

A Coletiva é chata. O que recebemos dos funcionários da Feira, anunciantes de produtos e políticos estaduais de escalão intermediário não é tanto uma fala, mas um espancamento retórico. Os termos *felicidade*, *orgulho* e *oportunidade* são empregados em um total de 76 vezes antes de eu perder a conta. De repente me cai a ficha de que todas as senhoras mais velhas com quem divido a mesa agora confundiram *Harper's* com *Harper's Bazaar*. Acham que sou alguma espécie de colunista gastronômico ou um garimpeiro de receitas, aqui presente para talvez catapultar algumas das vencedoras dos concursos de comida do Meio-Oeste ao primeiro time das donas de casa. A Rainha da Feira Estadual de Illinois, com a tiara pregada ao maior penteado que já vi (coques em cima de coques, múltiplas camadas, um verdadeiro bolo de casamento capilar), tem o orgulho e a alegria de ter a oportunidade de apresentar dois caras de uma grande empresa, inexpressivos e suando sem parar dentro dos seus ternos, que por sua vez comunicam o orgulho e a empolgação do McDonald's e do Wal-Mart por terem a oportunidade de ser as maiores empresas patrocinadoras da Feira esse ano. Me ocorre que, se eu permitir que o mal-entendido do garimpeiro-de-receitas-da-*Harper's-Bazaar* persista e circule, poderei surgir a qualquer momento nas tendas do Concurso de Sobremesas com minhas Credenciais de Imprensa para ser alimentado com sobremesas premiadas gratuitas até precisar ser levado embora numa maca. Senhoras mais velhas do Meio-Oeste *sabem* fazer doces.

05/08/9H50. Avançando a 5 km/h no Tour de Imprensa numa espécie de barcaça provida de rodas e atravessada ao comprido por um banco tão ridiculamente alto que os pés de todo mundo ficam balançando. O trator que nos puxa tem avisos dizendo ETANOL e MOVIDO A AGRICULTURA. Me agrada particularmente ver o pessoal do parque montando os brinquedos no "Vale da Alegria" do Pátio da Feira, mas primeiro nos dirigimos às tendas políticas e empresariais. Quase todas ainda estão sendo armadas. Trabalhadores engatinham no topo de armações estruturais. Acenamos para eles; eles acenam de volta; é absurdo: estamos a apenas 5 km/h. Uma tenda anuncia MILHO: TOCANDO NOSSA VIDA TODOS OS DIAS. Há gigantescas tendas multimatizadas, cortesia das seguintes empresas e instituições: McDonald's, Miller Genuine Draft, Osco, Morton Commercial Structures Corp., Associação da Soja Terra de Lincoln (VEJA PARA ONDE VAI A SOJA! num estande pela metade), Pekin Energy Corp. (ORGULHO DE NOSSA SOFISTICADA TECNOLOGIA DE PROCESSAMENTO COMPUTADORIZADA), Produtores Suínos de Illinois e Sociedade John Birch (com certeza visitaremos essa tenda). Duas tendas anunciam REPUBLICANOS e DEMOCRATAS. Outras tendas menores abrigam diversos funcionários públicos de Illinois. Já passa dos trinta graus e o céu tem a cor de jeans desbotados. Passamos por um conjunto de elevações até chegar na Exposição Agrícola — cinco hectares de arados truculentos com dentes pontiagudos, tratores, colheitadeiras e semeadores — e depois no Mundo da Preservação, nove hectares dedicados à preservação de algo que não chego a compreender muito bem o que é.

Depois voltamos por trás das grandes estruturas permanentes — o Prédio dos Artesãos, o Centro da Melhor Idade do Prédio Illinois, o Centro de Exposições (está escrito AVES no tímpano, mas é o Centro de Exposições) — passando tantalizadoramente perto do Vale da Alegria, onde brinquedos semidesmontados se erguem em arcos e raios gigantes ao redor dos quais molengam uns caras tatuados sem camisa e carregando chaves de boca, exsudando um suave olor de ameaça e interesse humano — e quero ter a oportunidade de bater um papo com eles antes que o Vale abra e haja pressão para passear de fato nos brinquedos do parque, já que sou uma daquelas pessoas que passam mal em brinquedos que proporcionam Experiências-de-Quase-Morte — mas seguimos nos arrastando por uma pista de asfalto até os Pavilhões Animais no setor oeste (contra o vento!) do Pátio da Feira. A essa altura, boa parte da Imprensa saiu do trenzinho e está caminhando para fugir do alto-falante do passeio, que é diminuto e brutal. Complexo Equino. Complexo Bovino. Pavilhão Suíno. Pavilhão Ovino. Pavilhões Aviário e Caprino. Todos são alojamentos compridos de tijolos abertos nas duas pontas. Dentro de alguns há baias; outros possuem cercados divididos em quadrados com grades de alumínio. Os interiores são de cimento cinza, mortiços e pungentes, com ventiladores imensos no teto e trabalhadores de avental e botas de borracha passando a mangueira em tudo. Nada de animais por enquanto, mas os odores do ano passado persistem — o cheiro dos cavalos é penetrante, o das vacas é encorpado, o das ovelhas é oleoso, o dos porcos é inominável. Não faço ideia de como cheirava o Pavilhão Aviário porque não consegui me forçar a entrar. Fui bicado uma vez de forma traumática, na infância, na Feira Municipal de Champaign, e tenho um lance fóbico de longa data com relação a aves.

Com o escapamento do trator movido a etanol liberando um odor literalmente flatulento, nos arrastamos ao largo da Grande Arquibancada onde parece que haverá concertos noturnos e corridas de charrete e de carro — "A MILHA DE CHÃO BATIDO MAIS VELOZ DO MUNDO" — e seguimos em direção a uma coisa chamada tenda Ajuda-me a Crescer para interagir com a primeira-dama do estado, Brenda Edgar. Me ocorre que os 148 hectares de terreno do Pátio da Feira são terrivelmente acidentados para o sul de Illinois; caso não se trate de uma anomalia geológica, houve intervenção humana. A tenda Ajuda-me a Crescer fica sobre uma crista coberta de grama com vista para o Vale da Alegria. Acho que fica perto de onde estacionei. Os brinquedos desmantelados lá embaixo dão complexidade à paisagem. O Centro de Exposições e o Coliseu sobre a crista oposta do outro lado do Vale possuem estranhas fachadas neogeorgianas, muito semelhantes aos prédios mais antigos da U. Estadual em Champaign. No que tange à natureza, é uma bela vista. A enchente para valer fica bem a oeste de Springfield, mas fomos atingidos pela mesma chuva e a grama aqui está viçosa e verdejante, as folhas das árvores inflam explosivamente como as árvores em Fragonard e tudo aqui tem uma fragrância de coisa suculenta, altamente comestível e em processo de amadurecimento num mês em que me recordo de ver tudo seco e abatido. O primeiro sinal da área Ajuda-me a Crescer é o vermelho brilhante e nauseabundo dos cabelos de Ronald McDonald. Ele está saracoteando ao redor de uma areazinha recreativa plastificada sob lonas com listras de pirulitos. Embora o fechamento da Feira ao público ainda seja ostensivo, trupes de crianças surgem misteriosamente e se põem a brincar de maneira algo ensaiada enquanto nos aproximamos. Duas crianças são negras, os únicos negros que vi em todo o Pátio da Feira. Nenhum pai por perto. Logo em frente à tenda, a esposa do governador nos aguarda cercada por assistentes de olhar faiscante. Ronald finge tropeçar. A Imprensa se dispõe numa espécie de anel. Vários policiais estaduais de cáqui e bege derramam suor por baixo de seus chapéus de Nelson Eddy. Minha visão não é muito boa. A sra. Edgar é serena, bem-arrumada e bela no sentido laqueado da coisa, pertencente à faixa etária feminina que vem sempre acompanhada de um "perto dos". Sua falha trágica é a voz, que tem uma sonoridade quase heliada. O Programa Ajuda-me a Crescer da sra. Edgar/McDonald's, após decocção da retórica, é basicamente uma linha de emergência com cobertura estadual para a qual pais esquentadinhos podem ligar se quiserem ser demovidos de espancar seus filhos. O número de telefonemas que a sra. Edgar diz que a linha recebeu somente esse ano impressiona e não impressiona ao mesmo tempo. Panfletos reluzentes são distribuídos. Ronald McDonald, com a fala embotada e a maquiagem parecendo queijo *cottage* no calor, faz sinal para que as crianças se aproximem e sejam submetidas a um pouco de prestidigitação barata e pilhéria socrática. Privado do instinto matador do verdadeiro jornalista, fui alavancado bem para trás do anel e minha visão fica obstruída pelos cabelos proeminentes da Rainha da Feira do Estado de Illinois, cuja função no Tour de Imprensa ainda não ficou clara. Não quero difamar ninguém, mas Ronald McDonald soa como se estivesse sob efeito de algo mais que a brisa pura do campo. Me deixo levar para baixo da tenda, onde há um bebedouro de metal. Mas nada de copos. Está mais quente debaixo da tenda, e há um ranço de plástico fresco. Todos os brinquedos e equipamentos de plástico do parquinho têm placas dizendo CORTESIA DE e em seguida um nome de empresa. Muitos dos fotógrafos dentro do anel vestem trajes de safári verde-empoeirados e estão sentados de pernas cruzadas no sol, batendo fotos da sra. Edgar em contraplongée. A mídia não faz perguntas difíceis. O trator do trenzinho libera uma descarga azul-esverdeada constante, em formato de meia esportiva. Bem na beira da tenda acabo notando que a grama é diferente: debaixo das tendas há um tipo diferente de grama, de um verde cor de pinheiro e aspecto pinicante, mais parecida com a grama Santo Agostinho do sul profundo dos EUA. Sólido jornalismo investigativo de cócoras revela se tratar na verdade de grama sintética. Um imenso tapete de grama sintética foi estendido por cima da grama autêntica da colina debaixo da tenda com listras de pirulito. Talvez esse tenha sido meu único momento de completo cinismo da Costa Leste no dia. Uma rápida olhada embaixo da borda do tapete de grama falsa revela a grama autêntica por baixo, achatada e já começando a amarelar.

    Uma das poucas coisas da infância no Meio-Oeste que ainda me fazem falta é essa convicção bizarra, iludida porém inabalável, de que tudo ao meu redor existia única e exclusivamente *Para Mim*. Serei eu o único a ter possuído essa sensação profunda e estranha quando criança? — de que tudo exterior a mim existia apenas na medida em que me afetava de alguma maneira? — de que todas as coisas eram de alguma maneira, por via de alguma atividade adulta obscura, especialmente dispostas ao meu favor? Alguém mais se identifica com essa memória? A criança deixa um quarto e agora tudo naquele quarto, assim que ela não está mais lá para ver, se dissolve numa espécie de vácuo de potencial ou então (minha teoria pessoal da infância) é levado embora por adultos escondidos e armazenado até que uma nova entrada da criança no quarto ponha tudo de volta em serviço ativo. Será que era insanidade? Era radicalmente egocêntrica, é claro, essa convicção, e consideravelmente paranoica. Fora a *responsabilidade* que implicava: se o mundo inteiro se dissolvia e se desfazia cada vez que eu piscava, o que aconteceria se meus olhos não abrissem?

Talvez o que me faça falta agora seja o fato de o egocentrismo radical e delusório de uma criança não lhe trazer conflitos nem dor. Cabe a ela o tipo de solipsismo majestosamente inocente de, digamos, o Deus do bispo Berkeley: as coisas não são nada até que sua visão as extraia do vazio: sua estimulação é a própria existência do mundo. E talvez por isso uma criança pequena tema tanto o escuro: não tanto pela possível presença de coisas cheias de dentes escondidas no escuro, mas precisamente pela ausência de tudo que sua cegueira apagou. Para mim, ao menos, com o devido respeito aos sorrisos indulgentes dos meus pais, esse era o verdadeiro motivo por trás da necessidade de uma luz noturna: ela mantinha o mundo nos eixos.

Além disso essa noção do mundo como sendo único e exclusivo Para-Ela talvez explique por que eventos públicos ritualísticos fazem uma criança se empolgar até perder a cabeça. Feriados, desfiles, viagens de verão, eventos esportivos. Feiras. Aqui a empolgação maníaca da criança é na verdade a exultação do seu próprio poder: o mundo agora existirá não apenas Para-Ela mas se mostrará *Especial*-Para-Ela. Cada faixa pendurada, cada balão, cada estande decorado, cada peruca de palhaço, cada volta de parafuso na montagem de uma tenda — cada detalhe vistoso significa, remete. Transcorrendo na direção do Evento Especial, o próprio tempo se alterará do sistema anular de instantes e trechos da criança para a cronologia linear mais típica do adulto — o conceito de *aguardar com expectativa* — com momentos sucessivos sendo riscados rumo a um *télos* marcado com uma cruz no calendário, um novo tipo de Final gratificante e apocalíptico, a hora zero da Ocasião Especial, *Especial*, do *Espetáculo* extravagante e em todos os sentidos excepcional que a criança engendrou e que é, ela intui na mesma profundidade desarticulada da sua necessidade de luz noturna, unicamente Para-Ela, singular no centro absoluto.

13/08/9H25. Abertura Oficial. Cerimônia, apresentações, verbosidade, chavões, tesourona metálica para a fita do Portão Principal. Tempo seco e aberto, mas um calor de franzir a testa. Ao meio-dia estará um forno. Membros da Imprensa com camisa de malha e Visitantes fanáticos de primeira hora formam uma massa que vai do Portão até a Sangamon Avenue, onde moradores com bandeirinhas de plástico convidam você a estacionar em seus jardins por $5.00. Observo que "Little Jim" Edgar, o Governador, não é muito respeitado pela Imprensa, que em sua maior parte fica cochichando que o carro do pai de Michael Jordan foi encontrado enquanto o pai segue desaparecido. Nenhum antropólogo digno do nome dispensaria os doutos conselhos de um pitoresco habitante local, portanto trouxe uma Acompanhante Nativa para passar o dia comigo (posso botar gente de graça para dentro da Feira usando minhas Credenciais de Imprensa) e estamos em pé quase no fundo. O Governador E. deve ter uns cinquenta anos, é magro como um galgo, usa óculos de armação de aço e tem um cabelo que parece ter sido esculpido em feldspato. Mesmo assim irradia sinceridade após ter sido anunciado por seus lacaios e fala de forma clara, sadia e, creio eu, acertada — tanto sobre o sofrimento terrível da Enchente de 93 quanto sobre a alegria redentora de ver o estado inteiro se unir para ajudar o próximo e sobre a importância especial da Feira Estadual desse ano como afirmação consciente de um autêntico senso de comunidade e sobre a solidariedade do estado e sentimentos de camaradagem e orgulho. O Governador Edgar reconhece que o estado vem levando golpes pesados nos últimos meses, mas que este é um estado resiliente, que está vivo e, acima de tudo, como ele pode ver hoje, aqui, olhando ao seu redor, unido, *junto*, nas horas de dor e nas horas de alegria, horas de alegria como, por exemplo, essa mesmíssima Feira. Edgar convida todo mundo a entrar, se divertir à beça e se deliciar vendo os outros se divertindo também, tudo isso como uma espécie de exercício reflexivo de cidadania, basicamente. A Imprensa fica impassível. Mas na minha opinião ele até que disse umas coisas bem fortes.

E essa Feira — a ideia e agora a realidade dela — parece mesmo ter algo especificamente relacionado com o estado-enquanto-comunidade, um estar-junto em grande escala. E não é somente o bolo claustrofóbico de pessoas esperando para entrar. Não consigo apontar o que a Feira Estadual de Illinois tem de especialmente comunitário em comparação com, digamos, uma Feira Estadual de Nova Jersey. Eu tinha comprado um bloco de notas mas deixei as janelas do carro abertas noite passada e ele foi destruído pela chuva, e Acompanhante Nativa me deixou esperando enquanto se arrumava para sair e não tive tempo de comprar um bloco novo. Me dou conta de que não tenho nem caneta. Enquanto isso, o Governador Edgar tem três canetas de cores diferentes no bolso da camisa de malha. O que encerra a questão: sempre se pode confiar num homem com múltiplas canetas.

A Feira ocupa espaço, e não falta espaço no sul de Illinois. O Pátio da Feira toma 120+ hectares da região a leste de Springfield, uma capital deprimida com 109.000 habitantes onde não se pode nem cuspir sem acertar a placa de um local associado a Abraham Lincoln. A Feira se espalha e faz isso visualmente. O Portão Principal fica numa elevação e por entre as metades soltas de fita cortada você tem uma vista privilegiada da coisa toda — tão virgem e cintilante de sol que até as tendas parecem recém-pintadas. A Feira tem um aspecto ornamentado, inocente, infinito e agressivamente Especial. A criançada fica tendo algo parecido com ataquinhos epiléticos à nossa volta, enlouquecida pela necessidade de conseguir absorver tudo de uma vez só.

Suspeito que parte dessa coisa de comunidade acanhada daqui tem a ver com o espaço. Os moradores do Meio-Oeste rural vivem cercados de terra desabitada, ilhados num espaço cujo vazio se torna ao mesmo tempo físico e espiritual. Não é só de pessoas que você fica isolado. Você fica alienado do próprio espaço circundante, de certa maneira, porque a terra lá fora é mais um bem que um ambiente. A terra é basicamente uma fábrica. Você mora na mesma fábrica onde trabalha. Passa um tempo enorme com a terra, mas em certo sentido permanece alienado dela. Deve ser difícil sentir qualquer espécie de conexão espiritual romântica com a natureza quando se extrai dela o próprio sustento. (Será que essa linha de pensamento é marxista em algum sentido? Não se considerarmos que tantos fazendeiros de IL ainda são donos de sua terra, acho. Estamos falando de um tipo bem diferente de alienação.)

Mas então teorizo para Acompanhante Nativa (que trabalhou debulhando milho comigo no ensino médio) que a tese motivadora da Feira Estadual de Illinois envolve uma espécie de intervalo estruturado de comunhão simultânea com os vizinhos e com o espaço — o mero *fato* da terra há de ser celebrado aqui, seus frutos vistos e seus rebanhos enfeitados e desfilados, tudo como parte de uma mostra decorativa. Aqui o Especial é a oferta de férias da alienação, uma oportunidade de amar por um instante o que a vida real lá fora não pode permitir que você ame. Acompanhante Nativa, fuçando em busca do isqueiro, me informa que está tão interessada nessa história quanto estava pela baboseira da ilusão-da-criança-enquanto-Deus-empirista exposta mais cedo no carro.

13/08/10H40. Os espaços destinados aos rebanhos estão com ocupação máxima em termos animais, mas aparentamos ser os únicos visitantes da Feira que vieram direto da Cerimônia de Abertura para vê-los. Agora é possível dizer de olhos fechados qual pavilhão pertence a qual animal. Os cavalos ficam em baias individuais com portas à meia altura e os donos e criadores estão sentados em banquinhos ao lado das portas, muitos tirando um cochilo. Os cavalos permanecem em pé sobre o feno. Billy Ray Cyrus toca alto no aparelho de som de algum peão. Os cavalos possuem pelame firme e olhos do tamanho de maçãs situados nas laterais da cabeça, como peixes. Poucas vezes estive tão perto de animais de rebanho de alta categoria. Os rostos dos cavalos são compridos e por algum motivo lembram caixões. Os cavalos de corrida são esbeltos, veludo sobre osso. Os cavalos de exposição e de carga são colossais como mamutes, impecavelmente bem cuidados e mais ou menos inodoros — o cheiro acre aqui é apenas mijo de cavalo. Cada músculo é lindo; o pelame os enaltece. Seus rabos chicoteiam em movimentos sofisticados e duplamente articulados, impedindo as moscas de preparar qualquer espécie de ataque coordenado. (Existe mesmo uma mosca que incomoda especificamente os cavalos, chamada mutuca.) Todos os cavalos produzem ruídos flatulentos quando suspiram, as cabeças pendendo por cima das portas baixas. Não se pode fazer carinho, todavia. Quando você se aproxima eles esticam as orelhas e mostram os dentões. Os criadores riem sozinhos quando pulamos para trás. São cavalos especiais de competição, cruzas intrincadas c/ temperamentos artísticos inquietos. Gostaria de ter trazido cenouras: animais podem ser comprados, emocionalmente falando.

Uma baia de cavalo atrás da outra. Cores padronizadas de cavalo. Eles comem o mesmo feno em que pisam. Aqui e ali se veem sacos de alimentação que parecem máscaras contra gases. O súbito borrifo estrepitoso que parece alguém lavando uma parede com a mangueira vem a ser na verdade um garanhão reluzente e achocolatado mijando. Ele está sendo escovado no fundo da baia com a porta bem aberta e ficamos vendo ele mijar. O jato tem dois centímetros e meio de diâmetro e ergue poeira, feno e pequenas lascas de madeira do chão. Nos agachamos e espiamos para cima e de repente, pela primeira vez, compreendo uma certa expressão que descreve certos humanos do sexo masculino, uma expressão que já tinha escutado mas nunca havia compreendido até me botar ali de cócoras e olhar para o alto num misto de horror e espanto.

Dá para ouvir as vacas lá do Complexo Equino. As baias das vacas não têm porta e ficam à vista. Não acho que uma vaca ofereça muito risco de fuga. As vacas aqui são pretas ou pardas com manchas brancas, ou então brancas com grandes continentes de preto ou pardo. São desprovidas de lábios e suas línguas são largas. Seus olhos se reviram e elas têm narinas enormes. Sempre considerei os porcos os reis da narina no mundo dos animais de fazenda, mas as vacas têm umas narinas que vou te contar, muito abertas, úmidas e rosadas ou pretas. Tem uma vaca com uma espécie de moicano. O esterco de vaca tem um cheiro formidável — morno, herbáceo e irrepreensível — mas as vacas em si fedem de um jeito todo especial, encorpado e biótico, não muito diferente de uma bota molhada. Alguns proprietários estão esfregando suas candidatas para a vindoura Exposição do Gado que ocorrerá no Coliseu (possuo um Guia da Mídia detalhado, cortesia do Wal-Mart). Essas vacas ficam imobilizadas em pé por teias de correias de lona dentro de uma cerca de metal enquanto agropecuaristas as esfregam com um esqueminha que é ao mesmo tempo escova e mangueira e que também libera sabão. As vacas não gostam nem um pouco disso. Uma vaca que passamos um tempo observando ser esfregada — cuja cara é assustadoramente parecida com a cara do ex-primeiro-ministro britânico Winston Churchill — estremece e tem calafrios dentro das correias, fazendo a armação inteira chacoalhar e tinir, mugindo, olhos revirados quase a ponto de ficarem brancos. Acompanhante Nativa e eu nos encolhemos de aflição e emitimos pequenos ruídos estarrecidos. Os mugidos dessa vaca fazem todas as outras vacas mugirem, ou quem sabe elas apenas sentem o que lhes aguarda. As patas da vaca começam a entortar e o proprietário as chuta (as patas). O rosto do proprietário é decidido porém desprovido de expressão. Um muco branco pende do focinho da vaca. Outros respingos e jorros sinistros saem de outros lugares. A vaca quase derruba a cerca de metal em determinado momento e o proprietário aplica um soco nas costelas do animal.

Suínos têm *pelos*! Nunca pensei em porcos como algo provido de pelos. Na verdade nunca me aproximei muito de um porco, por razões olfativas. Crescendo nas proximidades de Urbana, os dias quentes em que o vento soprava das Pocilgas da U. de I. um pouco a sudoeste do nosso bairro eram dias decididamente macabros. Na realidade, foram as Pocilgas da U. de I. que fizeram meu pai finalmente dar o braço a torcer e instalar um ar-condicionado central lá em casa. Acompanhante Nativa conta que seu pai dizia que suínos fedem "como se a Morte em pessoa estivesse dando uma cagada". Os suínos presentes aqui no Pavilhão Suíno da Feira Estadual são porcos de exposição, uma raça chamada Poland China, e seu pelame fino é uma espécie de corte militar branco sobre pele rosa. Boa parte dos suínos está deitada de lado, latejando em estupor em meio ao bafo do Pavilhão. Os que estão acordados grunhem. Estão em pé ou deitados sobre uma serragem pedaçuda e muito limpa dentro de gaiolas com cerca baixa.

Alguns capados estão comendo ao mesmo tempo a serragem e os próprios excrementos. Mais uma vez, somos os únicos turistas aqui. Também me dou conta de que não vi um único fazendeiro ou agropecuarista na Cerimônia de Abertura. É como se houvesse duas Feiras distintas, populações distintas. Uma caixa de som na parede anuncia que a avaliação de Bodes Pigmeus Júnior está em andamento no Pavilhão Caprino.

Porcos são de fato gordos e muitos desses suínos são francamente gigantes — digamos que ⅓ do tamanho de um Volkswagen. De vez em quando você ouve falar de um fazendeiro pisoteado ou morto por um suíno. Não há dentes à vista por aqui, embora os cascos dos suínos pareçam adequados ao pisoteio — são fendidos, rosados e algo obscenos. Não tenho muita certeza se são chamados de cascos ou pés, no caso dos suínos. Habitantes do Meio-Oeste rural aprendem lá pela segunda série que o plural de casco é *"hoofs"* e não *"hooves"*. Alguns suínos têm grandes ventiladores montados e ligados na frente de suas gaiolas e doze ventiladores grandes rugem no teto, mas continua sufocante aqui dentro. É um cheiro ao mesmo tempo vomitoso e excrementício, como um desarranjo digestivo abominável em grande escala. Uma ala de pacientes de cólera talvez chegue perto. Todos os proprietários e tratadores de suínos usam botas de borracha em nada parecidas com as botas L. L. Bean da Costa Oeste. Alguns suínos em pé confabulam através das barras de suas gaiolas, quase tocando os focinhos. Os suínos adormecidos se reviram em sonhos, patas traseiras em atividade. A menos que estejam em apuros, os suínos grunhem num tom grave e constante. É um som agradável.

Mas agora um suíno cor de caramelo começa a gritar. Um berro de suíno em apuros. O som é ao mesmo tempo humano e desumano o bastante para eriçar os pelos. Dá para ouvir esse suíno em apuros de uma ponta a outra do Pavilhão. Os suinocultores profissionais ignoram o porco, mas nós vamos correndo ver

e Acompanhante Nativa começa a falar com uma vozinha aflita de bebê até que eu a mando ficar quieta. Os flancos do porco estão arfando; ele está sentado como um cão, com as patas da frente tremendo, berrando horrendamente. Nem sinal do tratador do porco. Uma pequena placa na gaiola informa que se trata de um suíno da raça Hampshire. Está com problemas respiratórios, é evidente: minha suspeita é que tenha engolido serragem ou excremento. Ou vai ver que simplesmente não atura mais o fedor aqui dentro. Agora as patas dianteiras entortam e ele fica de lado tendo espasmos. Assim que consegue reunir fôlego suficiente, berra. É insuportável, mas nenhum dos agropecuaristas vem saltando por cima das gaiolas para prestar socorro ou algo assim. Acompanhante Nativa e eu estamos literalmente retorcendo as mãos de aflição. Ficamos fazendo barulhinhos plangentes para o porco. Acompanhante Nativa me manda sair atrás de alguém em vez de ficar ali com cara de cu. Sinto um estresse enorme — fedor nauseabundo, compaixão impotente, e além disso estamos atrasados no cronograma: estamos perdendo neste exato momento os Bodes Pigmeus Júnior, o Concurso Filatélico no Prédio de Exposições, uma Exposição de Cães da 4-H num lugar chamado Clube do Mickey D, as Semifinais do Campeonato de Queda de Braço do Meio-Oeste no Palco Lincoln, um Seminário de Acampamento para Mulheres e as primeiras etapas do Torneio de Fundição Rápida lá no misterioso Mundo da Preservação. Uma tratadora de suínos acorda sua porca a chutes para poder acrescentar serragem na gaiola; Acompanhante Nativa produz um ruído de angústia. Fica claro que há exatos dois defensores dos Direitos dos Animais nesse Pavilhão Suíno. Ambos podemos observar certa perícia carrancuda e insensível na conduta dos agropecuaristas aqui presentes. Um exemplo acabado da alienação-espiritual-da-terra-enquanto-fábrica, postulo. Mas por que se dar ao trabalho de criar e treinar e cuidar de um animal especial e trazê-lo sei lá de onde até a Feira Estadual de Illinois se você não está nem aí para ele?

Então me ocorre que comi bacon ontem e que neste exato momento estou louco pelo meu primeiro cachorro-quente empanado. Estou aqui retorcendo as mãos por causa de um porco em apuros e em seguida meterei um cachorro-quente empanado goela abaixo. Isso está ligado à minha relutância em ir correndo até um suinocultor e exigir que pratique ressuscitamento de emergência com esse Hampshire agonizante. Meio que posso prever o jeito com que o fazendeiro iria olhar para mim.

Não que seja profundo, mas me impressiona, em meio aos berros e resfôlegos do porco, o fato de que esses agropecuaristas não enxergam seus animais como bichos de estimação ou amigos. Apenas atuam no agronegócio do peso e da carne. Estão desconectados até mesmo aqui na Feira, nesta ocasião autoconscientemente Especial de conexão. E por que não, talvez? — mesmo na Feira, seus produtos continuam a babar, feder, ingerir os próprios excrementos e berrar, e o trabalho continua sem parar. Posso imaginar o que os agropecuaristas pensam de nós enquanto falamos carinhosamente com os suínos: nós, Visitantes da Feira, não precisamos lidar com a tarefa de criar e alimentar nossa carne; nossa carne simplesmente se materializa na banquinha de cachorro-quente empanado, permitindo que separemos nossos apetites saudáveis de pelos, berros e olhos revirados. Nós, turistas, podemos nos dar ao luxo de cultivar nossos sentimentos ternos de defensores dos Direitos dos Animais com nossas panças cheias de bacon. Não sei quão aguçado é o senso de ironia desses fazendeiros, mas o meu foi afiado na Costa Oeste e me sinto meio que um panaca no Pavilhão Suíno.

13/08/11H50. Já que Acompanhante Nativa foi atraída até

aqui pela promessa de acesso livre a brinquedos supervelozes afrouxadores de esfíncter, empreendemos uma breve descida ao Vale da Alegria. A maioria dos brinquedos ainda nem está girando diabolicamente. Sujeitos com chaves de catraca continuam apertando o Anel de Fogo. A enorme Roda-Gigante Gôndola ainda está pelo meio, e sua metade inferior ornada de assentos se assemelha a um medonho sorriso de molares. Faz mais de 38° ao sol, fácil.

 A área do Parque de Diversões Vale da Alegria é uma espécie de bacia retangular que se estende de leste a oeste das proximidades do Portão Principal até o morro íngreme e intransitável logo abaixo dos Rebanhos. O Acesso Central é de chão batido e flanqueado por quiosques de jogos, cabines de ingressos e brinquedos. Há um carrossel e um punhado de brinquedos infantis de velocidade sensata, mas em sua maior parte os brinquedos aqui embaixo parecem ser legítimas Experiências de Quase-Morte. Na primeira manhã o Vale parece apenas tecnicamente aberto e as cabines de ingressos estão desguarnecidas, embora pequenos fluxos comoventes de ar-condicionado soprem das fendas de dinheiro nos vidros das cabines. O comparecimento é parco e noto que não há sequer um único agropecuarista ou fazendeiro à vista por aqui. O que temos de sobra são funcionários do parque. Muitos estão se arrastando ou morgando à sombra de toldos. Todos sem exceção parecem fumar compulsivamente. O operador do *Tilt-a-Whirl* está com as botas apoiadas no painel de controle lendo uma revista de moto-com-mulher-pelada enquanto dois caras afixam duas mangueiras de borracha enormes nas entranhas do brinquedo. Chegamos como quem não quer nada para bater um papo. O operador tem 24 anos e é de Bee Branch, Arkansas, usa brinco e tem uma tatuagem imensa de uma moto c/ mulher pelada no tríceps. Fica bem mais interessado em conversar com Acompanhante Nativa do que comigo. Está no trampo há cinco anos, na estrada com essa mesma empresa aqui. Não soube dizer muito bem se gostava ou não do trampo: tipo assim, comparando com o quê? Entrou para o ramo no jogo de Atire a Moeda nos Pratos e foi, tipo, transferido para o *Tilt-a-Whirl* em 91. Fuma Marlboro 100's, mas usa um boné escrito WINSTON. Quer saber se Acompanhante Nativa gostaria de dar uma voltinha rápida lá no outro lado do Vale para ver uma coisa muito além de tudo que ela está acostumada a ver. Ao nosso redor há diversos tipos de quiosques de jogos e brincadeiras. Todos os anunciantes dos jogos usam microfones presos à cabeça; alguns estão dizendo "Testando" e recitando chamadas promocionais em tom de ensaio e aquecimento. Muitas das chamadas parecem ter um franco apelo sexual: "O negócio tem que levantar pra entrar"; "Tira pra fora e deita e rola, somente um dólar"; "Faça subir. Cinco tentativas por dois dólares. Faça subir". Os quiosques têm fileiras de bichos de pelúcia pendurados pelos pés, como carne de caça secando ao sol. Um dos anunciantes testa o microfone dizendo "Testículos" em vez de "Testando". Aqui o cheiro é de óleo de máquina e tônico capilar, e já se pode sentir um odor de lixo ou coisa estragada. Meu Guia da Mídia diz que para o Vale da Alegria de 1993 foi contratada "... uma das maiores proprietárias de brinquedos de parque de diversões do país", uma certa Blomsness & Thebault All-Star Amusement Enterprises de Crystal Lake, Illinois, pros lados de Chicago. Mas os funcionários parecem todos do Centro-Sul — Tennessee, Arkansas, Oklahoma. É visível a indiferença às Credenciais de Imprensa presas à minha camisa. Têm a tendência de encarar Acompanhante Nativa como se fosse comida, fato que ela ignora. Devo dizer que há muito pouco daquela sensação infantil de que todos os jogos e brinquedos são Especiais e Para-Mim. Em dois toques, perco $4,00 tentando "levantar pra entrar", arremessando bolas de basquete em miniatura dentro de cestos de palha inclinados de maneira que elas não quiquem de volta. O anunciante do jogo consegue arremessar as bolas de costas e mantê-las dentro, mas ele está bem do lado dos cestos. Meus arremessos rebatem de dois metros e meio de distância — os cestos de palha parecem moles, mas o fundo emite um som metálico suspeito quando as bolas entram.

Está tão quente que nos deslocamos em vetores cambaleantes apressados entre as áreas de sombra. Me recuso a tirar a camisa porque não teria mais como exibir minhas Credenciais. Cruzamos o Vale ziguezagueando gradualmente para oeste. Estou disposto a alcançar a Mostra de Gado Júnior que inicia às 13h00. E temos também, é claro, as tendas do Concurso de Sobremesas.

Um dos brinquedos que já foram montados perto da extremidade oeste do Vale é um troço chamado O Zíper. Ninguém está andando no brinquedo mas o negócio está em furiosa movimentação, uma espécie de Roda-Gigante sob efeito de anfetaminas. Cabines individuais em forma de jaula são articuladas para girar ao redor do próprio eixo enquanto dão voltas numa elipse vertical rígida. A máquina se assemelha mais ao braço de uma serra elétrica que a um zíper. Sua pintura cor de gelo está descascando e ela faz o barulho de um motor V-12 no talo, e em termos gerais é bem o tipo de coisa que me faria correr um quilômetro usando sapatos apertados para ser poupado de conhecer. Mas Acompanhante Nativa começa a bater palmas e a saltitar toda excitada conforme nos aproximamos d'O Zíper. (Estamos falando de uma pessoa que faz *bungee jump*, só para dar uma ideia.) E o operador nos controles a avista, acena de volta e grita para ela Chegar mais e dar um rolê se estiver a fim. Ele alega que pretendem testar O Zíper de alguma forma. Está em cima de uma espécie de plataforma de aço cutucando um colega ao lado com o cotovelo de um jeito que não me agrada muito. Não temos ingressos, ressalto, e nenhuma das cabines para compra de ingressos está guarnecida. A essa altura estamos, não sei como, na base da escada que leva à plataforma com o painel de controle. Sobre a impossibilidade de adquirir ingressos tão cedo no Dia de Abertura o operador diz, sem olhar para mim, "Eu é que não vou suar minhas bolas por causa disso". O colega do operador ajuda Acompanhante Nativa a subir os degraus de aço em forma de *waffle*, prende ela numa jaula e ergue o polegar para o operador, que solta uma espécie de Grito Rebelde e puxa uma alavanca. A jaula de A. Nativa começa a ascender. Dedinhos patéticos surgem através da grade da jaula. O operador d'O Zíper não tem idade definida e possui um bronzeado marrom e um bigode encerado com pontas ameaçadoras, lembrando os chifres de um boi, e ele enrola um cigarro Drum ao mesmo tempo que ajusta alavancas para cima fazendo a elipse acelerar e as jaulas individuais começarem a girar independentemente em suas articulações. Acompanhante Nativa é um borrão de cor dentro da jaula, mas o operador e o colega (cujos jeans escorregaram pelos quadris a ponto de se obter uma visão clara do seu cofrinho) observam atentamente a volta que sua jaula giratória e as jaulas vazias barulhentas dão ao redor da elipse aprox. uma vez a cada segundo. Tenho um medo particular muito antigo de coisas que giram independentemente dentro de outro giro maior. Mal suporto ver isso. O Zíper tem a cor de dentes não escovados, com grandes cascas de ferrugem. O operador e o colega ficam sentados num banquinho de metal diante de um painel cheio de alavancas com maçanetas pretas. Será que testículos propriamente ditos suam? Em tese são muito sensíveis à temperatura. O colega cospe tabaco Skoal na lata que tem na mão e diz ao operador "Bom, então coloca ela no Oito, veadinho". O Zíper começa a gemer e a coisa passa a girar tão rápido que se uma das cabines se desprendesse seria com certeza lançada em órbita. O colega tem uma pequena bandeira americana dobrada em forma de bandana ao redor da cabeça. As jaulas vazias sacodem e fazem barulho enquanto rodopiam, girando independentes. Um grito longo vibrando em Doppler vem da jaula de A. Nativa, que dá voltas e voltas nos engates enquanto a figura dentro dela sacode como o conteúdo de uma secadora. Minha constituição neurológica particular (extremamente sensível: fico enjoado no carro, enjoado voando, enjoado na altura; minha irmã gosta de dizer que a vida me deixa enjoado) torna a mera observação dessa cena um ato de enorme coragem pessoal. O grito continua sem parar; não se parece nada com o de um suíno. Então o operador para o brinquedo abruptamente com a cabine de A. Nativa bem no alto, deixando ela pendurada de cabeça para baixo dentro da jaula. Grito para eles Ela está bem?, mas a única resposta são uns ruídos agudos. Vejo os dois funcionários do parque olhando para cima muito atentos, protegendo os olhos. O operador fica alisando o bigode, contemplativo. A inversão da jaula fez o vestido de Acompanhante Nativa cair por cima dela. Os dois estão obviamente comendo suas partes baixas com os olhos. O som de suas risadas é, literalmente, "Ri ri ri ri ri". Um espécime com menor sensibilidade neurológica provavelmente teria intervindo a essa altura e interrompido toda aquela prática grotesca. Minha constituição, quando submetida ao estresse, se inclina mais para a dissociação. Uma mãe de shortinho está tentando subir as escadas da Casa Maluca com um carrinho de bebê. Um menino com camiseta do *Jurassic Park* lambe um gigantesco disco de pirulito com uma espiral hipnótica. Uma placa num posto de gasolina pelo qual passamos na Sangamon Avenue tinha um anúncio em letra de mão que dizia "ÓCULOS DE SOL BLU-BLOCK — *Como Você Viu na TV*". Um posto Shell junto à I-55 próximo a Elkhart vendia latas de rapé numa máquina automática. 15% dos Visitantes da Feira do sexo feminino aqui presentes usam bobes no cabelo. 25% são clinicamente gordas. Gente gorda do Meio-Oeste não tem o menor escrúpulo de usar shortinho ou blusinha. Um repórter de rádio tinha segurado o microfone do gravador perto demais de um alto-falante durante a fala de abertura do Governador E., causando uma microfonia dantesca. Agora o operador está indo e voltando com a alavanca de engasgo e O Zíper sacode para a frente e para trás, vai e volta, fazendo a jaula de A. N. lá no alto girar sem parar em seus engates. A camiseta do colega tem a estampa de uma Tartaruga Ninja chapada dando um pega num baseado. Da jaula rodopiante de A. N. vem um grito espichado em lá sustenido como se ela estivesse sendo assada em fogo baixo. Reúno saliva para me intrometer e dizer algo realmente firme, mas nesse momento começam a descê-la. O operador leva jeito com o painel; a descida da cabine é quase acolchoada. Suas mãos nas alavancas são uma espécie de paródia de cuidado carinhoso. A descida leva uma eternidade — silêncio funesto na cabine de Acompanhante Nativa. Os dois funcionários do parque estão rindo e dando tapas nos joelhos. Pigarreio duas vezes. Com um som de engrenagem, a cabine de Acompanhante Nativa tranca na plataforma. A jaula chacoalha e a trava da porta gira devagar. Imagino que o bagaço de ser humano que sairá da cabine estará encolhido e branco como um lençol, gotejando fluidos. Em vez disso, ela meio que salta para fora:

"Isso foi do *caralho*. Cê viu isso? O fiadaputa fez a cabine girar *dezesseis vezes*, cê viu?" Essa mulher é nativa do Meio-Oeste, da minha cidade natal. Meu par no baile de formatura, uma dúzia de anos atrás. Hoje é casada, tem três filhos e ensina hidroginástica para obesos e enfermos. Ela está bem corada. Seu vestido parece o pior caso já visto de adesão estática. Ela ainda está com o *chiclete dentro da boca*, pelo amor de Deus. Grita para os funcionários do parque: "Seus filhos de uma puta isso foi *do cacete*. Seus *cornos*". O colega está meio debruçado por cima do operador; estão rindo a plenos pulmões. Acompanhante Nativa está com as mãos nos quadris em pose severa, mas sorrindo. Serei o único a ter identificado o elemento de assédio sexual manifesto e escancarado do episódio todo? Ela desce os degraus de aço de três em três e começa a subir o morrinho em direção aos quiosques de alimentação. Não há acesso distinguível para subir o morro incrivelmente íngreme do lado oeste do Vale. O operador grita atrás de nós: "Não me chamam de Rei do Zíper a troco de nada, boneca". Ela bufa e responde gritando por cima do ombro "Sei, e cadê o resto do seu *batalhão?*" e eles riem mais ainda às nossas costas.

Estou tendo dificuldades para subir a ladeira. "Você ouviu aquilo?", pergunto.

"Jesus achei que iam acabar comigo de vez no fim foi tão incrível. Cuzões de merda. Mas cê *viu* aquele giro lá em cima no final?"

"Você ouviu aquele comentário que o Rei do Zíper fez?", digo. Ela pôs a mão no meu cotovelo e está me ajudando a subir pela grama escorregadia do morro. "Detectou algo meio sexualmente assediante rolando nesse exercício perverso?"

"Ah mas que porra é essa Lesma foi *divertido*." (Ignorem o apelido.) "O fiadaputa fez a cabine girar *dezoito vezes*."

"Estavam olhando por baixo do seu vestido. Acho que você não podia ver. Penduraram você de cabeça pra baixo numa altura enorme, fizeram seu vestido cair e te *comeram com os olhos*. Protegeram a vista do sol e trocaram comentários. Vi tudo."

"Ah, que porra é essa."

Escorrego um pouco e ela pega no meu braço. "Então isso não te chateia? Como uma cidadã do Meio-Oeste, você não está chateada? Ou você simplesmente não teve uma percepção rigorosa do que estava acontecendo ali?"

"Independente de eu ter reparado ou não, por que tem que ser um problema *meu*? Então é assim, já que existem babacas no mundo eu não posso andar n'O Zíper? Nunca vou poder girar? Talvez seja melhor eu nunca ir à piscina ou nunca me arrumar pra sair por medo dos babacas?" Ela continuava corada.

"É que fico curioso pra saber, então, o que seria necessário ali pra te convencer a apresentar alguma espécie de queixa à gerência da Feira."

"Você é inocente *pra caralho*, Lesma", ela diz. (O apelido é uma longa história; ignorem.) "Babacas não passam de babacas. De que adianta eu ficar braba e aborrecida? Só vai arruinar minha diversão." Ela fica com a mão no meu cotovelo esse tempo todo — essa ladeira é sacana.

"Isso é potencialmente relevante", digo. "Pode ser exatamente o tipo de contraste político-sexual regional que interessa à revista classuda da Costa Leste. O valor essencial que conforma uma espécie de estoicismo político-sexual voluntário da sua parte é uma compreensão da diversão prototípica do Meio Oeste —"

"Me compra uns torresmos, seu bosta."

"— enquanto na Costa Leste a indignação político-sexual *é* a diversão. Em Nova York, uma mulher que tivesse sido pendurada de cabeça para baixo e comida com os olhos reuniria um monte de outras mulheres e haveria um frenesi de indignação político-sexual. Elas confrontariam o cara que comeu a outra com os olhos. Ajuizariam uma ação. A gerência se veria envolvida num litígio custoso — violação do direito de uma mulher à diversão livre de assédio. Estou falando sério. Para as mulheres, a diversão pessoal e a diversão política se misturam em algum ponto ao leste de Cleveland."

Acompanhante Nativa mata um mosquito sem nem olhar para o bicho. "E naquelas bandas todas tomam Prozac e enfiam o dedo na goela, também. Deviam tentar simplesmente subir, girar e ignorar os babacas, dizendo Eles que se fodam. É o máximo que se pode fazer a respeito de babacas."

"Isso pode ser crucial."

13/08/12H35. Almoço. O Pátio da Feira é um samba do crioulo doido de passarelas de asfalto, os axônios e dendritos da fruição em massa, ligando prédios, galpões e tendas de empresas. Cada acesso é margeado em quase toda a sua extensão por quiosques propagandeando comida. Há cabanas cor de antidiarreico que vendem milk-shakes do Conselho de Laticínios de Illinois por módicos $2,50 — embora sejam milk-shakes desbundantes, sedosos e tão espessos que nem insultam sua inteligência com um canudo ou colher, fornecendo ao invés disso uma espécie de colherinha de pedreiro feita de plástico. Há incontáveis opções de carne de porco: Paulie's Pork Out, Pork Patio, Torresmo Frito na Hora e Pork Street Cafe. O Pork Street Cafe é um "Estabelecimento Cem por Cento Pura Carne de Porco", diz seu alto-falante. "Do primeiro ao último item." Rezo para que isso não inclua as bebidas. De qualquer modo, não comerei porco hoje de jeito nenhum, depois daquele estresse matinal. E está quente demais para sequer pensar no Campeonato de Sobremesas. Faz pelo menos 35º à sombra aqui, ao leste dos Rebanhos, e a brisa está, digamos, aromática. Mas há comida sendo comprada e ingerida num ritmo incrível de uma ponta a outra do acesso. Os quiosques são onipresentes e há uma fila na frente de cada um. Está todo mundo espremido como sardinhas em lata, comendo e andando ao mesmo tempo. Um frenesi alimentar peripatético. Acompanhante Nativa está doida atrás de torresmos. Com ou sem Zíper, ela diz que está "*morreindifome*". Ela gosta de forçar um sotaque caipira caricato sempre que profiro um termo como "peripatético".

(Ninguém quer saber em detalhes o que é um torresmo.)

Assim, ao longo do acesso temos milk-shakes do C.L.I. (meu almoço), Batidas de Limão, quiosques do Ice Cold Melon Man, Citrus Push-Ups e Raspadinhas Havaianas para quem consegue chupar o caldo do gelo e depois mastigá-lo (minha sobremesa). Mas boa parte do que está sendo adquirido e devorado não se parece nem um pouco com alimentos para climas tórridos: pipocas amarelas e brilhosas que fedem a sal; anéis de cebola do tamanho de colares havaianos; Pimenta Jalapeño Recheada da Poco Penos; Churrasquinho Grego do Zorba; galinha frita reluzente; Burritos do Bert — "GRANDES COMO SUA CABESSA" (sic); sanduíche de carne de panela italiana picante; sanduíche de carne de panela nova-iorquina (?) picante; Rosquinhas Fritas do Jojo (o único quiosque que vende café, por sinal); fatias de pizza do tamanho de telhas, tripas de porco, rangum de caranguejo e salsicha polonesa. (A total falta de identidade étnica de Illinois rural cria uma espécie de prodigalidade pós-moderna — nos apropriamos de comidas de todas as culturas e crenças para fritá-las, servi-las em caixas de papelão e consumi-las andando.) Há bandejas com grandes pilhas de "Fritas Fininhas", que têm aspecto de pelos pubianos e fazem os dedos das pessoas brilharem ao sol. Cachorro-Quente com Queijo Processado. Pony Pups. Empanadas Picantes. Churrasco com Queijo. Curral do Churrasco de Costela. A placa do quiosque do Hambúrguer Original de ½ Libra da Joanie anuncia 2 OPÇÕES — MALPASSADO OU BERRANDO. Não acredito que as pessoas comem esse tipo de comida nesse tipo de clima. O céu está aberto e galvanizado; o sol pulsa suavemente. Há uma inhaca verde de tomates fritos. (Aqui no Meio-Oeste dizem "tomáto".) O barulho da miríade de tachos de fritura estende um tapete de som tenebroso por toda a extensão do corredor polonês de quiosques. A placa do quiosque da Bisteca de Porco Estrelada de Uma Libra — A Original diz PORCO: A OUTRA CARNE BRANCA, até esse momento o único aceno visível à alimentação saudável. Não nativos percebem que este é o Meio-Oeste: nada de *nachos*, *chili*, água Evian, nem sinal de culinária Cajun.

Mas santo carapau, doce é o que não falta: Sonhos; Caramelo de Nozes; Chocolate com Pecã; Biscoitos Quentes de Amendoim. Maçãs do amor a criminosos $1,50. Bafo de Anjo, também conhecido como Alegria de Dentista. Um bolo cremoso de baunilha que se recobre de um suor estranho no instante em que sai do freezer do quiosque. A multidão se move num único passo vagaroso, comendo, condensada entre as fileiras de quiosques. Nem sinal de agropecuaristas. Os adultos na multidão são brancos ou têm o tom rosado de queimadura recém-adquirida, com cabelos finos e barrigas grandes metidas em jeans apertados, alguns pura e simplesmente gordos, meio que deslocando o peso de um lado a outro para se mover; meninos sem camisa e meninas de frente-única em cores primárias; esquadrões de crianças menores; pais com carrinhos de bebê; acadêmicos terrivelmente brancos de sandália e bermuda; mulheres corpulentas com bobes no cabelo; muita gente carregando sacolas de compras; chapéus flexíveis absurdos; quase todos com óculos escuros à moda anos oitenta — todos comendo escancaradamente, amontoados, vinte lado a lado, se movendo devagar, comprimidos, suando, ombros esbarrando, um ar de fritura de imersão condimentado com antiperspirante e Coppertone, um aglomerado de papadas. Imagine o metrô de Tóquio na hora do rush em escala épica. É uma grande massa pitoresca de humanidade do Meio-Oeste comendo, se esfregando, se embaralhando, se movendo na direção do Coliseu, da Grande Arquibancada, do Prédio de Exposições e dos desfiles de animais lá adiante. Talvez se possa concluir alguma coisa a partir do fato de ninguém dar sinais de sentir opressão, claustrofobia ou os olhos saltando da cara por estar confinado sem ar dentro da multidão interminável da qual todos fazemos parte. Acompanhante Nativa prague e ri quando alguém pisa no seu pé. Todavia algo de Costa Leste dentro de mim implica com a qualidade bovina e o espírito de manada da multidão, isto é, nós mesmos, centenas de mãos indo da bandeja de papel à boca enquanto avançamos aos trancos rumo a nossas respectivas atrações. Do alto, pareceríamos uma espécie de Marcha de Bataan do consumo dócil. (Acompanhante Nativa ri e responde que muitas mulheres estão sem batom.) Nosso destino é a Exposição de Gado Júnior. É melhor você nem ficar sabendo da combinação estarrecedora de alimentos com alto teor de lipídios que A. Nativa almoça enquanto somos levados por um rio vivo na direção da carne de gado premiada. Os quiosques vão passando. Tem o Bombom Amanteigado Ace-High. Tem coisinhas quadradas chamadas Krakkles que parecem Rice Crispies. Algodão-Doce Cabelo de Anjo. Tem Bolos de Funil, a saber: massa de bolo frita em forma de espiral, lembrando um tornado, lambuzada de manteiga açucarada. Caramelo de Água Salgada do Eric. Uma coisa chamada Sorvete Frito do Zak. Outro entupidor de artérias: Orelhas de Elefante. Uma Orelha de Elefante é uma extensão de massa frita em óleo do tamanho de uma capa de LP, besuntada com uma camada generosa de manteiga açucarada com canela, uma espécie de torrada de canela do inferno, moldada realmente e de fato como uma orelha, surpreendentemente apetitosa, no fim das contas, mas enjoativamente macia, com a textura de uma carne adiposa e de inegáveis proporções elefantinas — ninguém além dos obesos mórbidos faz fila para comprar as Orelhas.

Uma banca de comida que nos faz enfrentar a corrente porque temos uma vontade especial de conhecer é um estande imenso, cheio de neon e de alta tecnologia: DIPPIN DOTS — "*O Sorvete do Futuro*". A moça do balcão está sentada num banco alto debaixo de um manto de vapor de gelo seco e tem no máximo treze anos, e pela primeira vez minhas Credenciais de Imprensa fazem os olhos de alguém se arregalar e nos garantem amostras grátis, copinhos cheios de coisas que aparentam ser umas bolinhas bem pequenininhas de sorvete, chumbinhos fluorescentes que são mantidos, a moça do balcão jura por *Deus*, a 55° abaixo de 0 — Ai *Deus* ela não *sabe* se é 0°C ou 0°F; não tinha isso no vídeo de treinamento da DIPPIN DOTS. As bolinhas derretem na boca, de uma certa maneira. É mais como se evaporassem na boca. O sabor é intenso, mas a textura dos Dots é esquisita, abstrata. Futurista. O troço é intrigante, mas jetsoniano demais para pegar de verdade. A moça do balcão nos soletra seu sobrenome e quer mandar um beijo para alguém chamado Jody em troca das amostras.

13/08/13H10. "Este aqui é o novilho de dimensões mais equilibradas que veremos hoje. Um novilho com uma imponente porém sólida carcaça. Percebemos a harmonia em termos de comprimento e em toda a extensão do lombo. Profundidade da costela dianteira. Notem o avanço do contorno no quarto dianteiro. Pode estar faltando um pouco mais de massa muscular no flanco traseiro. Ainda assim, um novilho fora de série."

Estamos no Centro de Rebanhos Júnior. Um monte de vacas dão voltas ao redor do perímetro de um círculo de areia batida, cada vaca sendo conduzida por uma criança de família agricultora. Fica bem claro que o "Júnior" se refere aos donos, não aos animais. A criança de cada vaca carrega um atiçador com um dente em ângulo reto na ponta. Elas se revezam tocando suas vacas para o centro do círculo, onde os animais dão voltas ainda mais fechadas enquanto suas virtudes e deficiências são avaliadas. Estamos nas arquibancadas. Acompanhante Nativa está abalada. O Oficial da Mostra de Gado no microfone ostenta semelhança perturbadora com o ator Ed Harris, com olhos azuis e uma careca inexplicavelmente sensual. Está vestido igualzinho às crianças no círculo — calça jeans escura, nova e apertada, camisa xadrez, lenço no pescoço. Não fica ridículo nele. Além disso está usando um impressionante chapéu branco de vaqueiro. Enquanto a Rainha do Gado de Illinois preside do alto de um estrado adornado com flores trazidas da Mostra de Horticultura, o Oficial do Gado fica em pé na própria arena, pernas afastadas e polegares enfiados no cinto, 100% homem, irradiando seu entendimento de rebanhos. Para ser franco A. N. não parece abalada, e sim decapitada.

"Muito bem, este próximo novilho, muita amplitude de costelas mas afinando um pouco no flanco dianteiro. Alguma estreiteza de flanco, se me permitem, do ponto de vista do potencial da carcaça."

Os proprietários das vacas são crianças de fazenda, crianças profundamente rurais de municípios nos confins do mundo tais como Piatt, Moultrie, Vermilion, todos campeões de Feiras Municipais. Estão compenetradas, nervosas, infladas de orgulho. Trajes rurais. Cabelos bem curtos, cor de palha. Elevado número de sardas per capita. São crianças notáveis por um certo tipo de mediocridade rockwelliana clássica dos Estados Unidos, produto de dietas balanceadas, trabalho árduo e sólida educação republicana. Os bancos da arquibancada do Centro de Rebanhos Júnior estão com a ocupação acima da metade e é tudo gente do setor agropecuário, fazendeiros, em sua maioria pais, muitos com câmeras de vídeo. Coletes de couro de vaca, botas ornamentadas e chapéus simplesmente magníficos. Os fazendeiros de Illinois são rurais e pouco eloquentes, mas não são pobres. Somente a quantidade de crédito rotativo requerida para capitalizar um empreendimento de proporções modestas — sementes e herbicida, máquinas pesadas, seguro de colheita — torna muitos deles milionários no papel. Não obstante a choradeira na mídia, os bancos estão tão pouco dispostos a cortar empréstimos para fazendeiros do Meio-Oeste quanto para nações do Terceiro Mundo; estão profundamente metidos nisso. Ninguém usa óculos escuros ou bermudas; todos exibem um bronzeado terroso e estritamente profissional. E se os agropecuaristas da Feira também são corpulentos, é de um jeito mais duro, quadrado, de algum modo mais *merecido* que os turistas nas passarelas lá fora. Os pais nas arquibancadas possuem sobrancelhas frondosas e polegares simplesmente assustadores, reparo. A. Nativa fica fazendo uns barulhos guturais com a garganta por causa do Oficial de Gado. O C.R.J. é fresco, escuro e aromatizado pelos animais. A atmosfera é jovial, mas séria. Ninguém está comendo nenhuma comida dos quiosques e ninguém está carregando sacolas do GOVERNADOR EDGAR, obrigatórias na Feira.

"Um novilho excelente do ponto de vista do perfil."

"Temos aqui um novilho de carcaça modesta mas com massa excepcional no quarto traseiro."

Não sei dizer qual vaca está ganhando.

"Certamente o novilho mais extremo aqui em termos de amplitude e conformação."

Algumas vacas parecem estar drogadas. Talvez tenham apenas um excelente treinamento. Dá para imaginar essas crianças de fazenda levantando tão cedo pela manhã que podem enxergar o próprio bafo, guiando as vacas em treinamentos circulares debaixo das estrelas frias para depois terem de cumprir todas suas outras tarefas. Me sinto bem aqui. Todas as vacas no círculo usam fitas coloridas nos rabos. Os mugidos e fungadas das outras vacas à espera ecoam sob os bancos das arquibancadas. Às vezes os bancos tremem como se algo estivesse dando cabeçadas nas estacas lá embaixo.

Existem classificações barrocas que não consigo nem pensar em acompanhar — Raça, Classe, Idade. Mas uma moça agropecuarista amistosa ao nosso lado, com um rosto comprido e cansado, nos explica os tições das crianças. Chamam-se Varas de Exibição e servem para ajeitar as patas do boi quando ele está de pé ou para espicaçar, coçar, golpear e acariciar, dependendo do caso. O filho da moça conquistou o segundo lugar no "Polled Hereford" — lá está ele sendo parabenizado pela Rainha do Gado de Illinois para um fotógrafo da *Livestock Weekly*. Acompanhante Nativa não morre de amores pelos cheiros e mugidos aqui dentro, mas me diz que, se na semana que vem o marido me ligar à procura dela, significa que ela decidiu "seguir aquele carinha Ed Harris até a casa dele". Isso mesmo depois da minha insinuação de que ele poderia ter um pouco mais de amplitude na costela dianteira.

As vacas foram lavadas com xampu, têm olhares plácidos e são adoráveis, incontinências à parte. São patrimônio, também. A moça agropecuarista ao nosso lado diz que o empreendimento de sua família poderá obter uns $2500 pelo Hereford mais tarde no Leilão dos Vencedores. Os fazendeiros de Illinois chamam suas fazendas de "empreendimentos", raramente de "fazendas" e jamais de "pastos". A moça diz que $2500 é "talvez cerca da metade" do que a família gastou na fertilização, criação e cuidado com o novilho. "Fazemos pelo orgulho", diz. Agora sim. Orgulho, cuidado, despesa abnegada. O peito do garotinho estufa quando o Oficial toca a ponta de seu chapéu ofuscante. Espírito de fazenda. Integração com a plantação e o rebanho. Faço anotações mentais até minhas têmporas latejarem. A. N. pergunta sobre o carinha Oficial. A moça agropecuarista explica que ele é comprador de gado para um importante frigorífico de Peoria e que os ofertantes (cinco paletós marrons e três gravatas estreitas na plataforma) no Leilão dos Vencedores que ocorrerá logo mais são do McDonald's, Burger King, White Castle etc. Ou seja, os vencedores e seus olhares plácidos foram diligentemente julgados como carne. A moça agropecuarista tem uma birra particular com o McDonald's, "que sempre entra e aposta alto demais nos campeões e não se importa com mais nada. Eles esculhambam os preços". Seu marido confirma que "meteram bonito neles" no leilão do ano passado.

Pulamos a Mostra de Suínos Júnior.

13/08/14H00-16H00. Saracoteamos de lá pra cá, meio que

surfando as multidões nos acessos. O público pagante de hoje passa dos 100.000. Uma crosta de nuvens diminuiu o calor, mas já estou na terceira camisa. Exposição de Cavalos da Sociedade no Coliseu. Demonstração de Trançado com Trigo no Prédio de Lazer, Artes & Ofícios. Peônias que mais parecem supernovas na Tenda da Horticultura, onde algumas das mulheres mais velhas do Tour de Imprensa querem conversar comigo sobre receitas de creme de milho. Não temos tempo. Começo a sentir o tipo de dor de cabeça por sobrecarga que sempre me dá nos museus. A A. Nativa também está estressada. E não somos os únicos turistas com aqueles olhos apertados e embaciados de sai-da-frente. É simplesmente coisa demais para conhecer. Finais de Queda de Braço em que homens carecas peidam sonoramente de tanto esforço. Conselho Nacional Assírio na Vila Étnica do Pátio da Feira — uma arruaça de pessoas vestidas de lençóis e gesticulando. Todo mundo está muito empolgado com tudo. Concurso de Tambor e Corneta na Tenda Miller Lite. No acesso lotado em frente à Exposição Rural, um homem se dedica à prática desavergonhada da fricção erótica com estranhos. Mocinhas criadas à base de milho usando macacões recortados na altura dos bolsos. Um Ronald McD. horrendo e vacilante anima o público no Campeonato de Basquete 3-contra-3 do Clube do Mickey D — três dos seis jogadores de basquete são negros, os primeiros negros que vejo por aqui desde as crianças contratadas pela sra. Edgar. Mostra de Bode Pigmeu no Pavilhão Caprino. No Guia da Mídia: ANDA ILLINOIS! (?), depois Slide Show sobre Recuperação de Pradarias lá no Mundo da Preservação, depois Júri Aberto de Aves, que decidi me poupar de ver.

    A tarde se transforma num *frisson* prolongado de estresse. Tenho certeza de que perderemos algo fundamental. A. Nativa está com óxido de zinco no nariz e precisa voltar para casa para buscar as crianças. Encontrões, cotovelos. Mares de carne Feirante, todos olhando, ainda comendo. Esses Visitantes da Feira parecem gravitar somente em direção aos lugares lotados, que já possuem filas longas. Ninguém gosta daquele jogo da Costa Leste chamado Fugir do Tumulto. Falta uma certa astúcia ao povo do Meio-Oeste. Sob estresse, parecem crianças perdidas. Mas ninguém perde a paciência. Me ocorre uma ideia adulta e potencialmente crucial. Por que os Visitantes da Feira não se importam com as multidões, as filas, o barulho — e por que eu não encontro nem sombra daquela velha sensação especial da Feira como unicamente Para-Mim. Esta Feira Estadual é Para-*Nós*. De uma forma autoconsciente. Não Para-Mim ou -Você. A Feira é deliberadamente *a respeito* das multidões e do empurra-empurra, do barulho e da sobrecarga de visões, odores, escolhas e eventos. Somos Nós nos exibindo para Nós Mesmos.

Uma teoria: as férias de verão de um Megalopolita da Costa Leste são literalmente escapes, fugas-de — das multidões, barulho, calor, sujeira, da estafa neural causada por estímulos em excesso. Daí os retiros extáticos na serra, em lagos espelhados, cabanas, caminhadas na floresta silenciosa. Ficar Longe de Tudo. A maioria dos cidadãos da Costa Leste já vê mais gente e cenas estimulantes que o necessário de segunda a sexta, obrigado; entram em filas o suficiente, compram coisas o suficiente, abrem caminho aos cotovelos no meio de multidões o suficiente, assistem a espetáculos o suficiente. Neon no topo dos prédios. Conversíveis com equipamentos de som de 110 watts. Aberrações no transporte público. Espetáculos em cada canto urbano praticamente agarrando você pela gola, exigindo a sua atenção. O barato existencial da Costa Leste, portanto, é conquistar alguma espécie de fuga do confinamento e dos estímulos — silêncios, paisagens rústicas que não se mexem, um voltar-se para dentro: Ficar Longe. No Meio-Oeste rural é outra coisa. Aqui você já está meio que Longe o tempo todo. A terra aqui é vasta. Plana como uma mesa de bilhar. Horizontes em todas as direções. Repare como mesmo na comparativamente urbanizada Springfield as casas são mais espaçadas, os pátios mais amplos — compare com Boston ou Philly. Aqui você tem um assento só seu em qualquer transporte público; parques do tamanho de aeroportos; a hora do rush é um instantinho de pausa no sinal de pare. E as fazendas em si são espaços imensos, silenciosos e quase totalmente desocupados: você não enxerga o vizinho. Sendo assim, o impulso das férias no Illinois rural se manifesta como uma fuga-*para*. Por isso todo o afã de se reunir fisicamente, se dissolver, se tornar parte de uma multidão. De ver algo além de campo, milho, TV via parabólica e o rosto da esposa. Multidões aqui são uma espécie de luz vermelha na porta. Donde a sacralidade do Espetáculo e do Evento Público por essas bandas. Futebol americano colegial, reuniões da igreja, liga infantil de beisebol, desfiles, bingo, dia da feira, Feira Estadual. Sempre acontecimentos muito grandes e muito profundos. Algo no habitante do Meio-Oeste é *acionado* num Evento Público. Você pode ver isso aqui. Os rostos desse mar de rostos são como rostos de crianças tiradas do castigo. A retórica do espírito do estado oferecida pelo Governador Edgar na cerimônia da fita no Portão Principal soa verdadeira. O verdadeiro Espetáculo que nos atrai aqui somos Nós. As exposições orgulhosas, os acessos que as interligam e os quiosques de atrações especiais ao longo desses acessos importam menos que o Nós maior-que-o-todo que se arrasta ombro a ombro, empurrando carrinhos de bebê e praticando comércio sensorial, gastando uma atenção acumulada por meses. Uma inversão exata da retirada estival da Costa Leste. Só Deus sabe o que acontece na Costa Oeste.

Estamos a cerca de cem metros do Pavilhão Aviário quando entro em colapso. Passei o dia enfrentando como uma rocha a perspectiva de encarar o Júri Aberto de Aves, mas agora perco todo o sangue-frio. Não posso entrar ali. Escuta os sei lá quantos milhares de bicos afiados cacarejando lá dentro, eu digo. Sem maldade, Acompanhante Nativa se oferece para segurar minha mão e me dar apoio moral. Faz 34°, tem bosta de bode pigmeu no meu sapato e estou quase chorando de medo e vergonha. Sento num dos bancos verdes que ficam espalhados ao longo dos acessos para me recompor enquanto A. N. vai ligar para casa para saber dos filhos. Nunca tinha me dado conta de que "cacofonia" é um termo onomatopeico: o barulho do Pavilhão Aviário é cacofônico, escrotocompressor, totalmente horroroso. Acho que a loucura deve ter um som parecido. Não espanta que os loucos segurem a cabeça e gritem. Há também um leve fedor e um monte de pedacinhos de penas flutuando por toda parte. E isso é do lado de *fora* do Pavilhão Aviário. Me curvo no banco. Quando tinha oito anos, na Feira Municipal de Champaign, fui bicado sem ter provocado, uma galinha desertora voou em cima de mim e me bicou com selvageria um pouco abaixo do olho direito, deixando uma cicatriz que parece uma espinha permanente.

Só que um dos defeitos óbvios da teoria supracitada é que existe mais de um Nós, portanto mais de uma Feira Estadual. Agropecuaristas no setor de Rebanhos e na Exposição Rural, civis não fazendeiros nos quiosques de comida, exposições turísticas e Vale da Alegria. Os dois grupos não se misturam muito. Nenhum é o vizinho que o outro gostaria de ter.

E aí tem os funcionários do parque. Não se misturam com ninguém, parecem nunca sair do Vale da Alegria. No fim da noite ficarei de olho enquanto desdobram as abas dos quiosques de diversões para transformá-los em barracas. Eles vão fumar maconha barata, beber licor de menta e mijar no meio do Acesso Central. Acho que os funcionários de parques são os ciganos das regiões rurais dos Estados Unidos — itinerantes, insulares, morenos, sebentos, pouco confiáveis. Você não se sente atraído por eles de nenhuma forma. Todos possuem o mesmo olhar duro e vazio das pessoas no banheiro de um terminal rodoviário. Querem receber seu dinheiro e ver o que há por baixo da sua saia; fora isso você apenas bloqueia a visão. Semana que vem eles vão desmontar tudo, fazer as malas e ir até a Feira Estadual do Wisconsin, onde mais uma vez não arredarão pé do mesmo Acesso Central onde mijam.

A Feira Estadual é o momento do ápice comunitário no Illinois rural, só que mesmo numa Feira cuja razão de ser é Para-Nós, ao que tudo indica Nós acarreta Eles. Os funcionários do parque dão ótimos Eles. E os agropecuaristas detestam a valer os funcionários do parque. Enquanto permaneço sentado no banco disassociando e esperando o retorno de A. Nativa, um velho esculhambado com boné da Associação dos Aviários de Illinois surge do nada dirigindo um daqueles carrinhos de três rodas esquisitos, como uma cadeira de rodas turbinada, e passa bem em cima do meu tênis. Isso acaba resultando na minha única entrevista sem auxílio do dia, e ela é curta. O velho fica acelerando o motor do carrinho como se fosse um motoqueiro. "*Lixo*", diz a respeito dos funcionários do parque. "Bandidagem. Não deixaria meus filhos descerem lá nem que me pagassem", fala, acenando para baixo, na direção dos brinquedos giratórios. É criador de frangos para os lados de Olney. Tem alguma coisa dentro da boca. "Roubam você na cara dura. Viciados em drogas, coisa e tal. Passam a perna com esses joguinhos e deixam você com uma mão na frente e a outra atrás. Lixo. Toda vez que a gente vem pra cá, levo minha carteira desse jeito aqui, ó", diz apontando para o quadril. Sua carteira tem uma grande fivela de aço presa ao cinto por uma correntinha; o conjunto tem um aspecto vagamente eletrificado.

P: "Mas eles têm vontade? Seus filhos, quero dizer. Eles têm vontade de visitar o Vale, andar nos brinquedos, comer caramelos, testar habilidades variadas, se misturar um pouco?"

Ele cospe marrom. "Que *nada*. A gente vem pros shows." Ele

quer dizer as Competições Animais. "Encontrar os camaradas, falar de criação. Beber uma cerveja. Trabalhamos o ano todo criando aves de exposição. É pelo orgulho. E pra encontrar uns camaradas. Os shows terminam terça, e é isso, embora pra casa." Ele próprio lembra uma ave. Seu rosto é quase só nariz, a pele é folgada e perebenta como a de um frango. Olhos cor de brim. "O resto disso tudo aqui é pro povo da cidade." Cospe. Está falando de Springfield, Decatur, Champaign. "Ficam aí andando, entrando em fila, comendo porcaria, comprando lembrancinha. Entregam a carteira praquele lixo. Nem sabem que tem gente que vem pra cá trabalhar", diz apontando para os pavilhões. Cospe de novo, se inclinando sobre a lateral do carrinho. "A gente vem trabalhar, encontrar os camaradas. Beber uma cerveja. Trazemos nossa maldita comida. A Mãe traz um cesto cheio. Diacho, o que eles iam querer fazer lá embaixo?" Acho que está falando dos filhos. "Não tem ninguém que eles conheçam lá." Ele dá risada. Pergunta o meu nome. "É bom encontrar os camaradas", diz. "A gente tá tudo no hotel. Cuida da carteira, rapaz." E ele pergunta muito educadamente como está meu pé carimbado pelo pneu antes de bater em retirada em direção ao vozerio galináceo.

14/08/10H15. Descansado e reidratado. Sem Acompanhante Nativa por perto para fazer perguntas embaraçosas sobre o porquê do tratamento reverencial; tempo suficiente para o boato da *Harper's Bazaar* dar metástase; estou no ponto para dar uma passadinha no Concurso de Sobremesas.

14/08/10H25. Concurso de Sobremesas.

14/08/13H15. Enfermaria da Feira Estadual de Illinois; depois hotel; depois Sala de Emergência do Centro Médico do Memorial de Springfield para tratar distensão e possível ruptura do cólon transverso (alarme falso); depois motel; incapacitado até bem depois do sol se pôr; dia inteiro jogado fora; incrivelmente constrangedor, nada profissional; indescritível. Deletar dia inteiro.

15/08/6H00. Em posição ereta e circulando nas proximidades do Vale. Ainda sofrendo de aflição transversa, estremunhado; vacilante porém decidido. Tênis já encharcados. A chuva caiu em açoites brutais ontem à noite, danificando tendas e derrubando o milho nos arredores do motel. Temporais no Meio-Oeste são pancadas dignas do Velho Testamento: trovões de Escala Richter, chuva lateral, grandes zigue-zagues de relâmpagos como num desenho animado. Quando consegui me arrastar de volta noite passada, Tammy Wynette tinha encerrado mais cedo na Grande Arquibancada mas o Vale da Alegria continuou até meia-noite, uma profusão de neon em meio à chuva.

O amanhecer é nevoento. O céu parece sabão. Dá para escutar um desfile de roncos nos quiosques-que-viram-tendas ao longo do Acesso Central. O Vale da Alegria é uma latrina. Por trás das abas rebaixadas do quiosque de atire-em-patos-2D-com-espingarda-de-pressão alguém está sofrendo um ataque de tosse pavoroso e obscenamente espacejado. Sons distantes de lixeiras sendo esvaziadas. Piados de aves variadas. Na frente do trailer administrativo da Blomsness-Thebault há o pisca-pisca elétrico de uma luz de alarme antifurto. Os malditos galos já entraram em ação no Pavilhão Aviário. Trovões resmungam no leste distante sobre Indiana. Árvores têm calafrios e pingam na aragem. Os acessos de asfalto estão vazios, soturnos, brilhando de chuva.

15/08/6H20. Olhando legiões de ovelhas adormecidas. Pavilhão Ovino. Sou o único humano desperto por aqui. Está frio e silencioso. O excremento de ovelha tem um toque diabólico de vômito, mas a coisa aqui até que não vai tão mal no quesito olfativo. Uma ou duas ovelhas estão em pé, porém quietas. Pelo menos quatro agropecuaristas estão dormindo dentro dos cercados junto com suas ovelhas e quanto menos se especular a esse respeito melhor, se depender de mim. O telhado aqui é mal vedado e a maior parte da palha está ensopada. Há pequenas placas impressas em cada cercado. Aqui há Borregas, Ovelhas de Criação, Cordeiras, Capões. No tocante a raças temos Corriedales, Hampshires, Dorset Horns, Columbias. Daria para fazer um doutorado só em ovelha, ao que parece. Rambouillets, Oxfords, Suffolks, Shropshires, Cheviots, Southdowns. E isso só para ficar nas classificações mais importantes. Esqueci de dizer que não dá para ver as ovelhas em si. As ovelhas corpóreas propriamente ditas estão vestindo roupas justas de corpo inteiro, talvez de algodão, com buracos para os olhos e a boca. Como trajes de super-heróis. Dormindo com elas. Presume-se que servem para manter a lã imaculada até a hora do julgamento. Mas aposto que não vai ter graça nenhuma mais tarde, quando a temperatura começar a subir.

De novo na rua. Fantasmas proteicos de neblina e evaporação pairam nos acessos. O Pátio da Feira fica assustador com tudo montado mas ninguém à vista. Um ar sinistro de abandono às pressas, um sentimento parecido com o de fugir do jardim de infância e chegar em casa para descobrir que a família inteira se mandou deixando você para trás. Fora a inexistência de lugares secos para sentar e testar o bloco de notas. (Parece mais uma prancheta, comprada em conjunto com uma esferográfica Bic noite passada na Loja de Cartões, Presentes e Mensagens do C.M.M.S. Não tinham nada além de uma pranchetinha infantil com aquele papel macio e cinza esquisito e um personagem brontossáurico roxo chamado Barney na capa.)

15/08/7H30. Culto Pentecostal de Domingo no Salão de Baile Crepúsculo. Culto apático, circunspecto, com fiéis descarnados, rígidos e severos como os personagens dos retratos de Hals. Nem um único sorriso do início ao fim, e nada do pequeno intervalo no qual se pode passear um pouco para trocar apertos de mão com as pessoas e lhes desejar Paz. Já faz 27°, mas está tão úmido que a respiração das pessoas fica suspensa na frente da cara.

15/08/8H20. Sala de Imprensa, 4º Andar, Prédio Illinois. Sou praticamente o único membro credenciado da Imprensa que não tem um escaninho de compensado para correspondência e releases. Dois caras de um jornal agropecuário tentam ligar uma máquina de fax numa tomada de telefone de disco. O corpo do pai de Michael Jordan foi encontrado e as agências de notícia estão a mil lá no canto. Os teletipos das agências de notícia soam mesmo iguaizinhos ao som de fundo dos antigos noticiários de TV da infância. Além disso o dique de East St. Louis cedeu; a Guarda Nacional está sendo mobilizada. (East St. Louis precisa de guardas até mesmo quando está seca, pela minha experiência.) Um RP da Feira Estadual chega para nos passar a Pauta Diária da Feira. Há café e coisas não identificáveis com cara de muffins, cortesia do Wal-Mart. Estou encurvado e pálido. Destaques dessa P.D.: Duelo do Meio-Oeste de Reboque com Trator e Caminhão, corrida de carros "Bill Oldani 100" do Clube de Automóveis dos Estados Unidos. O show de hoje na Grande Arquibancada será dos decrépitos Beach Boys, que imagino que tiram todo o sustento de Feiras Estaduais. O "Convidado Especial" de abertura para os Beach Boys será America, outra banda decrépita. O RP não consegue distribuir todos os Passes de Imprensa para o show. Além disso parece que perdi algumas oportunidades de ver a lei entrar em ação ontem: dois menores de Carbondale foram presos andando n'O Zíper depois que um papelote de cocaína saiu voando do bolso de um deles e acertou em cheio um policial estadual que estava consumindo uma Raspadinha de Limão em estado de alerta no Acesso Central, lá embaixo; uma denúncia de estupro ou tentativa de estupro no Estacionamento 6; uma série de golpes e perturbações da ordem. Sem falar que dois repórteres vomitaram de grandes altitudes em dois incidentes distintos envolvendo dois brinquedos de Experiência-de-Quase-Morte distintos enquanto tentavam cobrir o Vale.

15/08/8H40. Um Ronald inflável do tamanho de um carro alegórico, sentado e perturbadoramente semelhante a um Buda, reina no lado norte da tenda do McDonald's. Uma família está tirando uma foto em frente ao Ronald inflável, arrumando as crianças numa pose calculada. Anotação no bloco: *Por quê?*

15/08/8H42. Quarta ida ao banheiro em três horas. A excreção pode ser uma missão arriscada aqui. A Feira possui montes de banheiros químicos da marca Sanitários Midwest em diversos locais estratégicos. Os Sanitários Midwest são casinhas de plástico do tamanho de uma pessoa que lembram os *pissoirs* parisienses, mas também claramente usadas para fazer o *numéro deux*. Cada Sanitário Midwest tem seu próprio véu ondeante de moscas, sem falar no odor básico de latrina sem descarga com elevada frequência de uso, e na minha opinião é melhor sucumbir a uma ruptura que usar um Sanitário, embora as filas sejam compridas e esperançosas. Os únicos toaletes de verdade ficam nos grandes prédios de exposições. O toalete do Coliseu é como o banheiro masculino de uma escola primária, em especial o longo mictório coletivo, uma espécie de imensa calha de porcelana. Abundam aqui, entre outras, as ansiedades relativas a desempenho, com mais de vinte caras de lado e de frente uns para os outros, cada um com seu instrumento na mão. Todos os banheiros masculinos possuem secadores de ar quente em vez de toalhas de papel, o que significa que você não pode lavar o rosto, e todos possuem incômodos dispositivos de torneira que é preciso segurar para fazer funcionar, o que significa que uma escovação de dentes vira um negócio complicado. O destaque é poder observar agropecuaristas do Meio-Oeste saírem das cabines brigando com suspensórios e alças de macacão.

15/08/8H47. Rápida inspeção na Mostra de Cavalos de Tração. O interior do Coliseu é do tamanho de um hangar de dirigível, com uma arena elíptica de terra batida. As arquibancadas são fixas, feitas de cimento e continuam subindo até sumir de vista. As arquibancadas estão algo como 5% cheias. O eco é perturbador, mas o cheiro de terra úmida da arena é intenso e agradável. Os cavalos de tração em si são imensos, com dois metros e meio de altura e esteroidicamente musculosos. Acho que foram originalmente cruzados para puxar coisas; só Deus sabe qual sua função agora. Com idade entre dois e três anos, há Garanhões Belgas, Percherons e os Clydesdales famosos como mascotes da Budweiser, com suas bocas de sino de pelos. Os Belgas são particularmente largos no peito e no quarto traseiro (estou desenvolvendo um olho bom para animais de fazenda). Mais uma vez, o Oficial está usando um chapéu branco simplesmente matador e fica em posição de descanso, com as pernas bem afastadas. Mas esse, pelo menos, tem um queixo frágil e algo errado numa das pálpebras. Todos os concorrentes aqui também estão de banho tomado e escovados, pretos, cinza-pólvora ou de um branco opaco como espuma do mar, rabos tosados e patas decoradas com laços de mulherzinha que ficam obscenos no meio de tanto músculo. Os cavalos meneiam as cabeças enquanto andam, um pouco como os pombos. São guiados para dentro dos já conhecidos círculos concêntricos por seus donos, homens barrigudos vestindo ternos marrons com gravatas estreitas. Ao sinal de ordens obscuras saídas dos amplificadores, os donos lançam seus animais num meio-galope estrondoso, segurando suas rédeas e correndo bem embaixo da cabeça, barrigas balançando para tudo que é lado (as dos homens). Os cascos dos cavalos projetam nacos grandes de terra para o alto durante a corrida, então meio que chove terra vários metros atrás deles. Ganham um aspecto mítico enquanto correm. Seus cascos gigantescos são negros e possuem estrias de idade brilhantes como os anéis de um tronco de árvore.

Dá um certo alívio não ver nenhum comprador de fast-food esperando o Leilão na plataforma. Como no Gado, porém, uma jovem rainha da beleza usando tiara reina num trono florido. Não fica claro quem ela é: "Rainha da Carne Equina de Illinois" soa improvável, bem como "Rainha do Cavalo de Tração". (Apesar de haver uma Rainha da Carne de Porco de Illinois de 1993, lá nos Suínos.)

15/08/9H30. Sol proeminente, trinta e poucos graus, poças e lama tentando evaporar no ar já encharcado. Os cheiros ficam parados onde estão. A sensação geral é de estar no meio de um sovaco. Estou de novo ao lado da tenda espaçosa do McDonald's, sob o jugo do palhaço inflável titânico. (Por que não há uma tenda do Wal-Mart?) Há um público razoável nos bancos da quadra de basquete num dos lados e filas de cadeiras dobráveis do outro. É a Final Júnior de Baliza de Banda de Illinois. Um alto-falante de metal começa a despejar *disco music* e garotinhas vindas de todas as direções começam a escorrer para dentro da tenda, girando bastões e saracoteando em trajes berrantes. Uma sinfonia de zíperes eclode nos assentos e arquibancadas quando montanhas de câmeras são sacadas de uma só vez, e percebo que estou sozinho entre centenas de pais e mães.

As classes e divisões barrocas, tanto nas equipes quanto no solo, variam dos três (!) aos dezesseis anos, com significantes epitéticos — p. ex. as de quatro anos de idade formam a divisão Docinhos Picantes, e por aí vai. Consegui sentar numa cadeira bem na frente (só que no sol), atrás das juízas da competição, que foram apresentadas como "Balizas Universitárias da [por quê?] Universidade do Kansas". São quatro loiras tingidas que sorriem muito e sopram bolhas enormes de chiclete de uva.

Os times de balizas vêm de várias cidades diferentes. Mount Vernon e Kankakee parecem ser especialmente fecundas em termos de balizas. Os trajes de elastano das balizas, uma cor para cada equipe, são justos como tinta e bastante exíguos nas pernas. As treinadoras são mulheres carrancudas, bronzeadas e de aparência flexível, claramente ex-balizas já muito distantes da glória do passado e com um ar muito sério, cada uma delas munida de prancheta e apito. Lembra muito a patinação no gelo. As equipes realizam coreografias, cada uma com um título e uma música disco ou de show designada, e há uma porção de manobras obrigatórias de giro de bastão com nomes extremamente técnicos. Uma mãe perto de mim fica marcando as pontuações em algo muito parecido com um mapa astrológico e não está no clima de explicar coisa alguma para um apreciador novato da baliza. As coreografias são insanamente complexas e a narração passo a passo nos alto-falantes é quase toda em código. Tudo que posso afirmar com certeza é que vim parar no evento da Feira que decerto oferece mais perigo aos espectadores. Bastões perdidos voam para todos os lados fazendo um assobio temível. As meninas de três, quatro e cinco anos não são lá tão perigosas, apesar de passarem a maior parte do tempo recolhendo bastões caídos e tentando voltar rápido para o lugar — os pais das balizas com maior tendência à descoordenação uivam de ódio nas arquibancadas enquanto as treinadoras mascam chiclete de cara fechada —, mas as meninas mais novas não possuem força suficiente no braço para realmente pôr alguém em risco, embora mesmo assim uma das juízas acabe levando um bastão de uma Docinhos Picantes bem no ossinho do nariz e precise ser socorrida na tenda.

Mas quando as de sete e oito anos entram em cena para uma série de "*Pot-pourris* das Forças Armadas" (elastano com dragonas, quepes de soldado e bastões em cima do ombro como se fossem M-16s), bastões desgarrados girando como cata-ventos começam a se chocar com muita força contra o teto, as laterais e o público da tenda. Eu próprio me esquivo várias vezes. Um homem um pouco mais abaixo da minha fileira recebe um deles direto no plexo e cai junto com a cadeira de metal fazendo um estrondo horrível. Os bastões (um dos desgarrados que recolhi tinha COMPRIMENTO REGULAMENTAR gravado em relevo na haste) têm rolhas de borracha branca em cada extremidade, mas é uma borracha daquele tipo duro e seco, e os bastões propriamente ditos não são leves. Não é a troco de nada que chamam os cassetetes de polícia de "bastões de serviço".

No quesito físico, mesmo dentro das equipes por faixa etária há incongruências marcantes de tamanho e desenvolvimento. Uma menina de nove anos é várias cabeças mais alta que outra e elas estão tentando fazer um lance complicado de vai e volta em dueto usando um bastão apenas, o que acaba arrancando a lâmpada de uma das luminárias de metal que pendem da cobertura da tenda e provocando um banho de vidro em parte das arquibancadas. Várias balizas mais jovens parecem anoréxicas ou gravemente doentes. Não existem balizas de banda gordas. A imposição dessa regra antiendomórfica é provavelmente interna: uma pessoa gorda só precisa se ver uma única vez vestindo um traje justo de elastano lantejoulado para abandonar quaisquer ambições balizadoras para todo o sempre.

Ironicamente, é nos malabarismos malsucedidos que podemos ver como o giro de bastão (que para mim sempre teve um certo componente de ilusionismo e ocultismo) funciona em termos mecânicos. Parece consistir menos em girar o bastão e mais em rodopiá-lo em cima dos nós dos dedos de uma certa maneira enquanto os dedos embaixo trabalham e se contorcem furiosamente por algum motivo, talvez aplicando torque. Uma tremenda força cinética vem de algum lugar, isso é evidente. Uma tentativa de giro com braço paralelo ao chão ou algo assim faz um bastão sair voando e atingir a rótula de uma mulher grandalhona com um tinido sonoro, e o marido põe a mão no ombro da mulher enquanto ela permanece sentada com as costas eretas, muito rígida e branca, os olhos pulando para fora, a boca feito um pequeno hífen exangue. Sinto falta da boa e velha Acompanhante Nativa, que é do tipo de pessoa capaz de puxar conversa até com uma recente vítima de bastão.

O traje de uma equipe de meninas de dez anos da classe Biscoito de Gengibre tem rabinhos de coelho de algodão no traseiro e orelhas duras de papel machê, e elas sabem muito de baliza. Um esquadrão de meninas de onze anos de Towanda executa uma coreografia intrincada em homenagem à Operação Tempestade no Deserto. A maioria das apresentações tem um estilo ou bonitinho ultrafeminino ou militar, rígido e masculinizado; quase não existe meio-termo. Com as de doze anos — uma das equipes usa trajes de elastano preto que lembram os colantes de fotos sensuais — começa a entrar em cena, temo dizer, uma sexualidade escancarada que vai ficando desconfortável. Já se pode ver algumas balizas de dezesseis anos praticando pequenos rodopios e aberturas de aquecimento debaixo da cesta de basquete e elas são perturbadoras o bastante para que eu sinta vontade de ter uma cópia do Código Criminal do estado ao alcance da mão, bem à vista. Também é perturbador que num assento vago próximo ao meu haja uma arma de fogo, um rifle com cabo de madeira clara e parecendo de verdade, que sabe-se lá se é de verdade para valer ou se faz parte de uma coreografia marcial que ainda vem pela frente ou o quê, e que está ali parado sem dono desde que a competição começou.

Por mais estranho que pareça, são as coreografias bonitinhas e femininas que resultam nos acidentes realmente sérios. Um pai que está parado em pé quase no topo da arquibancada com o olho no visor de uma Toshiba recebe um míssil Tomahawk bem na virilha e cai para a frente em cima de uma pessoa que está comendo uma massa frita, e eles arrastam consigo boas porções das fileiras inferiores e as atividades são interrompidas por um longo período durante o qual decido bater em retirada — desviando como posso das garotas de dezesseis anos na quadra de basquete — e quando consigo passar pela última fileira outro bastão passa fazendo um *vupt-vupt* cruel bem por cima do meu ombro, ricocheteando com ferocidade na coxa inflável do grande Ronald.

15/08/11H05. Um certo órgão classudo da Costa Leste fica infelizmente privado de informações jornalísticas a respeito do Seminário de Cobras de Illinois, da Demonstração de Aves de Caça do Meio-Oeste, do Concurso de Chamamento de Maridos e algo que o Guia da Mídia chama de "O Clássico 'Mu-Mu' das Celebridades" — todos imperdíveis, é claro — porque eles também acontecem em locais muito próximos do Recanto da Comida e da Tenda das Sobremesas, sendo que o mero conceito abstrato do oferecimento de mais uma fatia de Torta com Camada Tripla de Calda de Chocolate no formato de um perfil de Lincoln provoca uma dor pulsante na protuberância ainda presente no lado esquerdo do meu abdômen. De modo que agora estou dois hectares e seiscentos quiosques de comida distante dos eventos imperdíveis do meio-dia, no lento fluxo de gente entrando no Prédio de Exposições.

Tinha planejado evitar o Prédio de Exposições, imaginando que estaria cheio de amostras de recauchutagem de mobília doméstica e modelos futuristas dos arranha-céus de Peoria. Não fazia ideia de que tinha... *ar-condicionado*. Nem de que consistia numa Feira Estadual de IL adicional e totalmente diversa, com profissionais e patronos próprios. Não é apenas a ausência de funcionários do parque e agropecuaristas que chama a atenção aqui. O lugar está abarrotado de gente que não vi em nenhum outro lugar do Pátio da Feira. É um mundo e uma festividade próprios, autossuficientes: o quarto Nós da Feira.

O Prédio de Exposições é uma espécie de imenso shopping center fechado com o ar-condicionado a 26°, piso de cimento e um mezanino de madeira de lei na parte de cima. Aqui cada centímetro interno é dedicado a um tipo muito especial e apelativo de comércio e divulgação. Logo na entrada do grande portão leste se encontra um homem com microfone de orelha fatiando um bloco de madeira e depois um tomate, de pé sobre uma caixa num estande que diz *SharpKut*, propagandeando umas imitações de facas Ginsu, "COMO MOSTRADO NA TV". O estande vizinho oferece etiquetas de identificação personalizadas para cães. Outro abriga o infame Clapper divulgado em catálogos de venda, que liga aparelhos domésticos automaticamente com uma batida de palmas (mas também com uma tosse, espirro ou fungada, descubro — *caveat emp.*). É um estande atrás do outro, e diante de cada um deles existe uma plateia cuja credulidade é de rasgar o coração. O barulho no Prédio de Exposições é apocalíptico e ecoa de modo complexo sobre um carpete sonoro de crianças chorando e de ventiladores de teto roncando. Uma porcentagem elevada dos estandes exibe sinais de montagem apressada e diz COMO MOSTRADO NA TV em cores fortes e chamativas. Todos os vendedores dos estandes ficam um pouco elevados acima do chão; todos possuem microfones de orelha, alto-falantes com amplificador embutido e vozes midiáticas, encorpadas e neutras.

Descubro que esses vendedores autorizados da Exposição, à semelhança dos funcionários de parque da Blomsness (embora os vendedores arreganhem os caninos diante da comparação), pulam de Feira Estadual em Feira Estadual o verão inteiro. Um homem jovem que fazia uma demonstração do QUICK 'N' BRITE — "UM CONCEITO TOTALMENTE NOVO DE LIMPEZA" — tinha a sólida convicção de estar em Iowa.

Há um estande com borda de neon para uma coisa chamada RAINBOW-VAC, um aspirador de pó cujo chamariz é ter um reservatório com água em vez de um saco, e o reservatório é de acrílico transparente, de modo que você tem uma noção gráfica de quanta sujeira está saindo de uma amostra de carpete. Pessoas usando calças de poliéster e/ou sapatos ortopédicos estão amontoadas formando uma camada tripla ao redor desse estande, profundamente comovidas, mas só consigo pensar que aquilo parece o maior bong de uso contínuo do mundo, inclusive pela cor da água. Há um previsível cheiro forte em volta do estande da Southwestern Artigos de Couro. Mesma coisa no estande da Mala de Couro Curtida (erro no gênero do adjetivo? modificador fora de lugar?). Não cheguei nem na metade de um dos lados do piso principal da Exposição, em termos enumerativos. O mezanino tem ainda mais estandes. Tem um estande que oferece relógios com ponteiros sobrepostos a pinturas fotorrealistas envernizadas de Cristo, John Wayne, Marilyn Monroe. Há um estande de Avaliação Postural Computadorizada. Muitos dos vendedores com microfone de orelha são da mesma idade que eu ou mais jovens. O fato de serem engomadinhos um pouco além da conta faz pensar numa formação em Estudos Bíblicos. O friozinho aqui dentro tem a medida exata para que uma camisa ensopada de suor fique pegajosa. Um vendedor recita o discurso de venda do THIGHMASTER da sra. Suzanne Somers enquanto uma moça vestindo malha de ginástica fica deitada de lado sobre o balcão de fibra de vidro demonstrando o produto. Faz quase duas horas que estou no Prédio de Exposições e toda vez que olho a pobre moça continua mandando ver no THIGHMASTER. Em sua maior parte vendedores da Exposição não respondem perguntas e me encaram com olhos grandes e redondos enquanto fico ali parado tomando notas no bloco do Barney. Mas a moça do THIGHMASTER — amistosa, loquaz, violentamente vesga, dona de (como era de se esperar) uma forma física fenomenal — me informa que tem direito a uma hora de almoço às 14h00 mas depois deita de lado novamente e fica até as 23h00. Comento que suas coxas devem estar bem Master a essa altura, ela dá uns soquinhos na perna e parece estar batendo num balaústre, e damos uma boa risada juntos até que seu vendedor finalmente a obriga a me pedir para picar a mula.

    O ar-condicionado favorece o movimento no estande do Bombom Amanteigado Chaleira de Cobre. Tem uma coisa chamada Análise de Índice de Gordura Corporal com Imersão Completa por $8,50. Uma tal de CompuVac Inc. oferece uma Análise de Personalidade Computadorizada por $1,50. O painel de computador do estande é alto e cheio de luzes piscantes e rolos de fita magnética, como o computador de um antigo filme ruim de ficção científica. Minha Análise de Personalidade, uma tira de papel que salta como uma língua para fora de uma ranhura iluminada de vermelho, diz "A Bravura de Sua Natureza é Supremida Pelo Medo de Assumir Risco" (sic[2]). Minha suspeita de que existe um sujeito acocorado atrás do painel piscante inserindo papeizinhos de biscoito da sorte reaproveitados na ranhura é esmagadora porém inverificável.

Um estande atrás do outro. Uma Xanadu de chita. Conjuntos obscuros de panelas antiaderentes. "ÓCULOS: LIMPEZA GRÁTIS". Um estande com esponjas anticelulite. Mais sorvete futurista DIPPIN DOTS. Uma mulher com tiras de velcro nos sapatos limpa tinta de caneta tinteiro do linho de uma toalha de mesa com um removedor de manchas semelhante a um bastão de protetor labial cujo cartaz diz "COMO MOSTRADO EM 'DESCOBERTAS INCRÍVEIS'", um programa de vendas que passa de madrugada e do qual eu meio que sou fã. Um estande de compensado que cobra $9,95 para tirar uma foto e sobrepor seu rosto a um cartaz de Procurado pelo FBI ou uma capa da *Penthouse*. Um estande chamado SOLDADOS DESAPARECIDOS EM AÇÃO — TRAGA ELES PARA CASA! ocupado por mulheres jogando baralho. Um estande antiaborto chamado SALVADORES DA VIDA que distribui balas para atrair pessoas. Arte em Areia. Arte em Fita Retalhada. Janelas Duplas Termosselantes. Um estande indescritível do "NOVO E AVANÇADO APARADOR ROTATÓRIO DE PELOS NASAIS" que tem uma outra placa dizendo (não estou brincando) *"Não Arranque Pelos do Nariz, Pode Causar Infecção Fatal"*. Dois estandes distintos para colecionadores de figurinhas esportivas, "O Investimento Mais Garantido dos Anos Noventa". E escondido bem no cantinho de uma curva da elipse do mezanino: *sim*: pinturas em veludo negro, incluindo várias com Elvis em poses pensativas.

E as pessoas compram essas coisas. Os produtos singulares da Exposição têm como alvo um certo tipo do Meio-Oeste do qual eu já havia me esquecido quase completamente. Por algum motivo não reparei na ausência dessas pessoas nos acessos e exposições. Isso vai soar não apenas típico da Costa Leste mas também elitista e esnobe. Mas fatos são fatos. A comunidade especial de fregueses do Prédio de Exposições pertence a um subfilo do Meio-Oeste conhecido normalmente, por mais maldoso que isso seja, como o Povo do Kmart. Mais ao sul, eles seriam um tipo periférico de *white trash*. O Povo do Kmart é geralmente gordo, vestido de poliéster, tem a cara amarrada e carrega crianças infelizes e sem vida. As perucas são daquele tipo brilhoso com corte quadrado e de uma obviedade comovente, e a maquiagem das mulheres é berrante e não raro aplicada de maneira assimétrica, conferindo uma aparência meio demente a muitos rostos femininos. Têm vozes ríspidas e gritam com seus familiares. É o tipo de pessoa que você vê batendo nos filhos no caixa do supermercado. Trabalham em lugares como a Kraft em Champaign ou a A. E. Staley em Decatur e acreditam que a luta livre profissional é de verdade. Frequentei o ensino médio com o Povo do Kmart. Eu os conheço. Possuem armas de fogo e não caçam. Almejam possuir *motor homes*. Leem o *Star* sem ao menos fingir desprezo e usam papel higiênico decorado com piadinhas de mau gosto. Uma parte desse pessoal talvez vá conferir o Reboque de Trator ou a corrida do Clube do Automóvel dos Estados Unidos, mas a maior parte veio à Exposição para ficar. Foi para isso que vieram. Estão pouco se lixando para os painéis sobre etanol ou aqueles brinquedos do parque com assentos em que é difícil se encaixar. Agricultura uma ova. E o Gov. Edgar é um liberal enrustido: eles ouviram no programa do Rush Limbaugh. Se arrastam de um lado a outro parecendo deslocados e profundamente perplexos, como se tivessem certeza de que aquilo que procuram está por aqui em algum lugar. Queria que A. Nativa estivesse aqui; é uma ótima fonte de citações a respeito do Povo do Kmart. Uma garota gorducha e tatuada com uma criança cheia de fraldas no colo veste uma camiseta que diz "CUIDADO: VOU DE 0 A TEZUDA EM 2,5 CERVEJAS".

 Você já se perguntou de onde vem essa variedade particular de camisetas sem graça? As que dizem "TEZUDA EM 2,5" ou "Impeachment para presidente Clinton… E PRO MARIDO DELA TAMBÉM!!"? Mistério resolvido. Elas vêm das Exposições das Feiras Estaduais. Bem aqui no piso principal há um estande de dimensões monstruosas que mais parece uma bodega aberta com camisetas, bótons de metal e molduras para placas de automóvel que, no caso do subfilo em questão, são Testemunha. Esse estande parece ter algo de crucial. O recanto mais nefando do submundo do Meio-Oeste. As Cavernas de Lascaux de uma certa mentalidade rural. "40 Não é Velho… SE VOCÊ NÃO É UMA ÁRVORE" e "Quanto Mais Cabelo Perco, Mais Descabelo o Palhaço" e "Aposentadoria: Sem Preocupações, Sem Contracheque" e "Eu Luto Contra a Pobreza… EU TRABALHO!!". Como acontece nos cartuns da *New Yorker*, existe uma semelhança enganosa nas mensagens das camisetas. Muitas servem para identificar o usuário como parte de um certo grupo e depois enaltecer o grupo por seu dinamismo sexual — "Caçadores de Guaxinim Dão no Couro a Noite Inteira" e "Cabeleireiras Alisam até Ficar em Pé" e "Poupe um Cavalo: Monte num Vaqueiro". Algumas pressupõem uma espécie de relação agressiva entre o usuário da camiseta e o leitor — "A Gente Poderia se Dar Bem… Se Você Fosse Uma CERVEJA" e "Não me Faça Cair em Tentação, SEI DESCER SOZINHO" e "Você Não Entende A Palavra NÃO?". Há algo complexo e estimulante no fato dessas mensagens não estarem sendo apenas pronunciadas, mas *vestidas*, como se fossem um crachá ou uma credencial. A mensagem elogia o usuário de uma certa forma e em troca o usuário referenda a mensagem estampando-a no peito, o que por sua vez deverá referendar o usuário como sujeito de gênio atrevido ou despudorado. Tem também a função de projetar o usuário como Indivíduo, o tipo de pessoa que não apenas proclama mas veste uma Declaração Pessoal. O deprimente é que as camisetas não são somente impressas e produzidas em massa, mas também tão sem graça e bobas que acabam situando o usuário naquele grande e lamentável grupo de pessoas que considera tais mensagens não somente Individuais mas também engraçadas. No fim tudo é muito complexo e deprimente. A mulher que opera o caixa do estande está vestida como uma hippie de 68 mas tem um rosto duro de funcionária de parque e quer saber por que estou aqui parado memorizando camisetas. Tudo que consigo dizer a ela é que o "TEZUDA" dessas camisetas de "2,5 CERVEJAS" está escrito errado; e agora me sinto mesmo um esnobe da Costa Leste, aplicando juízos e teorias semióticas nessas pessoas que não pedem nada da vida além de um republicano na Casa Branca e um Elvis em veludo negro na parede de madeira falsa da sala de estar de seus *motor homes*. Elas não estão prejudicando ninguém. Um bom terço das pessoas com quem frequentei o ensino médio provavelmente veste essas camisetas, e com orgulho.

E estou esquecendo de mencionar o outro nexo comercial do Prédio de Exposições — estandes de igreja. O evangelismo populista do Meio-Oeste rural. Uma economia do espírito. O que eles querem não é o seu dinheiro. Um estande da Igreja de Deus oferece um Teste Bíblico Computadorizado. O computador deles parece saído de uma loja de ferragens. Acerto dezoito de vinte perguntas no teste e sou convidado para uma "exploração pessoalizada de fé" atrás de uma cortina de camurça, obrigado mas não. Os vendedores convencionais se entrosam bem com os batistas e os Judeus para Jesus que operam estandes bem do seu lado. Ficam todos rindo e trocando ideias. O cara das facas SharpKut manda todos os vegetais que microfatiou para o estande dos SALVADORES DA VIDA, onde são oferecidos junto com as balas. O estande espiritual mais assustador de todos fica perto da saída oeste, onde algo chamado Igreja Triunfal da Aliança Fiel tem pendurado um cartaz enorme perguntando "QUAL É A *ÚNICA* OBRA DO HOMEM NO CÉU?" e eu paro para refletir, o que no caso dos neopentecostais significa morte instantânea, porque uma mulher sem peito e de sobrancelhas grossas contorna o balcão do estande num piscar de olhos e adentra meu espaço particular. Ela diz "Desiste? Vai desistir?". Digo que irei em frente e entrarei no jogo. Ela me encara com muita intensidade, mas há algo insólito em seu olhar: é como se olhasse *para os* meus olhos em vez de *neles*. Qual é a única obra do homem, pergunto. Ela finca o dedo na palma da mão e faz movimentos de parafuso. Querendo dizer coito? (Mas não digo "coito" em voz alta.) "Uma única coisa", ela diz. "Os buracos nas mãos de Cristo", aparafusando com o dedo. É assustador. Mas não é bem sabido que os romanos pregavam os crucificados pelos pulsos, já que a carne da palma da mão não aguenta o peso? Só que agora fui tragado para dentro de um diálogo propriamente dito, chegando ao ponto de deixar a mulher segurar meu braço e me puxar em direção ao balcão do estande. "Olha isso aqui um segundinho agora", ela diz. Está com as duas mãos no meu braço. Sinto um buraco no estômago; fui programado desde a infância para saber que cometi um erro grave. Um filho de acadêmicos do Meio-Oeste é treinado desde cedo para evitar esses cristãos rurais fervorosos e de olhar esquisito que invadem seu espaço, a dizer Não Tenho Interesse na porta de casa e Não Obrigado diante de folhetos mimeografados, a fingir que não está vendo um missionário de esquina como se ele fosse um pedinte nova-iorquino. Cometi um erro. A mulher praticamente me arremessa contra o balcão da Aliança Fiel, sobre o qual há uma caixa de carvalho nobre, das grandes, com um aviso montado: "Onde VOCÊ estará quando ficar ASSIM?". "Dá uma espiadinha aqui." A caixa tem um buraco no topo. Dentro da caixa há um crânio humano. Tenho quase certeza de que é de plástico. A iluminação interna é um truque. Mas tenho quase certeza de que o crânio não é verdadeiro. Faz mais de um minuto que não respiro. A mulher fica encarando a lateral do meu rosto. "Você tem *certeza*, é essa a pergunta", ela diz. Consigo emendar meu movimento de retorno à posição vertical num movimento de recuo. "Você tem cem por cento de *certeza*?" Sobre nossas cabeças, no mezanino, a moça do THIGH-MASTER continua a mil, deitada de lado, cabeça apoiada no braço, um sorriso vesgo perdido no espaço.

15/08/13H36. Estou sentado em um banco bambo assistindo à Competição de Sapateado com Tamancos de Madeira do Estado das Pradarias num Salão de Baile Crepúsculo abarrotado de agropecuaristas e com a temperatura acima de 38°. Uma hora atrás dei um pulinho aqui para pegar uma garrafa de refrigerante a caminho da Competição de Reboque com Tratores e Caminhões. A essa altura o Reboque deve estar quase terminando e dentro de meia hora começa a grande corrida de carros em pista de terra batida do Clube do Automóvel dos Estados Unidos, para a qual já reservei ingresso. Mas não consigo me abalar daqui. Essa é de muito longe a coisa mais divertida e emocionalmente intensa da Feira. Não ande, corra até o salão de sapateado com tamancos de madeira mais próximo.

Tinha imaginado uns brucutus estilo Jed Clampett com chapéus esfarrapados e botas com pregos na sola pisoteando, requebrando etc. O sapateado com tamancos de madeira, dança de origem irlando-escocesa também conhecida como *clogging* e muito querida na região dos Apalaches, costumava envolver, acho, tamancos de verdade, botas e pisadas lentas. Mas atualmente a dança do tamanco se miscigenou com a dança de quadrilha e o *honky-tonk boogie*, se tornando uma espécie totalmente matadora de sapateado country com sincronias intrincadas.

Há equipes de Pekin, Leroy, Rantoul, Cairo, Morton. Cada uma apresenta três coreografias. A música é um country acelerado ou pop dançante $^4/_4$. Cada equipe tem entre quatro e dez dançarinos. 75% são mulheres. Poucas mulheres têm menos de

35 e as que pesam menos de 80 quilos são mais raras ainda. São mães de família rurais, coroas de bochechas coradas com tingimento malfeito nos cabelos e pernas lindas e enormes. Vestem blusinhas à moda do Oeste e saias na altura da canela com múltiplas camadas de anáguas pregadas por baixo; de vez em quando agarram punhados de tecido e levantam as saias como dançarinas de cancã. Quando fazem isso gritam hip ou hurra, dependendo da disposição. Todos os homens possuem cabelos ralos e feições rurais grosseiras e suas pernas finas são borrões emborrachados. As camisas à moda Oeste dos homens possuem debruns no peito e nos ombros. Todas as equipes têm uma combinação de cores — azul e branco, preto e vermelho. Os sapatos brancos que todos os dançarinos usam parecem sapatos de golfe equipados com tarraxas de metal.

A trilha das coreografias vai dos destruidores Waylon e Tammy até Aretha, Miami Sound Machine e "America", de Neil Diamond. As danças incluem alguns passos comuns de sapateado — *sweep, flare, chorus-line kicking*. Mas é rápido, constante e coreografado até o mais ínfimo giro de pulso. E os genes de dança de quadrilha podem ser vistos nas posturas eretas e de ombros alinhados sobre o palco, uma espécie de tendência coreográfica floralmente envolvente, por vezes incluindo passos em alta velocidade. Mas é uma dança de adrenalina em ritmo metanfetamínico, exaustiva de se ver porque os seus próprios pés começam a se mexer; e é erótica a ponto de fazer a MTV parecer careta. Os pés dos dançarinos são velozes demais para serem vistos, sem brincadeira, mas todos sapateiam exatamente no mesmo ritmo. Um passo típico é algo como: *ta*tatata*ta*tatata*ta*tata. As variações em torno do ritmo básico são barrocas. Quando dão chutes ou rodopiam, a ausência de batidas por dois tempos incrementa a complexidade do padrão.

O público está amontoado até a beirada do piso removível de

compensado. As equipes são formadas na maioria por duplas de marido e mulher. Os homens se dividem entre os magros como uma vara e os pançudos. Alguns são grandes dançarinos, fluidos como um Astaire, mas na maioria dos casos são as mulheres que empolgam. Os homens mantêm sorrisos ensolarados permanentes, mas as mulheres parecem orgásmicas; elas levam isso realmente a sério, ficam transidas. Seus hips e hurras são involuntários, pura exclamação. São excitantes. O público marca o ritmo com palmas hábeis e grita hurra junto com as mulheres. O pessoal vem na maior parte das mostras agropecuárias e de animais — camisas de flanela, calças cáqui, bonés com marcas de sementes e sardas. Os espectadores estão encharcados de suor e felizes ao extremo. Acho que é a Atração Especial da comunidade agropecuarista, uma chance de espairecer um pouco enquanto os animais dormem no calor. As transações psíquicas entre dançarinos e público parecem ser representativas da Feira como um todo: uma cultura dialogando consigo mesma, mostrando credenciais para inspeção própria. É apenas um Nós rural menor e mais especializado — plantadores de feijão, representantes de herbicidas, patrocinadores da 4-H e gente que dirige picapes porque de fato precisa delas. Comem comida de fora da Feira trazida em bolsas térmicas, bebem cerveja, batem palmas, pisam no tempo exato e botam a mão no ombro de seus vizinhos para gritar em seus ouvidos enquanto os dançarinos giram e respingam suor na plateia.

 Não há negros no Salão de Baile Crepúsculo. A expressão no rosto das crianças rurais menores tem um aspecto espantado e desperto, como se nunca tivessem pensado que sua própria raça fosse capaz de dançar assim. Três duplas casadas de Rantoul, vestindo macacões cor de carvão à moda Oeste, tecem uma filigrana inacreditável de sapateado em alta velocidade em cima de "R-E-S-P-E-C-T", de Aretha Franklin, e não há traço de ironia racial no recinto; a canção foi apropriada por essa gente, enfaticamente. Essa versão anos 90 para o sapateado com tamancos de madeira trai um quê de beligerância branca, uma espécie de afronta performática a Michael Jackson e MC Hammer. Há uma certa atmosfera no salão — não racista, mas agressivamente branca. É difícil de descrever. É a mesma atmosfera de uma porção de eventos públicos do Meio-Oeste rural. Não que um negro fosse sofrer abusos caso entrasse aqui; é mais como se entrar aqui jamais pudesse passar pela cabeça de um negro.

Mal consigo manter meu bloco firme para anotar impressões jornalísticas de tanto que o chão treme sob inumeráveis botas e tênis. O toca-discos é antiquado, os alto-falantes são vagabundos e a sonoridade disso tudo é fantástica. Duas garotinhas estão jogando três-marias embaixo da mesa ao lado da minha. Duas das esposas dançarinas de Rantoul são gordas mas têm belas pernas. Quem poderia praticar essa dança tanto quanto elas presumivelmente praticam e continuar gordo? Acho que talvez as mulheres do Meio-Oeste rural sejam simplesmente corpulentas de berço. Mas esse povo do sapateado com tamancos de madeira realmente *arregaça*. E o fazem enquanto trupe, coletivamente, sem aquele olha-só-pra-mim narcisista e exibido dos bons dançarinos nos clubes de rock. Eles dão as mãos e fazem os outros girarem indo e voltando, sapateando como doidos, com os torsos eretos e quase formais, como se estivessem encaixados no borrão de pernas somente por acaso. Não termina nunca. Estou pregado no assento. Cada nova equipe parece ser a melhor de todas. Na plateia do outro lado da pista, vejo o velho criador de aves, aquele do ódio pelos funcionários do parque e da carteira eletrificada. Continua usando seu boné com propaganda de frango e faz um megafone com as mãos para gritar hurra com as mulheres, se inclina bem para a frente no carrinho geriátrico, oscila o corpo como se batesse o pé no ritmo enquanto suas pequenas botas pretas se mantêm firmes nos apoios.

15/08/16H36. Tentando correr até a Grande Arquibancada; preso no meio das massas do acesso central, passando pelo Comidódromo. Estou traçando um cachorro-quente empanado frito em óleo 100% de soja. Posso escutar os zumbidos de abelha dos motores da corrida 100 do Clube do Automóvel dos Estados Unidos, que deve ter começado faz um tempão. A poeira da pista forma uma pluma imensa flutuando sobre a Grande Arquibancada. O longínquo gargarejo metálico de um comentarista exaltado nos amplificadores. O cachorro-quente empanado tem um gosto forte de óleo de soja, que é como o gosto de óleo de milho filtrado através de uma toalha velha de ginástica. Os ingressos para a corrida custam obscenos $13,50. A competição de balizas *ainda* continua na tenda do Mickey D. Uma banda chamada Captain Rat and the Blind Rivets está tocando no Palco Lincoln e à medida que a massa vai passando consigo ver as pessoas dançando lá. Parecem dessincronizadas, arrítmicas e perdidas, entediadas à maneira jovem e descolada da Costa Leste, voltadas para dentro em vez de para fora, não encostando jamais em seus parceiros. Quem não está dançando nem olha para eles, e depois do sapateado com tamancos de madeira tudo isso parece horrivelmente solitário e entorpecido.

15/08/16H45. O nome oficial da corrida é Corrida de Carros 100 Sprint Memorial William "Wild Bill" Oldani do Circuito Competitivo True Value da Série Silver Crown do Valvoline-Clube do Automóvel dos Estados Unidos. A Grande Arquibancada comporta 9800 pessoas e está lotada. O barulho é inacreditável. A corrida está quase acabando: o letreiro eletrônico no campo de dentro informa VOLTA 92. O placar informa que o líder é o #26, só que seu carro preto e verde com patrocínio do tabaco SKOAL está no meio do bando. Parece que ele deu a volta em muita gente. O público é quase todo de homens bastante bronzeados, fumando, bigodudos e usando bonés com propaganda de associações automotivas. A maioria dos espectadores usa tampões de ouvido; quem realmente sabe das coisas usa aqueles protetores grossos com filtro sonoro dos trabalhadores de aeroporto. O guia de dezessete páginas é em sua maior parte impenetrável. Há 49 ou 50 carros que são do tipo Pro Dirt ou Silver Crown, e eles são basicamente *buggies* do inferno com chassis *soapbox-derby* e imensos pneus de *dragster*, com emaranhados reluzentes de canos e aerofólios se projetando para todo lado e protuberâncias fálicas desavergonhadas na dianteira, onde suponho que ficam os motores. O que sei a respeito das corridas de automóveis poderia ser anotado com um pincel atômico seco no gargalo de uma garrafa de Coca-Cola. O guia diz que esses são os modelos que competiam na Indy na década de 1950. Não está claro se isso significa esses carros específicos, esse tipo de carro ou o quê. Tenho quase certeza de que "Indy" se refere às 500 milhas de Indianápolis. Os *cockpits* dos carros são abertos e envoltos por teias de correias e barras anticapotagem; os pilotos usam capacetes da mesma cor do carro, com máscaras semelhantes às de esqui sobre o rosto para bloquear a poeira sufocante. Há carros dos mais variados tons. A maior parte parece ser patrocinada pela Skoal ou pela Marlboro. Equipes de *pit-stop* vestidas de branco cirúrgico se inclinam para dentro da pista passando instruções obscuras em pequenas lousas. O campo de dentro está tomado de trailers, caminhões de carga, estandes oficiais e placas eletrônicas. Em cima de vários trailers há mulheres usando blusinhas diminutas e parecendo de fato muito envolvidas. É tudo bem confuso. Certos dados no guia simplesmente não batem — o Prêmio do Vencedor, por exemplo, é de apenas $9200, mas cada carro supostamente representa um investimento anual de seis dígitos por parte dos patrocinadores. Não sei no que eles investem, mas não é em silenciadores. Mal consigo tirar as mãos dos ouvidos pelo tempo necessário para virar a página do guia. Os carros fazem um ruído semelhante ao de um jato — aquele zumbido de inseto —, mas com algo de óleo diesel e cortador de grama que se pode sentir dentro do crânio. Parte do problema é o concreto nu dos assentos da Grande Arquibancada; outra parte é que os assentos ficam num único lado da pista, no meio da reta. Quando a massa principal de carros passa, fica insuportável; até o esqueleto dói por causa do som e os sinos ainda não pararam de bater no ouvido quando eles retornam na volta seguinte. Os carros disparam como morcegos ensandecidos nas retas e então reduzem a marcha antes das curvas fechadas fazendo os pneus traseiros dançarem na terra batida. Alguns carros ultrapassam outros carros e o público vibra quando isso acontece. Na parte mais baixa do meu setor de assentos, um garotinho apoiado pelo pai em cima de um dos pilares de cimento da cerca está rígido, olhando para longe da pista, as mãos pressionando os ouvidos com tanta força que os cotovelos apontam para fora, e quando os carros passam seu rosto se contrai de dor. Eu e o garotinho meio que trocamos umas contrações faciais. Uma poeira fina e suja fica suspensa no ar e gruda em tudo, inclusive na língua. Então de repente binóculos aparecem do nada e todo mundo se levanta porque há uma espécie de derrapada guinchante e uma batida numa curva distante, lá do outro lado do campo interno; bombeiros vestindo chapéus e macacões de corpo inteiro vão correndo até lá em caminhões de incêndio, a voz nos amplificadores fica bem mais aguda mas segue incompreensível, um homem com um desses fones de aeroporto que está nos estandes oficiais se estica para fora e agita uma bandeira amarelo-clara no ar, os carros de corrida reduzem a velocidade aos parâmetros de uma *autobahn*, o Carro de Segurança Oficial (um Trans Am) aparece para liderá-los, todo mundo fica em pé e eu fico também. Não dá para ver nada além de um palitinho de coquetel de fumaça subindo na curva mais distante, o som dos motores fica suportável e os amplificadores silenciam, o silêncio relativo perdura enquanto todos aguardam alguma notícia e dou uma boa olhada em todos esses rostos atrás de binóculos erguidos mas não se pode ter ideia nenhuma do tipo de notícia que estamos todos esperando.

15/08/17H30. Fila de dez minutos para um milk-shake da I.D.C. Acessos quentes exalando um fedor oleoso de asfalto. Peço para uma criança me descrever o sabor de sua massa frita e ela foge correndo. Um zumbido bolorento continua nos ouvidos — tudo soa como naqueles antigos telefones que instalavam nos carros. Abobrinha de 8 kg exposta no lado de fora do Pavilhão da Agroindústria. Uma bela de uma abobrinha, sem dúvida. Várias mulheres da Tenda de Sobremesas estão na Retrospectiva Tupperware (sério) bem aqui perto, porém, e eu caio fora rapidinho. No Coliseu a única evidência histórica do Reboque com Tratores são ideogramas gigantes de marcas de pneu, montanhas de terra deslocada, manchas escuras de tabaco escarrado e cheiro de borracha e óleo queimado. Dois prédios adiante há uma curiosa exposição não relacionada com o Orgulho do Estado, "Motocicletas de Destaque", da Harley Davidson Corporation. Há também uma exposição de cartofilia — um cartão atrás do outro, alguns da década de 1940, a maioria com fotos de plantações, nuvens de tempestade se formando no horizonte, extensões planas de terra muito escura. Numa tenda ampla bem ao lado fica a "Espetacular Mostra Motorsport", que é meio surreal: um monte de carros esportivos muito brilhantes e evidentemente velozes na mais absoluta imobilidade, simplesmente parados ali, capôs erguidos, entranhas expostas, ajuntamentos de homens idosos de boina estudando os carros com grande intensidade, alguns munidos de luvas brancas e lupas de joalheiro. No meio de duas tendas empresariais sem importância encontro o serendipitoso focinho do "Trailer do Teste de Audição Mobile Sertoma", dentro do qual uma mulher com entradas no couro cabeludo me qualifica como auditivamente sadio apesar da overdose de decibéis. Quinze minutos inteiros dentro e fora da imensa tenda COMPTROLLER ESTADUAL ROLAND BURRIS não são suficientes para elucidar a função da tenda. A próxima, porém, é uma exposição de um ônibus do Sistema de Ônibus a Etanol de Peoria; foi pintado para se assemelhar a uma espiga de milho gigante. Não sei se frotas de ônibus-milho verde-e-amarelos são realmente utilizadas em Peoria ou se isso serve apenas para chamar a atenção.

15/08/18H00. De novo no aparentemente incontornável Clube do Mickey D. Qualquer vestígio de balizas e espectadores caídos foi apagado. Agora a tenda está montada para o Boxe Luvas de Ouro de Illinois. No piso há uma espécie de quadrado formado por quatro ringues de boxe. Os ringues são feitos de cordas de varal e postes ancorados em pneus cheios de cimento, um ringue por faixa etária — Dezesseis, Catorze, Doze, Dez(!). Trata-se de outro espetáculo pouco badalado porém emocionante. Se quiser ver violência inter-humana genuína, vá conferir um torneio Luvas de Ouro. Nem sinal do trabalho de pernas maleável dos profissionais adultos ou de defesa nas cordas. Aqui a porrada come solta no que consiste essencialmente em brigas de recreio com luvas de pontas brancas e capacetes em formato de cérebro. As camisas-regata dos combatentes trazem dizeres como "Rockford Jr. Boxing" e "Clube da Luta de Elgin". Nos cantos dos ringues há bancos para as crianças sentarem e serem atendidas pelos treinadores das equipes. Os treinadores lembram os pais agressivos de vários dos meus amigos de infância — avermelhados, mandíbulas azuladas, pescoços taurinos, olhos rasgados, o tipo de homem que joga boliche, assiste à TV de cueca e supervisiona pancadarias sancionadas. Agora o protetor bucal de um lutador sai voando e atravessa o ringue dos catorze anos de uma ponta a outra deixando um rastro de fios de saliva e o público em volta desse ringue começa a urrar. No ringue da categoria dezesseis anos há um garoto de Springfield, um herói local, um certo Darrell Hall, enfrentando um latino esguio e fluido de Joliet chamado Sullivano. Hall tem uns bons nove quilos a mais que Sullivano. Hall também se parece com praticamente todos os garotos que me surraram no colégio, até no bigodinho ralo e na dobra cruel do lábio superior. O público em volta do ringue dos dezesseis anos é todo composto de amigos de Hall — carinhas com camiseta justa, calções de ginástica universitários e gel nos cabelos, garotas de macacão encurtado usando sistemas complexos de elásticos e prendedores de cabelo. Gritos de "Arrebenta a *cara* dele, Darrell!" se repetem. O latino aplica um *jab* e se distancia. Alguém está fumando um baseado nessa tenda, sinto o cheiro. Os garotos de dezesseis sabem mesmo boxear. As luzes de teto são lâmpadas expostas em cones metálicos entortados por um dia inteiro de balizas. Todo mundo aqui está suando em bicas. Algumas pessoas olham torto para o meu chaveiro clicante. Reencarnações de cada uma das líderes de torcida ginasiais que já desejei na vida podem ser vistas na plateia da categoria dezesseis anos. As garotas gritam alto e meio que emolduram o rosto com as mãos toda vez que Darrell Hall é atingido. Não sei por que as pernas de macacão recortadas foram subtraídas do circuito da moda da Costa Leste; são devastadoras. A luta da categoria catorze anos é interrompida por um instante para que o juiz limpe uma gota de sangue da luva de um dos garotos. Sullivano desliza e solta *jabs*, meio que orbitando ao redor de Hall. Hall é implacável, um lutador encolhido e feroz que vai se enfiando. O ar explode de seu nariz quando ele acerta um golpe. Ele fica tentando empurrar o latino para a corda de varal. As pessoas se abanam com leques de cabo de madeira do Partido Democrático. Mosquitos exploram a plateia. Os juízes ficam dando tapas no pescoço. A chuva tem sido implacável e os mosquitos desse mês de agosto são do tipo malvado, grandes e vagamente peludos, alimentados no campo, vorazes, do tipo que pode cercar um bezerro à noite e fazer com que no dia seguinte pela manhã o fazendeiro encontre seu bezerro de pernas abertas, sangrado à moda *kosher*. Isso acontece mesmo. Ninguém se mete com os mosquitos daqui. (Meus amigos da Costa Leste riem do medo que tenho de mosquitos e tiram onda do chaveiro movido a pilha que trago sempre que saio à noite na rua. Eu o trago comigo até mesmo em Nova York ou Boston. É de um catálogo de vendas obscuro e produz um som parecido com o de uma libélula — também conhecida como *odonata anisoptera*, inimiga eterna dos mosquitos em qualquer lugar — um clique discreto em alta velocidade que enlouquece de medo qualquer mosquito que sabe das coisas. Na East 55th pode ser um pouco neurótico carregar o chaveiro; mas aqui, onde sou mais alto que o resto do público e estou suarento e pronto para o abate, o bom, velho e confiável chaveiro salva a minha pele e o couro dos outros.) De onde estou consigo enxergar também os lutadores de dez anos, um vale-tudo encarniçado entre dois molequinhos que ficam parecendo ter cabeças grandes demais para o corpo por causa dos capacetes. Nenhum dos garotos de dez anos demonstra ter o menor interesse na defesa. As pontas de seus sapatos tocam uma na outra e eles se entregam ao mata-cobra total, golpeando à vontade. Pais assustadores mascam chiclete nos cantos do ringue. O protetor bucal de um dos garotos insiste em cair. O público em volta do ringue de dezesseis anos explode quando o bronco do Darrell acerta um gancho em Sullivano e o faz cair de bunda no chão. Sullivano levanta com coragem mas seus joelhos estão bambos e ele não consegue olhar para o juiz. Hall ergue os dois braços e se volta para o público, revelando a ausência de um dente incisivo. As garotas entregam sua experiência prévia como animadoras de torcida batendo palmas e pulando ao mesmo tempo. Hall sacode as luvas para o teto enquanto várias garotas entoam o nome dele e você consegue sentir nos próprios íons do ar: Darren Hall vai afogar o ganso hoje à noite.

O termômetro digital na grande mão esquerda do deus-Ronald marca 34° às 18h15. Atrás dele nuvens grandes e ameaçadoras que lembram bolas de sorvete de café se empilham na bancada ocidental do céu, mas o sol continua a todo gás em cima delas. As sombras das pessoas andando nos acessos começam a ficar pontudas. É aquela parte do dia em que as crianças pequenas começam a ter ataques de choro intermitentes devido ao que seus pais chamam ingenuamente de cansaço. Cigarras cantam na grama ao lado da tenda. Os lutadores de dez anos estão literalmente emparelhados e se enchendo de porrada. É o tipo de espancamento mútuo implausivelmente selvagem que se vê nos filmes de luta. O ringue deles é o que está atraindo mais público agora. Será praticamente impossível pontuar essa luta. Mas então ela termina instantaneamente no segundo intervalo quando um dos meninos, que está sentado no banco ouvindo sussurros de um treinador com antebraços tatuados, vomita de repente. De maneira prodigiosa. Sem razão aparente. É meio surreal. Sai voando vômito para todo lado. A garotada que está assistindo solta um "Ãããiii". Diversos produtos de quiosque de comida parcialmente digeridos podem ser identificados — talvez essa seja a razão aparente. O lutador indisposto começa a chorar. O treinador temível e o juiz limpam-no e o conduzem para fora do ringue, sem brutalidade. Seu oponente ergue os braços com hesitação.

15/08/19H30. Num estado cuja origem e razão de ser são a comida, há um forte subtexto digestivo percorrendo toda a Feira de 93. Em certo sentido, todos viemos aqui para sermos engolidos. A bocarra do Portão Principal nos recebe, massas lerdas e compactas se deslocam peristalticamente por sistemas complexos de acessos ramificados praticando transferências complexas de dinheiro-e-energia nas vilosidades que margeiam os acessos para no fim — ao mesmo tempo saciadas e esvaziadas — serem expelidas por saídas projetadas para um fluxo pesado. E tem as exposições de comida e de produção da comida, os quiosques inesgotáveis de comida e o consumo peripatético de comida. Os banheiros públicos e os mictórios coletivos. O calor úmido de temperatura corporal do Pátio da Feira. Os rebanhos que são julgados e aplaudidos como futura comida enquanto os animais ficam ruminando sobre o próprio esterco.

Há também as grandes literalizadoras de todas as metáforas, as criancinhas — boxeadoras e devoradoras de doces, vítimas de insolação, aquelas que já transbordam só com a adrenalina do caráter Especial disso tudo — os habitantes do Meio-Oeste rural do futuro, todos vomitando.

E assim o bom e velho Hugo é a última coisa que vejo no Torneio de Boxe Luvas de Ouro e a primeira que vejo no Vale da Alegria, em pleno pôr do sol. Estou parado com meu bloco idiota do Barney no Acesso Central olhando para cima, para o Anel de Fogo — um conjunto de vagões de trem pintados com labaredas dando voltas e mais voltas dentro de um aro de neon com trinta metros de altura, o operador travando o trem no alto e pendurando os clientes de ponta-cabeça, dobrados por cima dos cintos de segurança, fazendo chover moedinhas e óculos — estou olhando para cima e avisto uma coluna espessa de vômito desenhar um arco a partir de um dos vagões; ela cai em espiral por trinta metros e aterrissa com um estalido polposo no meio de duas garotinhas vestindo camisetas com alguma coisa escrita sobre vôlei que ficam olhando para o chão e depois uma para a outra com caras horrorizadas de comédia pastelão. E quando o trem flamejante finalmente estaciona na rampa uma criança com cara de quem não sabe onde se enfiar desce cambaleando, empapada e verde, e dá passos trôpegos até uma banca de Raspadinha de Limão.

Vou rascunhando impressões enquanto ando, basicamente. Adiei uma vistoria completa das Experiências de Quase-Morte até o último momento possível e quero catalogar tudo antes que o sol se ponha. Dei umas espiadas à distância no Vale da Alegria à noite, do topo da colina onde fica a Quadra de Imprensa, e fiquei com a impressão de que estar aqui embaixo no escuro, no meio de todo esse neon rotativo, com os palhaços mecânicos, o rugido de equipamentos que dão mergulhos, os gritos lancinantes, os bordões amplificados dos vendedores e o rock em alto volume, seria como estar nas representações de viagens de ácido desastrosas de todos os filmes ruins dos anos sessenta. É no Vale que me bate com mais força a certeza de que já não possuo um espírito do Meio-Oeste e de que não sou mais jovem — não gosto de multidões, gritos, barulho alto e calor. Suporto essas coisas se for necessário, mas elas não representam mais a minha ideia de uma Atração Especial ou de um intervalo comunitário sagrado. A multidão do Vale — formada em sua maior parte por casais de estudantes, valentões locais e garotada reunida em bandos de um só sexo, agora que a demografia da Feira entra no horário nobre — parece radicalmente satisfeita, acesa, ativada, esponjas de informação sensorial capazes de se alimentar disso tudo de alguma forma. É a primeira vez em que me sinto sozinho de verdade na Feira.

Tampouco compreendo, preciso admitir, como alguém desembolsa grana para ser arremessado, suspenso, largado, sacudido de um lado para o outro em alta velocidade e pendurado de ponta-cabeça até vomitar. Para mim é como pagar para se envolver num acidente de carro. Não entendo qual é o sentido; nunca entendi. Não é uma coisa regional ou cultural. Acho que é uma questão de constituição neurológica básica. Acho que o mundo pode ser dividido direitinho entre quem se empolga com a indução controlada do terror e quem não se empolga. Não acho o terror empolgante. Acho aterrorizante. Um dos meus objetivos de vida básicos é submeter meu sistema nervoso à menor quantidade de terror possível. E claro que o paradoxo cruel é que esse tipo de constituição quase sempre anda de mãos dadas com um sistema nervoso delicado que se aterroriza com muita facilidade. É bem provável que só de olhar para o Anel de Fogo eu sinta mais medo que as pessoas que estão andando nele.

O Vale da Alegria não tem somente um, mas dois *Tilt-a--Whirl*. Uma experiência chamada *Wipe Out* amarra os usuários em assentos fixos num grande disco iluminado que gira oscilando como uma moeda que se recusa a parar quieta no chão. O infame Navio Pirata coloca quarenta pessoas numa galé de plástico que balança num arco pendular até elas ficarem olhando reto para baixo e depois reto para cima. Há vômito dos dois lados do Navio Pirata também. O funcionário que opera o Navio Pirata é forçado a usar tapa-olho, papagaio e gancho, sendo que na ponta do gancho está espetado um Marlboro aceso.

O operador da Casa Maluca fica encurvado dentro de uma cabine de controle plástica que exala um cheiro de *sinsemilla*.

Com seus 32 metros de altura, a Roda-Gigante de Gôndola é uma velha e pacata roda-gigante que coloca você de frente para o acompanhante numa espécie de xícara de ferro. O giro é vagaroso, mas os carrinhos no alto ficam parecendo dedais iluminados e dá para escutar as mocinhas gritando enquanto seus namorados seguram as bordas da xícara e balançam.

As filas são maiores na frente das Experiências de Quase-Morte realmente sérias: Anel de Fogo, O Zíper, *Hi Roller* — esse último faz um trenzinho percorrer em alta velocidade a parte interna de uma elipse que por sua vez também gira em ângulos retos de acordo com o movimento do trem. As multidões são densas e exalam um odor de repelente. Rapazes usando camisa de redinha andam agarrados com firmeza às namoradas. Há algo de intensamente *público* nos jovens casais do Meio-Oeste. As meninas têm cabelos penteados para trás e lábios polpudos, e a maquiagem escorre por causa do calor e lhes dá um aspecto vampiresco. A sexualidade escancarada das colegiais modernas não é só coisa do litoral. Existe um termo no Meio-Oeste, "cortina", para o tipo de garota que se pendura no namorado em público como se ele fosse uma árvore no meio de um furacão. Muitas garotas que andam pelo Acesso Central são cortinas. À medida que avanço vou brandindo meu fiel chaveiro-libélula em arcos na minha frente, como se fosse um incenso. Os horários do meu roteiro são fixos e apertados. O Expresso do Amor manda outro trenzinho a mais de cem quilômetros por hora ao redor de um anel topologicamente deformado, metade do qual fica envolto por um tubo de fibra de vidro cheio de corações e flechas em neon. Não falta serviço aos eletrocutadores de insetos no topo dos postes de luz. Um pacote de camisinhas perdido está caído perto da fileira de cubos de acrílico em que guindastes boquiabertos tentam coletar joias. O Vale é basicamente um vetor leste-oeste, mas avanço traçando oitos e passando diversas vezes por algumas atrações. Os tênis do operador da Casa Maluca estão para fora da cabine; o resto dele está oculto. A criançada corre para dentro da Casa Maluca sem pagar. Por um instante tenho a certeza de ter avistado Alan Thicke, entre tantas celebridades possíveis, atirando com um rifle de pressão contra uma fileira de iraquianos bidimensionais de papelão para tentar ganhar um bicho de pelúcia do *Jurassic Park*.

Seria jornalisticamente irresponsável descrever os brinquedos do Vale sem experimentar pelo menos um deles em primeira mão. O Kiddie Kopter é um carrossel de protótipos de Sikorsky rodando em velocidade sadia e digna. As hélices dos helicópteros também giram. Devo admitir que meu helicóptero é um pouco aconchegante, mesmo estando com os joelhos grudados no peito. Sou expulso do brinquedo quando uma inclinação radical do equipamento inteiro denuncia que peso bem mais que o limite de 45 quilos, e preciso registrar que tanto o funcionário encarregado quanto as outras crianças andando no brinquedo foram desnecessariamente maldosos nessa história toda. Cada brinquedo tem seu próprio alto-falante amplificado com sua própria carga de rock adrenalínico; o alto-falante do Kiddie Kopter está tocando "I Want Your Sex", de George Michael, enquanto os pestinhas dão voltas. No fim do dia, o Vale como um todo se torna uma gigantesca maçaroca sonora com diferentes sons se destacando em revezamento — acima de tudo apitos, sirenes, órgãos, gargalhadas de palhaço mecanizadas, melodias de heavy metal e gritos humanos pouco distinguíveis dos gritos gravados.

Não é Alan Thicke, olhando bem.

O Thunderboltz e o Polvo arremessam carros modulares de giro livre em planos topologicamente complexos. A face norte e a rampa de entrada do Thunderboltz contêm evidência adicional de desarranjos gástricos. E depois tem o Gravitron, uma estrutura fechada em formato de pião dentro da qual uma câmara emborrachada gira tão rápido que você é prensado contra a parede como uma mosca no para-brisa. É basicamente uma centrífuga para separar centrifugamente os cérebros das pessoas da irrigação sanguínea desses mesmos cérebros. Ver as pessoas saindo do Gravitron não é uma experiência nem um pouco agradável e é melhor você nem saber como está o chão perto da saída. Um garotinho parado num pé só fica puxando a manga cáqui do operador e choramingando que perdeu um sapato ali dentro. A melhor descrição do bronzeado dos funcionários do parque é que eles estão *sinistramente* bronzeados. Percebo que muitos deles possuem a testa baixa e a mandíbula prognata tipicamente associada à Síndrome Alcoólica Fetal. O funcionário que está operando o Scooter — carrinhos de choque velozes, selvagens, desprotegidos, atalho garantido para o consultório do quiroprático — estava largado na mesma posição e na mesma cadeira toda vez que o vi, mantendo o olhar perdido num ponto além dos carrinhos enlouquecidos e rasgando ingressos usados com a veemência inexpressiva de uma pessoa confinada numa Ala Psiquiátrica. Me apoio como quem não quer nada no corrimão da sua plataforma fazendo minhas Credenciais balançarem de forma ostensiva e pergunto em tom amável como ele faz para não pirar totalmente com o tédio de seu trabalho. Ele vira a cabeça muito devagar, revelando um tique facial severo: "De que porra cê tá falando".

Os dois mesmos funcionários da outra vez estão nos controles d'O Zíper, vestindo as mesmíssimas roupas, olhando para as cabines cheias lá no alto e dando cotoveladinhas um no outro. O Acesso Central recende a óleo de máquina e fritura, a fumaça e repelente Cutter, a perfume adolescente comprado em shopping center e lixo podre nos latões infestados de abelhas. O brinquedo de Quase-Morte mais extremo parece ser o Kamikaze, bem na ponta da extremidade oeste, perto da montanha-russa Zyklon. Sua placa de neon mostra uma caveira sorridente com uma faixa na cabeça e diz simplesmente KAMIKAZE. É um pilar de ferro de vinte metros pintado de branco com um braço de quinze metros em forma de martelo pendurado em cada lado. As cabines ficam na ponta desses braços, com doze assentos cobertos de plástico transparente. Os dois braços giram com ferocidade, estamos falando de 360°, na vertical e em direções opostas de modo que nos extremos superior e inferior de cada rotação fica parecendo que sua cabine vai se chocar com a outra e você pode enxergar os rostos dentro da outra cabine voando na sua direção, cinzentos de pavor e repuxados pela força G. Um pesadelo desperto por oito ingressos e quatro dólares.

Não. Agora encontrei o pior. Nem estava aqui ontem. Deve ter sido trazido especialmente. Pode ser que nem faça parte do parque. É o SKY COASTER. O SKY COASTER se ergue majestoso nas alturas do extremo oeste do Vale, logo depois do jogo de Boliche-Ascendente-Por-Um-Jogo-de-Talheres, numa espécie de recanto formado pelos trailers da Blomsness-Thebault e maquinário desmontado. Logo de cara você vê apenas o amarelão de alguma peça de equipamento de construção pesada, e um segundo depois percebe que há alguma outra coisa bem lá em cima que, vista do leste, não passa de um emaranhado de sombras expressionistas contra o sol poente. Um fluxo pequeno e constante de Visitantes da Feira conduz ao recanto do SKY COASTER.

É um guindaste de construção com mais de cinquenta metros de altura, um BRH-200, um daqueles grandes filhos da mãe com esteiras de tração de tanque no lugar de rodas, uma cabine amarelo-canário e uma longa probóscide de aço negro com sessenta metros de comprimento, apontada para cima num ângulo de talvez 70°. Isso é metade do SKY COASTER. A outra metade é uma estrutura em torre com mais de trinta metros de ferro entrecruzado que foi armada uns duzentos metros ao norte do guindaste. Há uma mesa dobrável na frente do cordão que fica preso ao guindaste e diante da mesa há uma fila de pessoas. A mulher que recebe o dinheiro está na casa dos cinquenta e é um argumento eficaz para o uso de protetor solar. Atrás dela, numa lona azul brilhante, ficam dois caras fortões com camisetas do SKY COASTER auxiliando o próximo usuário a se prender ao que lembra uma combinação de camisa de força com cinto de utilidades coberta de ganchos e encaixes. Ainda não dá para saber muito bem o que está acontecendo. Daqui, o barulho do Vale às minhas costas é ao mesmo tempo ensurdecedor e abafado, como a maré alta atrás de um dique. Meu Guia da Mídia, que o suor moldou em forma de nádega dentro do meu bolso, diz: "Se você achava que *bungee jumping* era emocionante, espere até alçar voo sobre o Pátio da Feira no SKY COASTER. O usuário é preso em segurança a um colete de corpo inteiro que o iça [sic, espero] até o alto de uma torre de onde é solto para balançar num movimento de pêndulo enquanto admira uma vista espetacular da Feira lá embaixo". Os cartazes escritos à mão na mesa dobrável são mais reveladores: "$40,00. AMEX VISA MASTER. SEM REEMBOLSO. PROIBIDO PARAR NO MEIO DA SUBIDA". Os dois caras estão escoltando o cliente pelas escadas de uma plataforma de construção com uns três metros de altura. Tem um cara segurando cada braço e percebo que estão ajudando o cliente a se manter em pé. Quem pagaria $40,00 por uma experiência que exige ajuda para ficar em pé já no momento de se aproximar dela? Por que pagar dinheiro para fazer acontecer algo que fará você ficar grato por ter sobrevivido? Simplesmente não entendo. Fora que alguma coisa não está certa com relação a esse cliente, tem algo esquisito. Para começo de conversa, ele está usando óculos escuros de aviador. Ninguém no Meio-Oeste rural usa óculos de aviador, escuros ou não. Então percebo do que realmente se trata. Ele está usando mocassins Banfi de $400. Sem meias. Esse cara que começa a deitar de bruços na plataforma debaixo do guindaste é *da Costa Leste*. É um *impostor*! Quase me dá vontade de gritar isso. Uma mulher está parada em cima da lona azul, já de colete vestido, joelhos moles, esperando a vez. Um cabo de metal desce da ponta da probóscide do guindaste e na sua extremidade há um encaixe do tamanho de um punho. Outro cabo se estende da cabine do guindaste no nível do chão até o alto da torre, atravessando grampões anelados ao longo da lateral da torre até uma roldana no topo, com outro encaixe grande lá no fim. Um dos caras loiros faz o cabo descer com uma sacudida e o traz até a plataforma. As presilhas dos dois cabos, o do guindaste e o da torre, são afixadas nas costas do colete do homem da Costa Leste e depois apertadas e trancadas. O homem fica tentando olhar para trás para ver o que prenderam nele enquanto os dois loiros grandalhões se retiram da plataforma. Um outro loiro na cabine do guindaste puxa uma alavanca fazendo o cabo da torre se esticar na grama e para cima e para baixo na lateral da torre. O cabo do guindaste permanece folgado à medida que o homem é erguido no ar pelo cabo da torre. O colete tapa sua bermuda e sua camisa, dando a impressão de que ele está nu como um bebê enquanto sobe. O cabo chia com a tensão à medida que o homem da Costa Leste é puxado bem devagar até o alto da torre. Ele continua de barriga para baixo, os membros balançando. Depois de uma certa altura ele começa a parecer um animal de rebanho numa eslinga. Dá para perceber que ele está tentando engolir saliva antes que seu rosto fique pequeno demais para enxergar. Finalmente ele atinge o alto da torre e fica com a bunda encostada na roldana do cabo, tentando não se debater. Mal consigo tomar notas. Deixam ele parado lá durante um tempo só por crueldade, dependurado, separado da ponta do guindaste por um sorriso de cabo solto. O público reunido no recanto cochicha e aponta para ele, protegendo os olhos do sol avermelhado. Um adolescente descreve a cena para outro adolescente como "Barra-pesada". De minha parte, fico preparando uma lista mental de violações às quais me sujeitaria antes de permitir que alguém me içasse de bunda para cima a uma altura enorme e me sacudisse lá no alto como se eu fosse um bife voador. Um dos caras loiros está usando um megafone e fica criando suspense no público, gritando para o homem da Costa Leste dependurado: "Você. Está. Pronto?". Os ruídos da resposta do homem da Costa Leste são mais bovinos que humanos. Seus óculos escuros de aviador estão pendurados numa das orelhas; ele não se dá ao trabalho de ajeitá-los. Posso prever o que está prestes a acontecer. Vão puxar uma alavanca e soltar a presilha do cabo da torre, e o homem de mocassim sem meias despencará em queda livre por um tempo que parecerá interminável até que a porção folgada do cabo do guindaste termine e a linha receba seu peso e se estique atrás dele, arremessando-o bem longe por cima do terreno ao sul, com a metade superior do arco atingindo quase a altura da torre, e depois ele cairá de novo e será pego e arremessado para o outro lado, indo e voltando, ficando de bruços na depressão do arco e dando a impressão de ficar de pé nos dois ápices, balançando de um lado a outro e ficando ereto e de bruços contra um crepúsculo cor de carne crua. E bem quando o loiro da cabine do guindaste estica a mão na direção da alavanca e o público prende a respiração com força tremenda, nesse exato instante, no meu derradeiro momento na Feira, eu perco a coragem — lembro do pesadelo recorrente da minha infância no qual eu era lançado ou arremessado num arco que ameaçava dar a volta completa — e me nego a participar disso, nem que seja apenas como testemunha — e encontro novamente, *in extremis*, o acesso ao outro pior pesadelo da infância, a única maneira garantida de obliterar tudo; e o sol e céu e *yuppie* em queda livre apagam como uma luz.

[1993]

2. Uma coisa supostamente divertida que eu nunca mais vou fazer

1.

Agora é sábado, 18 de março, e estou sentado na cafeteria lotada do aeroporto de Fort Lauderdale matando as quatro horas que separam o desembarque do cruzeiro da partida do voo para Chicago com uma tentativa de evocar uma espécie de colagem sensório-hipnótica de todas as coisas que vi, ouvi e fiz como resultado da tarefa jornalística que acabo de cumprir.

Vi praias sacarosas e água de um azul muito brilhante. Vi um terno esportivo todo vermelho com lapelas largas. Conheci o cheiro de protetor solar espalhado sobre mais de 9500 quilos de carne humana quente. Fui chamado de *mon* em três nações diferentes. Assisti a quinhentos americanos de classe alta dançando o *Electric Slide*. Vi pores de sol que pareciam retocados em computador e uma lua tropical que se parecia mais com um limão dependurado e obsceno de tão imenso do que com a boa e velha lua pedregosa dos EUA com a qual estou acostumado.

Participei (muito rapidamente) de um trenzinho em ritmo de conga.

Devo dizer que sinto como se uma espécie de Princípio de Peter estivesse em jogo nesta tarefa. Ano passado, certa revista classuda da Costa Leste aprovou o resultado do meu deslocamento até uma simples e corriqueira Feira Estadual para escrever um negócio meio parecido com um ensaio sem muito foco. E agora me oferecem essa pauta em forma de fruta tropical c/ a mesma parcimônia de orientação ou viés. Mas desta vez sinto uma pressão inédita: os gastos totais com a Feira Estadual ficaram em 27 dólares, excluindo os jogos de azar. Desta vez a *Harper's* desembolsou mais de 3 mil dólares antes mesmo de receber a primeira mísera amostra de descrição sensorial. Repetem — ao telefone, ligando de terra firme para o barco, muito pacientes — que não devo me preocupar. Acho que esse pessoal de revistas não é lá muito sincero. Dizem querer apenas uma espécie de amplo cartão-postal da minha experiência — que devo ir, explorar o Caribe em grande estilo, voltar e contar o que vi.

Vi um monte de navios brancos enormes. Vi cardumes de peixinhos com barbatanas reluzentes. Vi uma peruca sendo usada por um garoto de treze anos. (Os peixes reluzentes gostavam de enxamear entre o casco do navio e o cimento do píer sempre que atracávamos.) Vi o litoral norte da Jamaica. Vi e farejei todos os 145 gatos no interior da Residência de Ernest Hemingway em Key West, na Flórida. Agora sei a diferença entre bingo comum e *Prize-O*, e o que significa quando o prêmio do bingo vira uma "bola de neve". Vi câmeras de vídeo portáteis que praticamente exigiam uma plataforma com rodinhas; vi bagagens fluorescentes, óculos de sol fluorescentes, um pincenê fluorescente e mais de vinte modelos de tanga emborrachada. Ouvi tambores de aço, comi fritada de concha-rainha e testemunhei uma mulher de lamê prateado vomitando em jatos dentro de um elevador de vidro. Apontei para o teto ritmadamente na mesmíssima batida 2:4 da mesmíssima *disco music* ao som da qual eu odiava apontar para o teto em 1977.

Aprendi que existem intensidades de azul que ultrapassam o azul *muito, muito claro*. Ingeri a maior quantidade da comida mais requintada que já comi na minha vida inteira durante a mesma semana em que aprendi a diferença entre "balançar" em mar revolto e "arfar" em mar revolto. Ouvi um comediante profissional dizer ao público, sem ironia alguma, "Mas falando sério". Vi terninhos fúcsia, blazers rosa-menstruação, abrigos marrom com roxo e mocassins brancos usados sem meias. Vi crupiês profissionais de Vinte e Um tão adoráveis que senti vontade de correr até a mesa e gastar até o meu último centavo jogando Vinte e Um. Ouvi cidadãos americanos adultos de classe alta perguntarem ao Guichê de Atendimento ao Hóspede se era preciso se molhar para fazer *snorkeling*, se o tiro ao prato aconteceria ao ar livre, se a tripulação dormia a bordo e a que horas teria início o Bufê da Meia-Noite. Agora conheço a diferença mixológica precisa entre um Slippery Nipple e um Fuzzy Navel. Sei o que é um Coco Loco. Ao longo de uma semana, fui objeto de mais de 1500 sorrisos profissionais. Fiquei queimado e descasquei duas vezes. Atirei em pratos a bordo. É suficiente? Na hora não parecia. Senti todo o peso aconchegante do céu subtropical. Tomei dezenas de sustos com o som devastador de flatulência-dos-deuses da sirene de um navio de cruzeiro. Absorvi os rudimentos do majongue, vi um pedaço de uma partida de bridge com dois dias de duração, aprendi a vestir um colete salva-vidas por cima do smoking e perdi no xadrez para uma garota de nove anos.

(Na verdade eu diria que *mirei* em pratos a bordo.)

Pechinchei bugigangas com crianças desnutridas. Agora conheço todas as justificativas e desculpas concebíveis para alguém gastar mais de 3 mil dólares num cruzeiro pelo Caribe. Resisti e não aceitei a maconha jamaicana oferecida por um jamaicano de verdade.

Avistei certa vez, da amurada do convés superior, muito

abaixo de mim e à direita do casco traseiro, o que acredito ter sido a barbatana característica de um tubarão-martelo camuflada no rastro niagaresco da turbina de estibordo.

Escutei — e não me sinto capaz de descrever — reggae transformado em música de elevador. Aprendi o que é ficar com medo da própria privada. Adquiri "pernas de marujo" e agora gostaria de perdê-las. Provei caviar e concordei quando o garotinho sentado ao meu lado afirmou ser: *gosmoso*.

Agora compreendo o termo "*Free Shop*".

Agora sei a velocidade máxima de cruzeiro de um navio em nós.[1] Comi *escargot*, pato, *Baked Alaska*, salmão c/erva-doce, um pelicano de marzipã e um omelete feito com supostos vestígios de trufas etruscas. Ouvi pessoas em espreguiçadeiras comentarem sinceramente que o problema não é o calor, mas a umidade. Fui — de maneira completa, profissional e conforme prometido de antemão — mimado. Em momentos de ânimo mais sombrio, vi e registrei todo tipo de eritemas, ceratoses, lesões pré-melanômicas, manchas senis, eczemas, verrugas, cistos papulosos, panças, celulites femorais, varicosidades, intervenções de colágeno e silicone, tingimentos equivocados e transplantes capilares que não deram certo — isto é, vi quase nua muita gente que eu preferia não ter visto quase nua. Senti um desalento que não sentia com tanto vigor desde a puberdade e preenchi quase três cadernos Mead tentando entender se o problema eram Eles ou se o negócio era Comigo. Contraí e alimentei um rancor potencialmente vitalício contra o Gerente do Hotel do navio — cujo nome era sr. Dermatis e que neste momento batizo de sr. Dermatite[2] — um respeito quase reverente pelo meu garçom e uma paixonite

---

[1] (embora nunca tenha conseguido descobrir exatamente o que é um nó)
[2] Em algum momento ele parece ter desconfiado que eu era um jornalista investigativo e resolveu não me deixar ver a cozinha, o passadiço, o convés da

avassaladora pela camareira responsável por minha parte do corredor de bombordo do Convés 10, Petra, com suas covinhas e sua fronte ampla e sincera, sempre trajada com roupas brancas e engomadas de enfermeira e cheirando ao desinfetante norueguês com toques de cedro que usava para esfregar os banheiros, e que deixava minha cabine tinindo de limpa ao menos dez vezes por dia mas nunca se deixou flagrar durante o *ato* da limpeza — uma figura de encanto mágico e persistente, e mais do que merecedora de um cartão-postal só para ela.

2.

Sendo mais específico: de 11 a 18 de março de 1995, de livre e espontânea vontade e sendo pago para tanto, participei de um cruzeiro de sete noites pelo Caribe (7NC) a bordo da e.m. *Zenith*,[3] um navio de 47 255 toneladas pertencente à Celebrity Cruises Inc., uma entre as mais de vinte linhas de cruzeiro que operam atualmente a partir do sul da Flórida.[4] A embarcação e as insta-

---

tripulação, *nada*, nem entrevistar qualquer membro da tripulação de maneira oficial, e ele usava óculos de sol em ambientes fechados, e dragonas, e ficava falando ao telefone em grego por longos períodos enquanto eu estava no gabinete depois de ter aberto mão das semifinais do karaokê no Rendez-Vous Lounge especialmente para comparecer àquele encontro; desejo a ele tudo de ruim.

[3] Ninguém conseguiria resistir a rebatizar mentalmente o navio como e.m. *Nadir* no instante em que enxergasse um nome tão bobo quanto *Zenith* na brochura da Celebrity, então peço que me tolerem, mas saliento que o rebatismo em nada depõe contra o navio em si.

[4] Há também a Windstar e a Silversea, a Tall Ship Adventures e a Windjammer Barefoot Cruises, mas essas linhas são menores e ostensivamente dedicadas à classe alta. As 20+ linhas a que me refiro cuidam dos "meganavios", os bolos de casamento flutuantes com lotação nas quatro casas decimais e motores com hélices do tamanho de agências bancárias. Dessas megalinhas que operam a

lações eram, pelo que agora sei sobre os padrões do ramo, totalmente de primeira. A comida era soberba, o serviço, impecável, os passeios em terra firme e as atividades de bordo organizadas nos mínimos detalhes de modo a proporcionar o máximo de estímulo. O navio era tão limpo e tão branco que parecia ter sido fervido. O azul do Caribe Ocidental variava entre cobertor de bebê e fluorescente; o mesmo vale para o céu. As temperaturas eram uterinas. O próprio sol parecia ajustado para o nosso conforto. A proporção tripulação-passageiro era de 1,2 para 2. Era um Cruzeiro de Luxo.

---

partir do sul da Flórida temos a Commodore, a Costa, a Majesty, a Regal, a Dolphin, a Princess, a Royal Caribbean e a boa e velha Celebrity. Temos também a Renaissance, a Royal Cruise Line, a Holland, a Holland America, a Cunard, a Cunard Crown e a Cunard Royal Viking. Temos a Norwegian Cruise Line, temos a Crystal e temos a Regency Cruises. Temos também o Wal-Mart do ramo de cruzeiros, a Carnival, à qual por vezes as outras linhas se referem como "Carnivore". Não me lembro qual a linha do *Pacific Princess* da série de TV *O Barco do Amor* (acho que provavelmente era um navio que fazia o circuito Califórnia-Havaí, ainda que eu lembre deles zanzando por todo canto), mas agora a Princess Cruises comprou o nome e usa o pobre Gavin MacLeod vestido a caráter em seus anúncios de TV.

O meganavio de cruzeiro 7NC é um tipo ou gênero próprio de navio, como um destróier. O ramo descende das viagens transatlânticas aristocráticas onde a opulência se combinava à intenção de chegar a algum lugar — por ex. o *Titanic*, o *Normandie* etc. Os diversos nichos do mercado atual de cruzeiros pelo Caribe — Solteiros, Idosos, Temático, Interesse Especial, Empresarial, Festivo, Familiar, Comercial, Luxo, Luxo Absurdo, Luxo Grotesco — já foram escavados e demarcados, e a competição é selvagem (ouvi relatos em *off* sobre a disputa Carnival *versus* Princess que deixariam a testa de qualquer um marcada a ferro). Meganavios tendem a ser projetados nos Estados Unidos, construídos na Alemanha e registrados na Libéria ou na Monróvia; pertencem e ao mesmo tempo são capitaneados, em sua maior parte, por escandinavos e gregos, o que é meio que interessante, porque esses são os povos que dominaram as viagens marítimas desde sempre. A Celebrity Cruises pertence ao Grupo Chandris; o X nas três chaminés do navio não é um X, mas a letra grega *chi*, de Chandris, uma família marítima grega tão antiga e poderosa que, ao que tudo indica, considerava Onassis um fedelho.

Exceto por algumas variações mínimas em cada nicho, o Cruzeiro de Luxo 7nc é, em essência, genérico. Todas as megalinhas oferecem o mesmo produto básico. Este produto não é um serviço ou um conjunto de serviços. Nem chega a ser uma diversão (embora fique claro sem demora que uma das principais funções do Diretor do Cruzeiro e sua equipe é ficar relembrando a todo mundo que todo mundo está se divertindo). É mais uma sensação. Mas é também um legítimo produto — essa sensação deve ser *produzida* em você: um misto de relaxamento e excitação, mordomias sem culpa e turismo frenético, uma combinação especial de servilidade e complacência vendida na forma do verbo "mimar". Esse verbo salpica de forma categórica diversas brochuras das megalinhas: "... mimado como você nunca foi", "... seja mimado em nossas saunas e hidromassagens", "Deixe a gente mimar você", "Seja mimado pela brisa morna das Bahamas".

Acredito que o fato de adultos americanos contemporâneos também costumarem associar a palavra "mimar" (*pamper*) a um certo *outro* produto não seja um acidente, e essa conotação não está ausente nas megalinhas comerciais e nos responsáveis por sua publicidade. E existem bons motivos para que essa palavra seja reiterada e enfatizada.

3.

Este incidente virou notícia em Chicago. Algumas semanas antes do meu embarque no Cruzeiro de Luxo, um rapaz de dezesseis anos se atirou do convés superior de um meganavio — acho que pertencente à Carnival ou à Crystal —, um suicídio. Segundo a versão noticiada, foi um caso adolescente de amor frustrado, um romance a bordo que terminou mal etc. Creio que em parte foi outra coisa, algo que uma história noticiosa nunca poderia abordar.

Existe algo de insuportavelmente triste num Cruzeiro de Luxo comercial. Como a maioria das coisas insuportavelmente tristes, parece incrivelmente esquivo e complexo em suas causas e simples em seu efeito: a bordo do *Nadir* — especialmente à noite, quando cessam as diversões organizadas, as gentilezas e o barulho animado no navio — eu senti desespero. *Desespero* é uma palavra que foi desgastada até se tornar banal, mas é uma palavra séria e estou usando-a com seriedade. Para mim, ela denota uma mistura simples — um estranho anseio pela morte combinado com um sentimento esmagador da minha pequenez e da minha futilidade, que se apresenta como um medo da morte. Talvez seja algo próximo daquilo que as pessoas chamam de pavor ou angústia. Mas é bem outra coisa. É como desejar morrer para escapar da sensação insuportável de compreender que sou pequeno e fraco e egoísta e que sem a menor dúvida vou morrer. É querer se atirar do navio.

Prevejo que isto será cortado pelo editor, mas preciso revelar certos antecedentes. Eu, que antes desse cruzeiro nunca estivera no oceano, sempre associei o oceano com pavor e morte. Quando criança eu costumava decorar todo tipo de informação sobre mortes causadas por tubarões. Não apenas ataques: mortes. A morte de Albert Kogler em Baker Beach, Califórnia, em 1959 (Tubarão-Branco). A tripulação do uss *Indianapolis* transformada em banquete nos arredores das Filipinas em 1945 (muitas variedades, mas oficialmente se acredita que a maioria eram Tigres e Azuis);[5] a série de incidentes envolvendo o maior-número-de-mortes-atribuídas-a-um-único-tubarão ao redor de Mata-

---

[5] Isso é tudo de memória. Não preciso de livro nenhum. Ainda consigo lembrar os nomes de todas as vítimas fatais do *Indianapolis* que foram documentadas, incluindo alguns números de série e cidades natais. (Centenas de homens perdidos, 80 classificados como vítimas de tubarão, 7-10 de agosto de 1945; o *Indianapolis* havia acabado de entregar Little Boy na ilha de Tinian, para ser entregue em Hiroshima, para deleite dos ironistas. Robert Shaw, como Quint, recordou o incidente inteiro em *Tubarão*, de 1975, um filme que, como se pode imaginar, foi como pornografia fetichista para mim aos treze anos.)

wan/Spring Lake, Nova Jersey, em 1916 (Tubarão-Branco, novamente; desta vez pegaram um *carcharias* na baía de Raritan, Nova Jersey, e encontraram partes humanas *in gastro* (sei quais partes, e a quem pertenciam)). Na escola, acabei escrevendo três trabalhos diferentes sobre o trecho "O Náufrago" de *Moby Dick*, o capítulo em que o grumete Pip cai no mar e enlouquece por conta da imensidão vazia onde se vê flutuando. E hoje, quando dou aulas, sempre apresento o assustador "O bote" de Crane e fico muito transtornado quando a garotada acha o conto chato ou meramente aventuresco: quero que sintam o mesmo pavor medular do oceano que sempre senti, a intuição do mar como o *nada* primordial, sem fundo, profundezas habitadas por coisas gargalhantes cravejadas de dentes avançando até você na velocidade de uma pena caindo. Enfim, essa é a origem do fetiche atávico por tubarões que, preciso admitir, voltou junto com uma vingança longamente reprimida contra esse Cruzeiro de Luxo,[6] e fiz tanto alarde sobre a única (provável) nadadeira dorsal que enxerguei a estibordo que meus companheiros da Mesa 64 do jantar acabaram tendo que me mandar, com o maior tato possível, calar minha boca de uma vez a respeito desse negócio de nadadeira.

---

[6] E vou admitir que na primeiríssima noite do 7NC perguntei à equipe do Restaurante Cinco-Estrelas Caravelle do *Nadir* se haveria alguma chance de eu talvez conseguir um balde de entranhas *au jus* para tentar atrair tubarões a partir da balaustrada dos fundos do último convés, e que esse pedido pareceu a todos, do *maître* em diante, perturbador e talvez até mesmo perturbado, e acabou se mostrando um sério *faux pas* jornalístico, porque tenho quase certeza de que o *maître* repassou essa informação perturbadora ao sr. Dermatite e que esse foi o motivo principal por trás da interdição do acesso a coisas como a cozinha do navio, empobrecendo assim o escopo sensório deste artigo. (E também mostrou como era limitada a minha compreensão do tamanho do *Nadir*: a doze conveses e 45 metros de altura, as entranhas *au jus* teriam se dispersado num borrifo vermelho esparso quando atingissem a água, com concentrações de sangue insuficientes para atrair ou excitar um tubarão de respeito, cuja barbatana teria provavelmente se parecido com uma tachinha daquela altura, de qualquer modo.)

Não me parece acidental que os Cruzeiros de Luxo 7NC atraiam especialmente pessoas mais velhas. Não estou falando de velhos decrépitos, mas de pessoas com mais de cinquenta anos, para quem a própria mortalidade é mais que uma abstração. A maioria dos corpos expostos que se davam a ver por todo o *Nadir* diurno se encontrava em estágios variados de desintegração. E o próprio oceano (que descobri ser salgado como o *inferno*, salgado como gargarejo para aliviar dores de garganta, com borrifos tão corrosivos que a armação dos meus óculos provavelmente terá de ser trocada) é em essência um enorme mecanismo de decomposição. A água do mar corrói embarcações a uma velocidade impressionante — enferruja, descasca a pintura, desgasta o verniz, embota o brilho, cobre os cascos dos navios de cracas, aglomerações de algas e um muco náutico onipresente que parece a morte encarnada. Vimos horrores genuínos quando atracávamos, barcos que pareciam ter sido mergulhados numa mistura de ácido e merda, esfregados com ferrugem e gosma, devastados pela mesma coisa sobre a qual flutuam.

Não é o caso dos navios das megalinhas. Não é acidental que sejam tão brancos e limpos, pois têm a intenção clara de representar o triunfo calvinista do capital e do esforço sobre a ação decompositora primordial do mar. O *Nadir* parecia ter um batalhão inteiro de terceiro-mundistas magrinhos e fortes com macacões azul-marinho inspecionando o navio atrás de sinais de desintegração a serem derrotados. O escritor Frank Conroy, que assina um curioso ensaio publicitário na introdução da brochura do 7NC da Celebrity Cruises, afirma que encarou "como um desafio pessoal encontrar uma peça sem polimento, uma grade lascada, um mancha no convés, um cabo frouxo ou qualquer coisa que não estivesse em perfeitas condições. Perto do fim da viagem, acabei encontrando um cabrestante[7] com uma mancha de ferrugem

---

[7] (ao que parece um tipo de guindaste náutico, como uma roldana anabolizada)

do tamanho de uma moeda de cinquenta centavos na face virada para o mar. Minha satisfação com essa pequena mácula foi interrompida pela chegada, enquanto eu ainda estava presente, de um tripulante munido de rolo e balde de tinta branca. Fiquei assistindo ele cobrir o cabrestante inteiro com uma demão de tinta fresca e então se afastar com um aceno de cabeça".

O negócio é o seguinte. Férias são uma trégua de coisas desagradáveis, e como a consciência da morte e da decomposição é desagradável, pode parecer estranho que os americanos sonhem em passar as férias enfiados num imenso mecanismo primordial de morte e decomposição. Mas num Cruzeiro de Luxo 7NC somos envolvidos com destreza na construção de fantasias variadas de triunfo sobre essa morte e essa decomposição. Uma das maneiras de "triunfar" é mediante os rigores do autoaprimoramento; e a manutenção anfetamínica do *Nadir* pela tripulação é um análogo nada sutil do adornamento pessoal: dietas, exercícios, suplementos de vitaminas, cirurgias cosméticas, seminários sobre gestão de tempo da Franklin Quest etc.

Também existe outra maneira de escapar ref. morte. Ao invés do adornamento, o empolgamento. Ao invés do trabalho esforçado, a diversão esforçada. As atividades constantes do 7NC, festas, comemorações, alegria e música; a adrenalina, a excitação, a estimulação. Você se sente animado, vivo. Faz a existência parecer incontingente.[8] Como alternativa, a diversão esforçada não promete transcender o pavor da morte, mas sufocá-lo até que desapareça: "Gargalhando com os amigos[9] no saguão após o jan-

---

[8] O *Nadir* possui literalmente centenas de mapas em corte transversal do navio em cada convés, elevador e entroncamento, todos com um ponto vermelho e a inscrição VOCÊ ESTÁ AQUI — e não leva muito tempo para que se perceba que não estão ali para orientar ninguém, mas para proporcionar um tipo estranho de tranquilidade.

[9] Sempre há referências a "amigos" no texto da brochura; nenhum passageiro está sozinho em momento algum, o que é parte dessa promessa de escapar do pavor da morte.

tar, você confere o relógio e menciona que está quase na hora do show... Quando as cortinas se fecham após todos terem aplaudido de pé, a conversa entre os companheiros[10] gira em torno de 'E o que vem agora?'. Talvez uma visita ao cassino, ou quem sabe dançar um pouco na discoteca? Talvez um drinque tranquilo no piano-bar, ou quem sabe um passeio pelo convés iluminado pelas estrelas? Após todas as opções serem debatidas, todos concordam: '*Vamos fazer tudo isso!*'".

Está longe de ser Dante, mas ainda assim a brochura do 7NC da Celebrity Cruises é um exemplo forte e engenhoso de publicidade. A brochura é do tamanho de uma revista, pesada e brilhante, com bela diagramação e texto decorado por fotografias artísticas dos rostos bronzeados de casais[11] de classe alta congelados numa espécie de ricto prazeroso. Todas as megalinhas publicam brochuras, que em essência são intercambiáveis. No miolo, as brochuras detalham os diferentes pacotes e rotas. Os 7NC básicos vão para o Caribe Ocidental (Jamaica, Grande Caimã, Cozumel), Caribe Oriental (Porto Rico, Ilhas Virgens) ou algo chamado Caribe Profundo (Martinica, Barbados, Mayreau). Existem também os pacotes Caribe Supremo de 10 ou 11 noites, que visitam praticamente todos os litorais exóticos entre Miami e o canal do Panamá. A informação-padrão das seções finais das brochuras

---

[10] Viram?

[11] Sempre casais nessa brochura, e mesmo nas fotografias de grupos são sempre grupos de casais. Nunca obtive uma brochura de um Cruzeiro para Solteiros, mas fico tonto só de pensar. Houve um "Encontro de Solteiros" (sic) na primeira noite de sábado a bordo do *Nadir*, na Discoteca Scorpio do Convés 8, ao qual me forcei a comparecer após meia hora de auto-hipnose e respiração controlada, mas mesmo no Encontro 75% do público era de casais, e os poucos Solteiros com menos de setenta anos pareciam acabrunhados e auto-hipnotizados, e a coisa toda dava muita vontade de cortar os pulsos, e bati em retirada depois de meia hora porque *Jurassic Park* ia passar na TV naquela noite e eu ainda não tinha conferido a programação inteira para saber que *Jurassic Park* passaria dezenas de vezes naquela semana.

sempre detalha custos,[12] o lance dos passaportes, regulamentos de alfândega e limitações.

Mas é a seção inicial dessas brochuras que realmente pega você de jeito, as fotos e os excertos em itálico dos guias *Fodor's Cruises* e *Berlitz*, as *mise-en-scènes* oníricas e a prosa estonteante. A brochura da Celebrity, em particular, ensoparia de baba um guardanapo de folha dupla. Possui quadros dourados com jeito de hipertexto dizendo coisas como A SATISFAÇÃO SE TORNA FÁCIL e O RELAXAMENTO SE TORNA ALGO NATURAL e O ESTRESSE SE TORNA UMA VAGA LEMBRANÇA. E essas promessas apontam para o terceiro tipo de transcendência-da-morte-e-do-pavor oferecido pelo *Nadir*, um tipo que não requer trabalho nem diversão, o atrativo que é a verdadeira isca no anzol de um 7NC.

4.

"Simplesmente fitar o oceano da amurada do navio tem um profundo efeito reconfortante. Enquanto você desliza como uma nuvem pela água, o peso da vida cotidiana desaparece como num passe de mágica e você parece flutuar sobre um mar de sorrisos. Isso não é visível apenas no rosto de seus colegas de cruzeiro, mas também entre a tripulação. Enquanto um alegre comissário de bordo entrega os drinques, você menciona os sorrisos da tripulação. Ele explica que cada funcionário da Celebrity sente prazer em tornar o cruzeiro uma experiência totalmente livre de preocupações e tratar cada cliente como um convidado de honra.[13]

---

[12] De 2500 a 4000 dólares para meganavios comerciais como o *Nadir*, a menos que você queira uma Suíte Presidencial com claraboia, bar com pia, palmeiras automáticas etc. Neste caso, dobre o valor.
[13] Em resposta a questionamentos jornalísticos insistentes, a assessora de imprensa do setor de RP da Celebrity (a encantadora srta. Wiessen, com sua voz de Debra

Além disso, completa, eles não gostariam de estar em nenhum outro lugar. Olhando mais uma vez para o oceano, você não tem como discordar."

A brochura do 7NC da Celebrity usa a segunda pessoa o tempo inteiro. Isso é bastante apropriado. Porque nos cenários da brochura a experiência do 7NC não está sendo descrita, mas *evocada*. A verdadeira sedução da brochura não é um convite à fantasia, mas uma construção da fantasia em si. É publicidade, mas com um toque estranhamente autoritário. Em anúncios comuns para o mercado adulto, pessoas atraentes são mostradas se divertindo com uma intensidade quase ilegal num cenário montado ao redor de um produto, e se espera que você fantasie de modo a se

---

Winger) ofereceu a seguinte explicação para o atendimento animado: "As pessoas a bordo — a equipe — são realmente parte de uma grande família — você deve ter percebido quando esteve no navio. Elas realmente amam o que fazem e amam servir os outros, e prestam atenção aos desejos e necessidades de todos".

Não foi isso que observei. O que observei foi que o *Nadir* era um navio que anda na linha, gerenciado por um núcleo de elite de oficiais e supervisores gregos muito durões, e que a equipe supracitada vivia sob terror mortal desses chefes gregos que os observavam de perto a todo momento, e que a tripulação dava duro em níveis quase dickensianos, a um ponto em que seria impossível se sentir realmente animado com o trabalho. Senti que a Animação ficava ao lado de Rapidez e Servilismo no topo dos relatórios de avaliação onipresentes nas pranchetas dos gregos, sempre ocupados em preenchê-los: quando não sabiam que estavam sendo observados por algum passageiro, muitos dos trabalhadores tinham aquele ar de cansaço incômodo normalmente associado a empregados mal pagos, e também demonstravam medo. Senti que um tripulante poderia ser demitido por um lapso insignificante qualquer, e que ser demitido por esses oficiais gregos poderia envolver o recebimento de um sapato imaculadamente engraxado no rabo seguido por uma travessia a nado bastante longa.

O que observei foi que os trabalhadores supracitados sentiam uma espécie de afeto pelos passageiros, mas era um afeto *comparativo* — até mesmo o passageiro com as exigências mais absurdas pareceria gentil e compreensivo em comparação com a linha dura dos gregos, e a tripulação parecia ter uma gratidão genuína por isso, da mesma forma que achamos comovente mesmo a demonstração mais básica de decência humana se estivermos em Nova York ou Boston.

projetar no mundo perfeito do anúncio mediante a compra desse produto. Na publicidade normal, onde sua agência e liberdade de escolha adultas precisam ser cortejadas, a compra é pré-requisito da fantasia; é a fantasia que está sendo vendida, não qualquer tipo literal de projeção no mundo do anúncio. Ninguém imagina que alguma promessa real está sendo feita. É isso que torna as publicidades adultas convencionais fundamentalmente recatadas.

Contraste esse recato com a força dos anúncios na brochura do 7NC: o uso quase imperativo da segunda pessoa, a especificidade de detalhes que se estendem até mesmo ao que você vai dizer (*você vai dizer* "Não tenho como discordar" e "Vamos fazer tudo isso!"). Nos anúncios da brochura do cruzeiro você é liberado do trabalho de construir a fantasia. Os anúncios fazem isso em seu lugar. Deste modo, os anúncios não cortejam sua agência adulta ou nem mesmo a ignoram — eles a suplantam.

E esse tipo autoritário — quase paternal — de publicidade faz uma promessa muito especial, uma promessa diabolicamente sedutora que na verdade até chega a ser um pouco honesta, pois promete que um Cruzeiro de Luxo gira em torno de honrar expectativas. Não se promete que você pode experimentar um imenso prazer, mas que isso *vai* acontecer. Que eles vão garantir que isso aconteça. Que eles vão microgerenciar cada bocadinho de cada opção prazerosa de modo que nem mesmo a ação terrivelmente corrosiva de sua consciência, agência e pavor adultos possa mandar sua diversão à merda. Suas incômodas capacidades de escolha, erro, arrependimento, insatisfação e desespero serão removidas da equação. Os anúncios prometem que você será realmente capaz — finalmente, desta vez — de relaxar e se divertir, porque você *não terá outra opção* além de se divertir.[14]

---

[14] "O SEU PRAZER", anunciam os slogans de diversas megalinhas, "É O NOSSO NEGÓCIO." O que numa publicidade comum seria uma afirmação de duplo sentido é aqui uma afirmação de triplo sentido, e a conotação terciária — a

Agora tenho 33 anos de idade e sinto que muito tempo passou e vai passando mais rápido a cada dia. Dia após dia preciso fazer todo tipo de escolhas sobre aquilo que é bom, importante e divertido, e depois preciso conviver com o confisco de todas as outras opções que essas escolhas eliminam. E começo a perceber que à medida que o tempo ganhar ímpeto minhas escolhas vão se dar num campo mais estreito e as eliminações serão multiplicadas em ritmo exponencial até eu chegar a algum ponto de algum ramo qualquer dentre as suntuosas ramificações complexas da vida onde estarei completamente trancado e cravado num único caminho e o tempo passará voando por mim em fases de estase, atrofia e decadência até eu cair pela terceira vez, toda a luta em vão, afogado pelo tempo. É apavorante. Mas como serei trancado pelas minhas próprias escolhas, parece inevitável — se desejo ser adulto de algum jeito, preciso fazer escolhas e lamentar eliminações e tentar viver com isso.

Não é o que acontece na viçosa e impecável e.m. *Nadir*. Num Cruzeiro de Luxo 7NC, eu pago pelo privilégio de transferir a profissionais treinados a responsabilidade não só por minha experiência, mas por minha *interpretação* dessa experiência — isto é, o meu prazer. Por 7 noites e 6,5 dias meu prazer será gerenciado com sabedoria e eficiência... exatamente conforme prometido nos anúncios da linha do cruzeiro — não, precisamente como *já aconteceu* com outro alguém nos anúncios, com seus imperativos em segunda pessoa, que transformam tudo não em promessas, mas em profecias. A bordo do *Nadir*, segundo a profecia na apoteótica página 23 da brochura, eu poderei fazer (em dourado): "... algo que não consegue fazer há muito, muito tempo: *Absolutamente Nada*".

---

saber, "FIQUE NA SUA E DEIXE A GENTE QUE ENTENDE DO ASSUNTO CUIDAR DO SEU PRAZER, PELO AMOR DE DEUS" — está longe de ser fortuita.

Há quanto tempo você não faz Absolutamente Nada? Sei exatamente há quanto tempo não faço isso. Sei quanto tempo se passou desde que tive todas as minhas necessidades atendidas por algo externo a mim sem precisar fazer escolhas, sem ter de pedir ou mesmo reconhecer que precisava de algo. E nessa ocasião eu também flutuava, e o fluido era salgado, e morno no ponto ideal, e se eu tinha alguma consciência tenho certeza que não sentia pavor algum, e estava me divertindo bastante, e teria mandado cartões-postais para todo mundo dizendo que adoraria que estivessem ali comigo.

5.

Os mimos do 7NC são um pouco irregulares de início, mas tudo começa no aeroporto, onde não é preciso despachar a bagagem porque o pessoal da megalinha recolhe as malas e as leva direto para o navio.

Além da Celebrity Cruises, um monte de outras megalinhas operam a partir de Fort Lauderdale,[15] e o voo que saiu do O'Hare está repleto de gente de aparência festiva vestida para um cruzeiro. Calhou que as pessoas sentadas ao meu lado no avião também embarcarão no *Nadir*. É um casal de aposentados de Chicago, e este será seu quarto Cruzeiro de Luxo em sei lá quantos anos. São eles que me contam a notícia sobre o garoto que pulou do navio e me informam sobre um lendário surto grave de salmonela ou *E. coli* ou coisa parecida ocorrido num meganavio no final dos anos 1970, que resultou no programa de inspeções sanitárias em

---

[15] Utilizado como centro pelas linhas Celebrity, Cunard, Princess e Holland America. Carnival e Dolphin usam Miami; outras usam Port Canaveral, Porto Rico, as Bahamas, diversos lugares.

embarcações do Centro de Controle de Doenças, e também sobre um suposto surto de legionelose há dois anos que teve como vetor uma banheira de hidromassagem de um meganavio 7NC — é possível que tenha sido um dos três navios da Celebrity, mas a senhora (meio que a porta-voz do casal) não tem certeza; ela demonstra ser do tipo que gosta de relatar detalhes horrendos para então ficar vaga e *blasé* quando o ouvinte apavorado tenta obter mais detalhes. O marido usa um boné de pescaria com aba comprida e uma camiseta que diz PAPAIZÃO.

Cruzeiros de Luxo 7NC sempre começam e terminam num sábado. Agora é sábado, 11 de março, 10h20, e estamos desembarcando do avião. Imagine o dia seguinte à queda do Muro de Berlim se todo mundo na Alemanha Oriental fosse gorducho e tivesse um ar satisfeito e se vestisse em tons pastéis caribenhos e você terá uma boa ideia do que é o aeroporto de Fort Lauderdale neste momento. Perto da parede dos fundos, um bando de senhoras mais velhas de aparência enérgica e indumentária vagamente náutica ergue cartazes impressos — HLND, CELEB, CUND CRN. Espera-se que você (a senhora de Chicago que conheci no avião está mais ou menos me dando instruções enquanto PAPAIZÃO abre caminho para nós três em meio à bagunça), espera-se que você encontre a senhora enérgica de sua megalinha específica e meio que se aglutine ao seu redor enquanto ela segue caminhando com o cartaz erguido bem alto para atrair os outros passageiros e guiar o ectoplasma crescente de *Nadir*itas até o lado de fora para os ônibus que nos levam até o píer rumo àquilo que acreditamos quixotescamente que será um embarque imediato e livre de bate-bocas.

Parece que durante seis dias da semana o aeroporto de Ft. Laud. é o típico aeroporto sonolento de médio porte, até chegar o sábado e tudo ficar parecido com a queda de Saigon. Metade da multidão no terminal consiste de pessoas carregando bagagens e voltando para casa depois de um 7NC. Estão bronzeados como sírios, e muitos carregam suvenires excêntricos e vagamente cabeludos de diversos tamanhos e funções, e todos emanam um olhar vidrado e alheio que segundo assevera a senhora de Chicago é o olhar que denuncia a Paz Interior pós-7NC. Em nosso grupo de pré-7NCs, por outro lado, parecemos todos branquelos, estressados e um tanto despreparados para o combate.

No lado de fora, os passageiros do *Nadir* são orientados a se desectoplasmizar e formar uma fila ao longo de uma espécie de meio-fio alto para aguardar os ônibus especiais fretados. Estamos trocando olhares acanhados de não-sei-se-devo-sorrir-e-acenar com um rebanho da Holland America que está formando fila num canteiro central relvado paralelo a nós, e ambos os grupos encaram com um pouco de desconfiança um rebanho a caminho de um navio da Princess, cujos ônibus já estão estacionando. Os carregadores, taxistas, guardas de trânsito com bandoleiras brancas e motoristas de ônibus do Aeroporto de Fort Lauderdale são todos cubanos. O casal aposentado de Chicago, que no quarto Cruzeiro de Luxo são nitidamente veteranos astutos que sabem tudo sobre as linhas, garantiu um lugar no começo da fila. Outra senhora do controle de multidões da Celebrity empunha um megafone e repete por vezes sem conta que não devemos nos preocupar com a bagagem, que ela virá ao nosso encontro em seguida, e parece que sou o único a sentir calafrios percebendo nisso um eco involuntário da cena do embarque para Auschwitz em *A lista de Schindler*.

Onde me encontro na fila: entre um homem negro e atarracado com boné da NBC Sports que acende um cigarro atrás do outro e diversas pessoas com roupas de executivo usando crachás que as identificam como integrantes de algo chamado Engler Corporation.[16] Bem lá na frente, o casal aposentado de Chicago

---

[16] Apesar de incontáveis tentativas, nunca consegui determinar o que a Engler Corporation faz, fazia ou era, mas parece que enviaram um quórum de executivos a esta excursão 7NC para um tipo esquisito de férias conjuntas, convenção interna da empresa ou coisa que o valha.

abriu uma espécie de sombrinha. Um teto falso de nuvens encarneiradas se aproxima vindo do sudoeste, mas sobre nossas cabeças há apenas cirros esparsos e o calor é imenso para quem está esperando em pé debaixo de sol, mesmo sem bagagem ou ansiedade relativa a ela, e por conta da minha falta de planejamento estou usando uma jaqueta esporte de lã preta digna de um coveiro e uma coberta de cabeça inadequada. Mas é bom suar. Fazia 7 graus negativos quando amanheceu em Chicago, e o sol era aquele tipo de sol pálido e impotente de março que você pode até encarar diretamente. É bom sentir um sol de verdade e ver árvores borbulhando de verde. Esperamos por um bom tempo e a fila do *Nadir* começa a se reaglutinar em blocos à medida que as conversas progridem além da fase do papo casual de gente-fazendo-fila. Ou houve algum problema na hora de requisitar ônibus suficientes para o pessoal dos voos matinais ou (minha teoria) o mesmo grupo de gênios responsável pela brochura loucamente sedutora decidiu tornar alguns elementos do pré-embarque tão difíceis e desagradáveis quanto possível, de modo a aguçar o contraste favorável entre a vida real e a experiência do 7NC.

Agora estamos a caminho dos píeres numa coluna de oito ônibus fretados da Greyhound. O ritmo de avanço do nosso comboio e a estranha deferência demonstrada pelos outros motoristas conferem à procissão certa qualidade funérea. A cidade de Fort Lauderdale parece um campo de golfe imensamente grande, mas os píeres das linhas de cruzeiro ficam num lugar chamado Port Everglades, uma área industrial claramente marcada para demolição, cheia de armazéns, transformadores, vagões empilhados e terrenos baldios cheios de ervas daninhas da Flórida com aspecto musculoso e maligno. Passamos por um enorme campo cheio daquelas torres de petróleo automáticas em forma de martelo, todas indo e voltando em movimentos felatórios, e para além delas se avista no horizonte uma linhazinha cinzenta e brilhante, fina como uma lasca de unha, que imagino ser o mar. Vários idiomas diferentes estão sendo usados no meu ônibus. Sempre que passamos por cima de quebra-molas ou trilhos de trem, um ruído considerável se faz ouvir por conta das câmeras penduradas no pescoço de todo mundo. Não trouxe nenhum tipo de câmera e isso me faz sentir um orgulho perverso.

O ancoradouro tradicional do *Nadir* é o Píer 21. "Píer" tinha conjurado imagens de ancoradouros, cabeços e águas ondulantes em minha mente, mas na verdade denota algo parecido com *aeroporto*, a saber: uma zona, não uma coisa. Não tem água nenhuma por perto, nem estaleiros, nenhum cheiro de peixe ou travo salgado no ar; o que surge, ao entrarmos na zona do píer, é um monte de navios brancos enormes que escondem quase todo o céu.

Agora escrevo isto sentado numa cadeira de plástico alaranjada na ponta de uma das incontáveis fileiras fixas de cadeiras de plástico alaranjadas do Píer 21. Saímos do ônibus e, com auxílio de um megafone, fomos tocados como gado através das portonas de vidro do 21, onde outras duas senhoras navais sem nenhum traço de bom humor distribuíram a cada um de nós um cartãozinho plástico com um número. O número do meu cartão é 7. Algumas pessoas sentadas por perto me perguntam "o que eu sou", e entendo que devo responder "um 7". Os cartões não são nada novos, e o meu traz num canto as estrias residuais de uma impressão digital de chocolate.

Por dentro o Píer 21 lembra um hangar de dirigíveis sem dirigível algum, com pé-direito muito alto e um eco formidável. Conta com paredes de janelas sujas em três lados, pelo menos 2500 cadeiras alaranjadas em fileiras de 25, uma lanchonete meio desorganizada e toaletes com filas muito longas. A acústica é brutal e tudo fica terrivelmente alto. No lado de fora começa a chover, ainda que o sol continue brilhando. Algumas das pessoas nas cadeiras enfileiradas parecem estar ali há dias: têm aquele olhar vidrado de pessoas acampadas em aeroportos durante nevascas.

Agora são 11h32 e o embarque não começará nem um segundo antes das 14h00 em ponto; o sistema de som transmite um aviso educado, mas firme, declarando a seriedade da Celebrity a esse respeito.[17] A voz feminina do sistema de som dá a impressão de pertencer a uma supermodelo britânica. Todos agarram seus cartões numerados como se fossem documentos de identificação exigidos no Checkpoint Charlie. Existe algo de Ilha Ellis/pré-Auschwitz nessa espera ansiosa em massa, mas não me sinto à vontade para ampliar a analogia. Muitas das pessoas que estão esperando — apesar das roupas caribenhas — me parecem judias, e sinto vergonha ao me surpreender pensando que sou capaz de determinar se alguém é ou não judeu a partir de sua aparência.[18] Talvez dois terços de todos os presentes estejam de fato sentados nas cadeiras alaranjadas. O hangar de dirigível usado no Píer 21 para o pré-embarque não é tão ruim quanto, digamos, o terminal Grand Central às 17h15 de sexta-feira, mas tem pouca semelhança com qualquer um dos locais desprovidos de estresse e repletos de mimos que são detalhados na brochura da Celebrity, brochura que não sou o único presente a estar folheando e mirando com olhar anelante. Muita gente também está lendo o *Fort Lauderdale Sentinel* e encarando as outras pessoas com um olhar vazio de metrô. Um garoto com uma camiseta que diz SANDY DUNCAN'S EYE está riscando algo no plástico da cadeira. Há um bom núme-

---

[17] O motivo para a demora não ficaria claro até o sábado seguinte, quando a tarefa de tirar todo mundo da e.m. *Nadir* e direcionar essas pessoas para o transporte adequado não seria concluída antes das 10h00, e em seguida, das 10h00 às 14h00, diversos batalhões de terceiro-mundistas de macacão se uniriam a camareiras para obliterar qualquer indício de nossa presença antes do embarque dos próximos 1374 passageiros.

[18] Para mim, locais públicos na Costa Leste dos Estados Unidos são cheios desses momentinhos escrotos de observação racista seguida de recuo interno politicamente correto.

ro de idosos viajando na companhia de pessoas *desesperadamente* idosas, que claramente são os pais dos idosos. Alguns caras em algumas fileiras inspecionam suas câmeras de vídeo com uma precisão que parece militar. Há também uma quantidade considerável de passageiros de aparência WASP. Muitos dos WASPs são casais de vinte ou trinta e poucos anos, com um quê de lua de mel no modo como descansam as cabeças no ombro um do outro. Decidi que após certa idade homens simplesmente não deveriam usar shorts; suas pernas são lisas de um jeito repugnante; a pele parece exposta e praticamente implora por pelos, especialmente nas panturrilhas. De certo modo, é a única parte do corpo onde seria desejável que homens mais velhos tivessem *mais* pelos. Será que essa calvície fibular resulta de anos roçando em calças e meias? O significado dos cartões numerados se revela; é preciso esperar no Píer 21 até o número ser chamado, para então embarcar em "Lotes".[19] Ou seja, o número não diz respeito a você, mas ao sub-rebanho de passageiros ao qual você pertence. Alguns veteranos de 7NC sentados aqui perto me informam que 7 não é um número de lote muito bom e recomendam que eu espere sentado. Em algum lugar para além das portonas cinzentas que ficam por trás das filas irritantes dos toaletes existe uma passagem umbilical que leva ao que suponho ser o *Nadir*, que através das janelas da parede sul se apresenta como um muro alto de um branco total. Cravada no centro aproximado do hangar está uma mesa comprida onde as mulheres da Steiner of London Inc., de tez cremosa e vestidas em branco de enfermeira, oferecem consultas gratuitas

---

[19] Esse termo saiu de um veterano de oito cruzeiros, um cinquentão com melenas loiras, uma imensa barba ruiva e algo que se parece curiosamente com uma régua T saindo da bagagem de mão, que também é a primeira pessoa a me oferecer uma narrativa espontânea a respeito de como ele basicamente não tinha qualquer outra escolha emocional no momento a não ser participar de um Cruzeiro de Luxo 7NC.

sobre maquiagem e cuidados com a pele para as passageiras que estão prestes a embarcar, predispondo ao consumo.[20] A senhora de Chicago e PAPAIZÃO estão na fileira mais ao sul das cadeiras do hangar, jogando Uno com um casal do qual ficaram amigos num cruzeiro no Princess Alaska em 1993.

Agora escrevo isto meio que agachado com o traseiro apoiado na parede oeste do hangar, parede composta de blocos de cimento pintados de branco, como uma parede de motel barato, e também estranhamente pegajosa. A essa altura estou de calças, camiseta e gravata, e a gravata parece ter sido lavada e torcida manualmente. Suar já perdeu a graça. Parte do que a Celebrity Cruises nos lembra que estamos deixando para trás são áreas públicas de espera sem ar-condicionado e com ventilação ineficaz. Agora são 12h55. Embora a brochura informe que o *Nadir* parte às 16h30 e que é possível embarcar das 14h00 em diante, todos os 1374 passageiros do navio parecem já estar aglomerados por aqui, sem contar o que deve ser um número considerável de parentes e amigos que vieram se despedir etc.[21]

Uma vantagem importante de escrever um artigo sobre alguma experiência é que nos momentos incômodos, como este hangar de dirigíveis do pré-embarque, é possível se distrair das sensações evocadas pela experiência se concentrando em tudo que pareça ter interesse potencial para o artigo. É nessa ocasião que

---

[20] Calhou que a Steiner of London estará presente no *Nadir*, vendendo emplastros de ervas, massagens modeladoras intensivas contra celulite e diversos mimos estéticos — eles têm uma ala inteira na Academia Olympic do convés superior e parecem ser praticamente donos do Salão de Beleza no Convés 5.

[21] Nesse aspecto, ir para um Cruzeiro de Luxo 7NC é como ir para o hospital ou a faculdade: parece fazer parte do Procedimento Operacional Padrão que uma massa de parentes e amigos acompanhem você até a fronteira do fim do mundo e em seguida finalmente precisem ir embora, c/ uma profusão de abraços e lágrimas obrigatórios.

avisto pela primeira vez o garoto de treze anos usando peruca. Ele está atirado de um jeito bem pré-adolescente na cadeira, com os pés em cima de uma espécie de cesto de vime, enquanto alguém que aposto ser a mãe fala com ele sem parar; ele está olhando fixamente para uma distância específica qualquer para a qual as pessoas olham em áreas de estase de grandes multidões. A dele não é uma peruca horrível, preta, brilhante e incongruente ao estilo de Howard Cosell, mas também não é grande coisa; seu tom é um castanho-alaranjado improvável, com a textura das perucas de âncoras de noticiários locais, daquelas que parecem que se quebrariam ao invés de ficar com fios embaraçados se fossem desgrenhadas. Muitas pessoas da Engler Corporation estão aglomeradas num tipo de conferência ou reunião informal perto das portas de vidro do píer, parecendo de longe um bando de jogadores de rúgbi em formação ordenada. Resolvi que a descrição perfeita do alaranjado das cadeiras do hangar é laranja *sala de espera*. Vários executivos com ar determinado falam ao celular enquanto suas esposas permanecem estoicas. Quase uma dúzia de aparições confirmadas de *A Profecia Celestina*, de J. Redfield. A acústica daqui tem o eco pesadelesco de algumas das coisas mais conceituais dos Beatles. Na lanchonete, uma barra de chocolate sem nada de mais custa um dólar e cinquenta, e o refri é ainda mais caro. A fila para o toalete masculino se estende para noroeste até quase alcançar a mesa da Steiner of London. Vários funcionários do píer zanzam com pranchetas pelo hangar s/ nenhum propósito claro. A multidão inclui alguns universitários, todos com cortes de cabelo intrincados e já vestidos com trajes de banho. Um garotinho sentado perto de mim está usando exatamente o mesmo tipo de chapéu que eu, e vou admitir de uma vez que se trata de um boné multicolorido do Homem-Aranha.[22]

---

[22] Longa história, não vale a pena contar.

Conto mais de uma dúzia de modelos de câmeras no bloquinho de cadeiras alaranjadas incluídas no raio em que me é possível discernir modelos de câmeras. Isso sem contar as câmeras de vídeo. Aqui dentro o código de vestuário vai do executivo-informal ao tropical-turístico. Receio que eu seja a pessoa mais suada e desgrenhada à vista.[23] Não há nada sequer remotamente náutico no cheiro do Píer 21. Dois executivos da Engler excluídos do rúgbi corporativo sentam juntos quase na ponta da última fileira, pernas direitas cruzadas sobre joelhos esquerdos, sacudindo os mocassins em perfeita sincronia inconsciente. Ao que parece, todas as criancinhas ao alcance do meu ouvido têm um futuro promissor na ópera profissional. Além disso, todas as criancinhas sendo carregadas ou seguradas no colo estão sendo carregadas ou seguradas no colo pelo genitor do sexo feminino. Mais de 50% das carteiras e bolsas de mão são de palha/vime. Por algum motivo todas as mulheres dão a impressão de estar seguindo dietas de revista. Por aqui a idade mediana fica em no mínimo 45 anos.

Um funcionário do píer passa correndo com um rolo enorme de crepom. Uma espécie de alarme de incêndio está soando há uns quinze minutos, dando nos nervos mas sendo ignorado por todos porque a *sex symbol* britânica do sistema de som e o pessoal da Celebrity com as pranchetas também parecem ignorá-lo. Agora também se ouve algo que de início soa como uma espécie de tuba do inferno, duas rajadas de cinco segundos que fazem camisas ondularem e contorcem os rostos de todos. É a sirene do S.S. *Westerdam* da Holland America, no lado de fora, anunciando Ao-Porto-O-Que-É-Do-Porto porque a partida é iminente.

De vez em quanto tiro o boné, me seco com a toalha e meio

---

[23] Outra curiosa verdade demográfica é que os tipos de pessoas neurologicamente inclinadas a participar de Cruzeiros de Luxo 7NC também são neurologicamente inclinadas a não suar — o único ambiente de exceção a bordo do *Nadir* era o Cassino Mayfair.

que orbito o hangar de dirigíveis, bisbilhotando e jogando conversa fora. Quase metade dos passageiros com quem bato papo é de algum ponto daqui do sul da Flórida. Mas bisbilhotar com ar distraído proporciona a maior diversão e eficácia: um número imenso de conversas está sendo jogado fora por todo o hangar. E uma porcentagem significativa das conversinhas que escuto consiste em passageiros explicando a outros passageiros por que se inscreveram para este Cruzeiro 7NC. É o tema universal de discussão por aqui, como as conversas na sala de recreação de uma ala psiquiátrica: "Mas me diga, por que *você* está aqui?". E a constante formidável em todas as respostas é que nem por uma única vez alguém diz estar participando de um Cruzeiro de Luxo 7NC apenas para participar de um Cruzeiro de Luxo 7NC. Ninguém tampouco se refere a coisas como abrir os horizontes viajando ou manifesta um desejo louco de andar de *parasail*. Nem ao menos mencionam terem sido hipnotizados pela fantasia/promessa da Celebrity de serem mimados numa estase uterina — na verdade o termo "mimar", tão onipresente na brochura do 7NC da Celebrity, não foi escutado por mim nenhuma vez. A palavra que é repetida por vezes sem conta nessas conversas explanatórias é: *relaxar*. Todo mundo caracteriza a semana vindoura como uma recompensa havia muito protelada ou como um último esforço para resgatar a própria sanidade de alguma panela de pressão inconcebível, ou como ambos.[24] Muitas dessas narrativas explanatórias são longas

---

[24] Estou muito seguro de que conheço essa síndrome e sei como ela se relaciona com a promessa sedutora de total autoindulgência exposta na brochura. Aqui está em jogo, acredito, a sutil vergonha generalizada que acompanha a autoindulgência, a necessidade de explicar para quem quiser ouvir por que a autoindulgência na verdade não é autoindulgência. Tipo: nunca vou receber uma massagem apenas para receber uma massagem, vou porque meu velho problema nas costas causado por uma lesão esportiva está me matando e mais ou menos me *forçando* a receber uma massagem; ou tipo: eu nunca apenas "quero" um cigarro, eu sempre "*preciso*" de um cigarro.

e intrincadas, e algumas são meio chocantes. Duas conversas diferentes envolvem pessoas que acabaram de finalmente enterrar um parente de quem cuidaram em casa por meses a fio enquanto ele teimava em não morrer. Um atacadista de flores que usa uma camisa azul-piscina dos FLORIDA MARLINS explica como só conseguiu arrastar os restos estropiados de sua alma ao longo da confusão que vai do Natal até o Dia dos Namorados acenando diante dele mesmo com a cenoura desta semana de relaxamento e renovação totais. Três policiais de Newark acabam de se aposentar e tinham prometido a si mesmos um Cruzeiro de Luxo caso conseguissem sobreviver aos 20 anos de serviço. Um casal de Fort Lauderdale esboça um cenário segundo o qual foram meio que constrangidos por amigos a participar de um Cruzeiro 7NC, como se tivessem nascido em Nova York e o *Nadir* fosse a Estátua da Liberdade.

A propósito, acabo de obter confirmação empírica de que sou o único adulto presente e detentor de passagem a não possuir nenhum tipo de câmera.

Em algum momento, sem ser percebida, a proa do *Westerdam* da Holland se retirou da janela oeste: a janela está vazia e um sol brutal reluz através de uma névoa indistinta de chuva evaporada. O hangar de dirigíveis já foi esvaziado pela metade e está silencioso. PAPAIZÃO e esposa desapareceram há muito tempo. Os Lotes de 5 a 7 foram chamados todos meio que em bloco, e agora eu e praticamente todo o contingente reunido da Engler Corporation estamos nos movendo numa espécie de rebanho em coluna na direção do Controle de Passaportes e em seguida para o portaló do Convés 3.[25] E agora estamos sendo saudados (um a um)

---

[25] Como todos os meganavios, o *Nadir* designa cada convés com um nome relacionado ao 7NC, e durante o Cruzeiro o negócio ficou confuso porque eles nunca se referiam a um convés pelo número e você nunca conseguia lembrar, por exemplo, se o Convés Fantasia era o Convés 7 ou 8. O Convés 12 se chama

não apenas por uma, mas por duas anfitriãs de aparência ariana da equipe de Recepção, para em seguida avançarmos sobre um luxuoso tapete cor de ameixa até o interior de algo que se presume ser o *Nadir* propriamente dito, inundado de ar-condicionado rico em oxigênio que parece sutilmente perfumado com bálsamo, fazendo uma pausa de um segundo, se assim desejarmos, para ter nosso retrato pré-Cruzeiro tirado pelo fotógrafo do navio,[26] ao que parece para um tipo de suvenir Antes/Depois que tentarão nos vender quando a semana terminar; e enxergo a primeira das muitas placas de CUIDADO COM O DEGRAU que verei na semana vindoura, numa quantidade impossível de contar, porque a arquitetura do piso de um meganavio parece totalmente mambembe, toda irregular e cheia por toda parte de degrauzinhos abruptos de quinze centímetros de altura que sobem e descem; e vem a sensação deliciosa do suor secando e a primeira pinicada do geladinho do ar-condicionado, e de repente não consigo mais nem lembrar qual o som do guincho de uma criança cheia de brotoejas, não

---

Convés Sol, o 11 é o Convés Marina, o 10 eu esqueci, 9 é o Convés Bahamas, 8 é Fantasia e 7 é Galáxia (ou vice-versa), 6 eu nunca consegui saber direito. 5 é o Convés Europa e engloba meio que o centro nervoso corporativo do *Nadir* e é um saguão de pé-direito alto e aparência bancária, com tudo decorado em tons de limão e salmão com revestimento metálico em volta do Guichê de Relacionamento com Hóspedes, do Guichê dos Comissários de Bordo e do Guichê do Gerente do Hotel, e plantas, e pilares colossais com água escorrendo pela superfície com um ruído que fatalmente faz você se dirigir para o mictório mais próximo. 4 é composto apenas por cabines e acho que se chama Convés Flórida. Abaixo do 4 é tudo administrativo e sem nome e com acesso proibido, c/ exceção do pedacinho do 3 onde fica o portaló. Daqui em diante vou me referir a cada Convés pelo número, porque era isso que eu precisava saber para ir de elevador a qualquer lugar. Nos Conveses 7 e 8 acontecem todas as principais refeições e jogatinas, discotecas e diversões variadas; o 11 tem as piscinas e o café; o 12 fica no topo e é dedicado aos heliófilos contumazes.

[26] (difícil imaginar um cargo mais tolo e inteiramente supérfluo nesta bacanal fotográfica de 7N)

nestes corredores ricamente acolchoados por onde estou sendo conduzido. Uma das anfitriãs da Recepção parece usar um sapato ortopédico no pé direito e manca de forma bem discreta, e por algum motivo esse detalhe parece terrivelmente comovente.

Enquanto Inga e Geli da Recepção conduzem meu avanço (e é uma caminhada infinita — para cima, para a frente, para trás, serpenteando por anteparas e corredores com barras de aço com jazz pasteurizado escapando de pequenos alto-falantes redondos no teto bege esmaltado no qual eu tocaria se erguesse o cotovelo), toda a *gestalt* pré-cruzeiro de três horas de vergonha e explicações e Por Que Você Está Aqui é transposta completamente, porque de quando em quando as paredes exibem elaborados mapas e diagramas em corte transversal, todos com um enorme ponto vermelho e alegremente confortador informando que você está aqui, afirmativa que rouba o lugar de qualquer questionamento e assinala que explicações, dúvida e culpa foram deixadas para trás com todo o resto e que agora estamos nas mãos de profissionais.

E o elevador é feito de vidro e não faz ruído algum, e as anfitriãs sorriem de leve e fitam o nada enquanto ascendemos todos juntos, e é uma briga muito encarniçada entre as duas para saber qual delas cheira melhor no geladinho fechado.

E agora estamos passando por lojinhas de bordo forradas de teca: Gucci, Waterford e Wedgwood, Rolex e Raymond Weil; e o jazz é interrompido por um estalo e ouvimos um anúncio em três idiomas desejando Boas-Vindas e *Willkommen* e avisando que uma hora após a partida acontecerá um Treinamento Obrigatório Sobre Barcos Salva-Vidas.

Às 15h15 estou instalado na Cabine 1009 do *Nadir* e devoro de imediato quase uma cesta inteira de frutas gratuitas, deito numa cama bem confortável e batuco os dedos sobre minha barriga inchada.

6.

A partida às 16h30 se mostra um evento até elegante, com crepom e sirenes. Cada convés tem passarelas exteriores com balaustradas de algum tipo de madeira muito boa. Agora está nublado e o oceano bem lá embaixo está opaco e espumoso etc. Não cheira tanto a peixe ou a oceano quanto cheira a sal. Nossa sirene é ainda mais ensurdecedora que a sirene do *Westerdam*. A maioria das pessoas que trocam acenos conosco são passageiros nas balaustradas de convés dos outros meganavios de 7NC que também estão partindo, de modo que é uma ceninha surreal — é difícil não nos imaginar cruzando o Caribe Ocidental inteiro em paralelo, acenando uns para os outros o tempo todo. A atracação e a partida são as duas únicas ocasiões em que o Capitão de um meganavio de fato controla a embarcação; e o Capitão da e.m. *Nadir*, G. Panagiotakis, cabeceou e apontou nossa proa para o mar aberto e nós, grandes, brancos e limpos, estamos navegando.

7.

Os dois primeiros dias e noites inteiros são de tempo ruim, com ventos agudos e mar ondeante, escuma[27] açoitando o vidro da vigia etc. Por 40+ horas tudo se parece mais com um Cruzeiro de Luxo pelo Mar do Norte e o pessoal da Celebrity perambula pelo navio com um ar pesaroso, mas não escusatório,[28] e para ser

---

[27] Sem dúvida a melhor palavra adicionada ao meu vocabulário nesta semana: *escuma* (a segunda melhor foi *scheisser*, usada por um aposentado alemão para se referir a outro aposentado alemão que não parava de vencê-lo nos dardos).

[28] (uma expressão que lembrava um dar de ombros facial, como que para o destino)

justo é difícil encontrar algum modo de culpar a Celebrity Cruises Inc. pelo mau tempo.[29]

Em dias ventosos como esses dois primeiros, recomenda-se aos passageiros que apreciem a paisagem das balaustradas no lado a sotavento do *Nadir*. O único sujeito que se une a mim na tentativa de conferir o lado a barlavento tem os óculos levados embora pela ventania e não aprecia meu comentário sobre a eficácia de hastes elásticas que passam por trás da orelha em situações de fruição de ventos fortes. Fico esperando alguém da tripulação aparecer vestindo a tradicional capa de chuva amarela, mas não tenho sorte. Como a balaustrada onde realizo a maior parte de minhas observações contemplativas fica no Convés 10, o mar está muito abaixo de mim e os ruídos que ele produz ao jogar e ondular são distantes e praianos, e visualmente é um pouco como encarar uma privada logo após dar a descarga. Nenhuma barbatana à vista.

Em mares revoltos os hipocondríacos se ocupam tomando seu pulso gástrico a cada par de segundos e cogitando se aquilo que sentem talvez seja um início de náusea e/ou avaliando exatamente o quanto estão mareados. Em relação ao enjoo, todavia, no fim das contas o mar revolto é como uma batalha: não há como saber sua reação antes da hora. Um teste da matéria profunda e involuntária de um homem. Eu, por exemplo, descubro que não fico mareado. Uma aparente imunidade, profunda, espontânea e um pouco milagrosa, considerando que sofro de todos os outros tipos de enjoo cinético listados no Guia de Referência Médica e não posso tomar nada para combatê-los.[30] Durante todo o pri-

---

[29] (Embora eu não possa deixar de registrar que o tempo na brochura do 7NC da Celebrity parecia consideravelmente melhor.)

[30] Tenho uma reação profunda e involuntária ao Dramin, a qual me obriga a deitar de bruços imediatamente e ficar me contorcendo onde quer que eu esteja assim que o efeito do remédio começa. Assim sendo, estou navegando no *Nadir* de cara limpa.

meiro dia de mar bravio fico perplexo com o fato de a maioria dos passageiros da e.m. *Nadir* parecer ter sofrido cortezinhos idênticos logo abaixo da orelha esquerda ao se barbear — o que parece especialmente esquisito no caso das passageiras — até aprender que as coisinhas redondas que parecem band-aids no pescoço de todo mundo são os novos *adesivos* transdérmicos contra enjoo movidos a energia atômica, e ao que parece todo mundo que tem alguma noção sobre Cruzeiros de Luxo 7NC não sai de casa sem eles.

Apesar dos adesivos, um monte de passageiros fica mareado nesses dois primeiros dias de arrebentar. No fim das contas uma pessoa mareada realmente parece meio verde, ainda que seja um verde curioso e fantasmagórico, pálido e bufonídeo, e bastante cadavérico quando a pessoa mareada está vestida formalmente para um jantar.

Nas primeiras duas noites, quem está mareado e quem não está, quem não está mareado agora mas estava até pouco tempo atrás ou ainda não está mas acha que está ficando etc., é um tópico importante das conversas na boa e velha Mesa 64 do Restaurante Cinco-Estrelas Caravelle.[31] Sofrimento em comum e medo do sofrimento se revelam temas fantásticos para quebrar o gelo, e é importante quebrar o gelo porque num 7NC você come na mesma mesa com os mesmos companheiros em todas as sete noites.[32] Debater náusea e vômito ao comer refeições *gourmet* pesadas e de preparo intrincado não parece incomodar ninguém.

---

[31] Fica no Convés 7, o recinto das refeições importantes, e nunca é chamado apenas de "Restaurante Caravelle" (e *nunca* apenas de "o Restaurante") — é sempre "O Restaurante Cinco-Estrelas Caravelle".
[32] Outras sete pessoas compartilhavam comigo a boa e velha Mesa 64, todas do sul da Flórida — Miami, Tamarac e a própria Fort Lauderdale. Quatro dessas pessoas se conheciam da vida em terra firme e pediram para ficar na mesma mesa. As outras três eram um casal de idosos e sua neta, Mona.
Sou o único novato em Cruzeiros de Luxo na Mesa 64 e também a única

Mesmo em mares revoltos os meganavios de 7NC não dão guinadas nem atiram passageiros de um lado para o outro ou fazem pratos de sopa deslizarem sobre as mesas. Apenas uma certa irrealidade sutil no caminhar lembra que você não está em terra firme. Em mar aberto o piso de um cômodo parece meio 3D, e caminhar exige uma leve atenção que é desnecessária num bom

---

pessoa que se referia à refeição noturna como "ceia", um hábito de infância do qual nunca consegui me livrar.

Com a exceção ostensiva de Mona, gostei bastante de todos os companheiros de mesa, e quero fazer logo uma descrição da ceia numa rápida nota de rodapé e evitar dizer muito a respeito deles por medo de ferir seus sentimentos registrando quaisquer esquisitices ou características que tenham chance de parecer potencialmente mesquinhas. Mas havia alguns aspectos bem esquisitos no grupo da Mesa 64. Para começar, todos tinham um forte e inconfundível sotaque nova-iorquino e ainda assim juravam de joelhos que tinham nascido e sido criados no sul da Flórida (embora tenha se revelado que os pais de todos os adultos da M64 eram nova-iorquinos, e quando se pensa a respeito isso é uma prova irrefutável da durabilidade de um belo e forte sotaque nova-iorquino). Além de mim havia cinco mulheres e dois homens, e ambos permaneciam no mais completo silêncio exceto quando o tema era golfe, negócios, profilaxia transdermal contra enjoo e mecanismos legais envolvidos na transposição de produtos em Alfândegas. As mulheres conduziam a bola da conversa na Mesa 64. Um dos motivos pelos quais gostei tanto de todas essas mulheres (exceto Mona) é que elas riam a valer das minhas piadas, mesmo das piadas ruins ou muito obscuras; embora todas tivessem um jeito curioso de gargalhar no qual meio que *gritavam* antes de rir, e estou falando de gritos verdadeiros e inconfundíveis, o que por um segundo excruciante me deixava em dúvida se elas estavam se preparando para gargalhar ou se tinham enxergado alguma coisa horrorosa e digna de gritos bem atrás de mim ao fundo do R5*C, e isso me transtornou a semana inteira. Além disso, como muitos outros passageiros que observei no Cruzeiro de Luxo 7NC, todas pareciam igualmente sensacionais em contar anedotas, histórias e piadas longas e complexas, empregando tanto as mãos quanto o rosto para obter o máximo de efeito dramático e sabendo a hora certa de pausar ou acelerar, de fingir escândalo ou aceitar ser alvo da piada.

Minha companheira de mesa predileta era Trudy, cujo marido tinha ficado em casa, em Tamarac, gerenciando uma crise súbita na loja de celulares do casal e tinha dado sua passagem para Alice, sua filha pesada e muito bem vestida, que estava de férias da Universidade de Miami e que por algum

e velho chão estático e plano. Não se chega a ouvir os motores enormes do navio, mas ao encostar os pés no chão é possível sentir uma espécie de pulsação na espinha dorsal — é curiosamente reconfortante.

Caminhar é também um pouco onírico. Ocorrem mudanças leves e constantes de torque por conta da ação das ondas. Quan-

---

motivo parecia extremamente ansiosa em me comunicar que tinha um Namorado Sério, um namorado cujo nome era Patrick. Em nossas interações, as falas de Alice eram compostas em sua maioria por comentários como: "Você odeia erva-doce? Que coincidência: meu namorado Patrick *detesta* muito erva-doce?"; "Você é de Illinois? Que coincidência: o primeiro marido de uma tia do meu namorado Patrick era de Indiana, que fica bem ao lado de Illinois"; "Você tem quatro membros? Que coincidência:...", e assim por diante. A insistência de Alice em reiterar a existência do seu relacionamento podia ser uma tática de defesa contra Trudy, que não parava de tirar da bolsa fotografias 10x12 profissionalmente retocadas de Alice e de mostrá-las para mim com a própria sentada bem ali e que, toda vez que Alice mencionava Patrick, sofria de alguma espécie de estranho tique nervoso facial ou careta no qual o canino de um lado aparecia e o outro não. Trudy tinha 56 anos, a mesma idade de minha querida Mamãe, e se parecia — estou falando de Trudy, e digo isso da maneira mais gentil possível — com Jackie Gleason vestido de mulher, e tinha um grito pré-risada particularmente alto que era muito eficaz em produzir arritmias, e foi a única que me coagiu a participar do trenzinho ao ritmo de conga da noite de quarta-feira, e me viciou em bingo, e era também uma especialista leiga impressionante em Cruzeiros de Luxo 7NC, do qual participava pela sexta vez na mesma década — ela e sua amiga Esther (rosto magro, de aparência sutilmente devastada, a porção mulher do casal de Miami) tinham histórias para contar sobre os navios Carnival, Princess, Crystal e Cunard que eram tão repletas de detalhes potencialmente dignos de processo que fico impedido de reproduzi-las aqui, e uma longa resenha daquela que parece ter sido a pior linha de cruzeiros da história do 7NC — uma tal "American Family Cruises" que faliu em apenas dezesseis meses — envolvendo detalhes sórdidos tão literalmente incríveis que não se teria como acreditar neles se viessem de qualquer outra dupla menos perspicaz e versada no assunto que Trudy e Esther.

Também comecei a perceber que nunca tinha participado de uma análise tão minuciosa e exigente da comida e do serviço de uma refeição que eu estava comendo naquele mesmo instante. Nada escapava à atenção de T e E — a simetria dos ramos de salsa sobre as minicenouras fervidas, a consistência do pão, o sabor

do ondas revoltas atingem em cheio a proa de um meganavio, a embarcação sobe e desce ao longo de seu comprido eixo — isso se chama *arfagem*. Causa um lance desnorteante em que você parece estar descendo muito levemente e então caminhando sobre uma superfície plana e em seguida subindo muito levemente. Mas alguma porção reptiliana e evolucionariamente arcaica do SNC é

---

e a facilidade de mastigação de variados cortes de carne, a velocidade e a técnica de flambagem dos diversos sujeitos com chapéu de mestre-cuca que surgiam junto à mesa quando itens precisavam ser incendiados (uma porcentagem considerável das sobremesas no R5*C precisava ser incendiada) e assim por diante. O garçom e seu ajudante cercavam a mesa sem parar, perguntando "Servidos? Servidos?" enquanto Esther e Trudy tinham conversas do tipo:

"Querida você não parece ter gostado do preguari, qual o problema?"

"Estou bem. Está bem. Tudo está bem."

"Não minta. Querida, quem poderia mentir com um rosto desses. Estou certa Frank? Aqui está uma pessoa com um rosto incapaz de mentir. São as batatas ou o preguari? É o preguari?"

"Não tem nada errado Esther querida eu juro."

"Você não gostou do preguari?"

"Certo. Esse preguari me incomodou."

"Eu não falei? Não falei pra ela Frank?"

[Em silêncio, Frank cutuca a orelha com o mindinho.]

"Eu não tinha razão? Só de olhar eu vi que você não tinha gostado."

"Gostei das batatas. É o preguari."

"Lembra o que eu disse sobre frutos do mar de estação a bordo de navios? Lembra o que eu disse?"

"As batatas estão boas."

Mona tem dezoito anos. Acompanha os avós em Cruzeiros de Luxo desde os cinco anos de idade, toda primavera. Mona passa dormindo pelo café da manhã e pelo almoço e depois passa a noite inteira na Discoteca Scorpio e no Cassino Mayfair jogando caça-níqueis. Tem 1,82 metro de altura, pelo menos. Vai começar a estudar na Penn State no outono porque o combinado era que ganharia um veículo quatro-por-quatro se fosse para algum lugar onde pode nevar. Não demonstrou vergonha nenhuma ao relatar esse critério de escolha de universidade. Era uma passageira e comensal terrivelmente exigente, mas suas reclamações à mesa sobre leves imperfeições estéticas e gustativas não tinham o discernimento e a integridade dos comentários de Trudy e Esther e soavam meramente rudes. Mona tinha também uma aparência meio estranha: um cor-

aparentemente reativada, gerenciando tudo isso de forma tão automática que é preciso muita atenção para notar qualquer coisa além de que a sensação de caminhar parece um pouco onírica.

O *balanço*, por outro lado, acontece quando as ondas atingem a lateral do navio e o fazem subir e descer ao longo do eixo

---

po que lembrava Brigitte Nielsen ou outra modelo de página central cheia de esteroides, e em cima dele, emoldurado por um cabelo loiro resplandecente e muito liso, o rostinho delicado, pálido e infeliz de uma espécie de boneca perversa. Seus avós, que se retiravam para a cama toda noite após a ceia, depois da sobremesa sempre faziam uma pequena cerimônia de entrega de 100 dólares a Mona para que ela "se divertisse um pouco". Essa nota de 100 dólares sempre vinha num daqueles envelopinhos bancários cerimoniais com o rosto de Benjamin Franklin encarando o mundo através de uma abertura na frente que lembrava uma vigia, e o envelope sempre trazia escrito em hidrocor vermelha o recado "Amamos Você, Querida". Mona não agradeceu o dinheiro nem uma única vez. Ela também revirava os olhos para qualquer coisa dita pelos avós, um hábito que logo me deixou maluco.

Percebo que não me preocupo tanto em dizer algo potencialmente mesquinho a respeito de Mona quanto me preocupo em relação a Trudy, Alice, Esther e Frank, o marido sorridente e mudo de Esther.

Ao que parece, a jogadinha costumeira de Mona em Cruzeiros de Luxo 7NC é mentir para o garçom e o *maître* dizendo que seu aniversário cai na quinta-feira, de modo que na ceia formal de quinta a mesa é decorada e um balão de hélio em forma de coração é amarrado na sua cadeira e ela ganha um bolo e praticamente toda a equipe do restaurante aparece e forma um círculo ao redor dela e começa a cantar. Seu aniversário verdadeiro, como me informa na segunda-feira, cai em 29 de julho, e quando comento que 29 de julho também é o aniversário de Benito Mussolini a avó de Mona me lança um olhar meio letal, ao passo que Mona fica empolgada com a coincidência, aparentemente confundido os nomes *Mussolini* e *Maserati*. Calha que quinta-feira, 16 de março, é *realmente* o aniversário da filha de Trudy, Alice, e como Mona se recusa a abrir mão do aniversário falso e em vez disso contra-argumenta que compartilhar decoração e atenções natalícias com Alice na ceia formal de 16/3 promete ser "radical", Alice decide que deseja tudo de mal para Mona, e quando chega a terça-feira, 14 de março, Alice e eu já estabelecemos uma espécie de aliança anti-Mona e nos divertimos na Mesa 64 fazendo gestos sutilmente disfarçados de estrangulamento e esfaqueamento sempre que Mona diz alguma coisa, um conjunto de gestos disfarçados que Alice me conta ter aprendido ao longo de diversas ceias excruciantes em Miami com seu Namorado Sério Patrick, que parece odiar quase todas as pessoas com quem compartilha refeições.

transversal.³³ Quando a e.m. *Nadir* balança, você sente um aumento muito leve de tensão sobre os músculos da perna esquerda, seguido por uma estranha ausência de qualquer tensão e, de repente, tensão na perna direita. Essas tensões se alternam no ritmo de uma coisa muito comprida oscilando, e mais uma vez tudo costuma ser tão sutil que permanecer consciente do que está acontecendo é quase um exercício de meditação.

Nunca arfamos com força, mas de vez em quando alguma onda solitária e enorme de nível *O destino de Poseidon* deve acertar a lateral do *Nadir,* porque de vez em quando as tensões assimétricas nas pernas não cessam nem se invertem e você precisa botar cada vez mais peso sobre uma das pernas até ficar delicadamente perto de cair e ter que se agarrar em alguma coisa.³⁴ Acontece com muita rapidez, e nunca duas vezes em seguida. A primeira noite do cruzeiro conta com ondas muito grandes a estibordo e depois da ceia, no cassino, fica bem difícil distinguir quem exagerou no Richebourg 1971 e quem está só cambaleando de leve por conta do balanço. Se se considerar o fato de a maioria das mulheres estar usando salto alto, dá para ter uma ideia dos cambaleios/escorregões/agarrões vertiginosos que acontecem. Quase todos no *Nadir* embarcaram em casal, e ao caminharem durante mares revoltos tendem a se agarrar mutuamente como namorados de primeira viagem. Fica claro que gostam disso — as mulheres têm um truque no qual meio que se aninham nos homens e ambos

---

³³ (Algo que, mais uma vez, é sutil num Meganavio deste porte — mesmo nas piores condições, as ondas nunca fizeram candelabros tilintarem ou derrubaram qualquer coisa, embora tenham feito uma gaveta ligeiramente frouxa do complexo Wondercloset da Cabine 1009 sacudir loucamente nos trilhos mesmo após diversas inserções de lenços Kleenex em pontos estratégicos.)

³⁴ A delicadeza desse momento limítrofe lembra os poucos segundos que separam a consciência de que se vai espirrar do próprio ato do espirro, algum tipo de momento maravilhosamente distendido onde o controle é transferido para forças imensas e automáticas. (A analogia do espirro pode soar bizarra, mas é verdadeira, e Trudy garantiu que me apoia nessa.)

caminham coladinhos, e a postura dos homens se apruma e seus rostos ficam mais firmes e se percebe que eles se sentem extraordinariamente sólidos e protetores. Um Cruzeiro de Luxo 7NC é cheio dessas curiosas pepitas românticas inesperadas, como tentar ajudar o outro a caminhar quando o navio balança — é fácil entender por que casais mais velhos gostam de cruzeiros.

Mares revoltos também se mostram excelentes para dormir. Nas primeiras duas manhãs quase ninguém apareceu para o Café da Manhã Madrugador. Todos dormiam. Pessoas com anos e anos de insônia afirmam ter dormido por nove, dez horas ininterruptas. Transmitem essa informação com olhos esbugalhados e infantis. Todo mundo parece mais jovem quando dorme bastante. Cochilos diurnos também abundam. Ao final da semana, depois de passarmos por todo tipo de tempo, enfim percebi a relação entre mares revoltos e descanso profundo: em mares revoltos você se sente acalentado, a escuma nas janelas é uma delicada cantiga, a vibração dos motores é o pulso da mãe.

8.

Já mencionei que o famoso escritor e presidente da Oficina Literária de Iowa, Frank Conroy, também escreveu um ensaio baseado em sua experiência num cruzeiro, publicado bem aqui na brochura do 7NC da Celebrity? Bem, ele fez isso, e o negócio começa no primeiro sábado, no portaló do Píer 21 com a família:[35]

Com aquele simples passo adentramos sem dificuldades um novo

---

[35] Conroy participou do mesmo Cruzeiro de Luxo que eu, as Sete Noites no Caribe Ocidental a bordo do bom e velho *Nadir*, em maio de 1994. Ele e a família fizeram o cruzeiro de graça. Sei desse tipo de detalhes porque Conroy conversou comigo ao telefone, e respondeu perguntas intrometidas, e foi franco e acessível e em geral parecia completamente decente a respeito da coisa toda.

mundo, uma espécie de realidade alternativa à que vivemos em terra firme. Sorrisos, apertos de mão, e somos conduzidos até a cabine por uma jovem simpática do Atendimento ao Hóspede.

Então saem e ficam na balaustrada durante a partida do *Nadir*:

> ... Percebemos que o navio estava partindo. Não sentimos nenhum sinal de alerta, nenhum estremecimento do convés, vibração dos motores ou coisa parecida. Foi como se a terra firme se afastasse em um passe de mágica, uma espécie de zoom invertido em câmera lenta em um filme.

"Meu Cruzeiro Celebrity, ou 'Tudo Isso e Também um Bronzeado'", de Conroy, é inteirinho assim. Não absorvi todas as suas implicações até ler o ensaio pela segunda vez, deitado de barriga para cima no Convés 12 no primeiro dia ensolarado. O ensaio de Conroy é elegante, lapidar, atraente e tranquilizador. Sugiro que é também completamente sinistro, desesperador e ruim. Essa ruindade não consiste tanto nas referências constantes e hipnóticas à fantasia, às realidades alternativas e aos poderes paliativos dos mimos profissionais —

> Embarquei após dois meses de trabalho intenso e moderadamente estressante, mas agora tudo parecia uma lembrança distante.
>
> Havia uma semana, percebi, que eu não lavava um prato, preparava uma refeição, ia ao mercado, cuidava de alguma pequena tarefa ou, na verdade, fazia qualquer coisa que exigisse um mínimo de raciocínio ou esforço. Minha decisão mais complicada foi escolher entre assistir à exibição vespertina de *Uma babá quase perfeita* ou jogar bingo.

— nem no excesso de adjetivos alegres, nem tampouco no tom onipresente de aprovação entusiasmada —

Para dizer o mínimo, todas as nossas fantasias e expectativas acabariam superadas.

Em termos de serviço, os cruzeiros da Celebrity parecem preparados e capazes de lidar com qualquer coisa.

Sol radiante, ar morno e calmo, o verde-azulado brilhante do Caribe sob a vasta abóbada lápis-lazúli do céu...

O treinamento deve ser rigoroso, de fato, porque a verdade é que o serviço foi impecável, e impecável em todos os aspectos, da camareira ao *sommelier*, do garçom do convés ao gerente do Atendimento ao Hóspede, do marujo comum que faz de tudo para nos conseguir uma cadeira no convés ao terceiro imediato que nos acompanha até a biblioteca. É difícil imaginar uma operação mais profissional e refinada, e duvido que existam no mundo muitas que com ela possam rivalizar.

Ao invés disso, parte da verdadeira ruindade do ensaio se mostra na maneira como ele revela mais uma vez a pauta de vendas das megalinhas, que consiste em microgerenciar não apenas nossas percepções de um Cruzeiro de Luxo 7NC, mas até mesmo nossa interpretação e articulação dessas percepções. Em outras palavras, os RPs da Celebrity foram atrás de um dos escritores mais respeitados dos Estados Unidos para pré-articular e pré-aprovar a experiência do 7NC, e para fazer isso de modo profissional, com uma eloquência e uma autoridade que poucos observadores e articuladores leigos seriam capazes de alcançar.[36]

---

[36] Por exemplo: depois de ler o ensaio de Conroy a bordo, sempre que olhava para o céu não seria ele que eu estaria enxergando, mas a *vasta abóbada lápis-lazúli do céu.*

Mas na verdade a ruindade mais significativa é que o projeto e a alocação de "Meu Cruzeiro Celebrity..." são dissimulados e fraudulentos e estão fora de quaisquer limites que porventura ainda existam em termos de ética literária. O "ensaio" de Conroy aparece como suplemento, em páginas mais finas e com margens diferentes das usadas no resto da brochura, criando a impressão de que se trata de um excerto de um texto mais amplo e objetivo escrito por Conroy. Mas não é o caso. A verdade é que a Celebrity Cruises pagou Frank Conroy para escrever o artigo,[37] mesmo que no texto ou ao redor dele não exista coisa alguma informando que se trata de uma recomendação paga, nem mesmo um daqueles pequenos "Fulano foi compensado por seus serviços" que piscam no canto direito inferior da tela da TV durante anúncios estrelados por celebridades. Ao invés disso, a primeira página deste curioso ensaio publicitário exibe um retrato do autor mostrando Conroy com ar taciturno e usando um blusão preto de gola rulê, e debaixo

---

[37] Como o Píer 21 me treinou como receptor de narrativas explanatórias/justificatórias, consegui realizar inquirições jornalísticas importantes por telefone sobre as origens do ensaiomercial do professor Conroy, obtendo duas narrativas separadas:
(1) Da relações-públicas da Celebrity Cruises, srta. Wiessen (após um silêncio de dois dias que compreendi como o equivalente em RP de cobrir o microfone c/ uma das mãos e se inclinar para pedir conselhos a um superior): "A Celebrity viu um artigo que ele escreveu para a revista *Travel and Leisure* e ficaram muito impressionados com sua capacidade de criar cartões-postais mentais, então resolveram pedir que escrevesse a respeito de sua experiência no Cruzeiro para outras pessoas que nunca participaram de um Cruzeiro, e o pagaram para escrever esse artigo, e na verdade foi uma aposta, porque ele nunca tinha participado de um Cruzeiro e eles teriam que pagar mesmo que ele não gostasse e mesmo que eles não gostassem do artigo, mas... [risadinha seca e abafada] obviamente gostaram do artigo, e ele fez um bom trabalho, de modo que essa é a história do sr. Conroy e essas são as perspectivas dele sobre a experiência".
(2) De Frank Conroy (com o breve suspiro que precede certo tipo de sinceridade cansada): "Eu me prostituí".

da foto vem uma biografia do autor com uma lista de seus livros, incluindo o clássico *Stop-Time* de 1967, que é o provável melhor livro de memórias do século XX e uma das primeiras obras que fizeram este pobre sujeito que vos fala querer tentar ser escritor.

Em outras palavras, a Celebrity Cruises apresenta a resenha de Conroy sobre o Cruzeiro 7NC como se fosse um ensaio, e não um comercial. Isso é terrivelmente ruim. Agora vou explicar o porquê. Acima de tudo, a obrigação fundamental de um ensaio é supostamente para com o leitor. O leitor compreende isso, ainda que apenas em um nível inconsciente, e desse modo tende a abordar um ensaio com um nível relativamente alto de abertura e credulidade. Um comercial, todavia, é uma criatura bem diferente. Anúncios publicitários têm certas obrigações formais e legais para com a verdade, mas estas são amplas o suficiente para permitir uma boa dose de manobras retóricas visando o cumprimento da obrigação primária de um anúncio publicitário, que é servir aos interesses financeiros do patrocinador. Quaisquer tentativas por parte de um anúncio de interessar e seduzir os leitores não são feitas, em última análise, para o benefício desses mesmos leitores. E o leitor de um anúncio publicitário também sabe de tudo isso — que o apelo de uma propaganda é, por natureza, *calculado* — e é em parte por isso que nosso estado de receptividade é diferente, mais resguardado, quando nos preparamos para ler um anúncio.[38]

No caso do "ensaio" de Frank Conroy, a Celebrity Cruises[39] tenta encaixar uma propaganda de uma tal maneira que nós nos aproximamos dela com a mesma guarda baixa e o mesmo peito aberto que reservamos corretamente para nos aproximar de um ensaio, de algo que é arte (ou que pelo menos tenta ser arte). Um

---

[38] É por este motivo que nem mesmo um anúncio muito bonito, inventivo e poderoso (e existem muitos) pode ser considerado um tipo de arte genuína: um anúncio não tem status de dádiva, ou seja, nunca é dedicado realmente *para* a pessoa a quem se direciona.

[39] (receio que com a cumplicidade ativa do professor Conroy)

anúncio que finge ser arte é — na melhor das hipóteses — como alguém que abre um sorriso só porque deseja alguma coisa de você. É desonesto, mas ainda mais sinistro é o efeito cumulativo dessa desonestidade sobre nós: oferecendo um fac-símile ou simulacro perfeito de boa vontade sem o verdadeiro espírito da boa vontade, confunde nossa cabeça e com o tempo acaba aumentando nossas defesas mesmo diante de sorrisos genuínos, arte verdadeira e boa vontade real. Faz com que nos sintamos confusos, sozinhos, impotentes, raivosos e assustados. Causa desespero.[40]

[40] Isto se relaciona com o fenômeno do Sorriso Profissional, uma pandemia nacional no ramo da prestação de serviços; e na minha experiência, nunca houve lugar onde recebi tantos Sorrisos Profissionais quanto a bordo do *Nadir; maîtres*, chefes de camareiros, lacaios da Gerência do Hotel, Diretor do Cruzeiro — seus SPS acendem como lâmpadas quando me aproximo. Mas também acontece em terra firme, em bancos, restaurantes, balcões de companhias aéreas e assim por diante. Você conhece esse sorriso — a árdua contração da fascia perioral c/ envolvimento zigomático incompleto — o sorriso que não chega a envolver os olhos de quem sorri e que não significa nada além de uma tentativa calculada de promover os interesses daquele que sorri ao fingir que ele gosta da pessoa para quem sorri. Por que patrões e supervisores forçam profissionais de prestação de serviços a usar o Sorriso Profissional? Serei o único consumidor em quem altas doses de tal sorriso provocam desespero? Serei a única pessoa certa de que o número crescente de casos em que pessoas de aparência totalmente normal de repente abrem fogo com armas automáticas dentro de shopping centers, seguradoras, clínicas médicas e McDonald's tem relação causal com o fato de que esses locais são notórios centros de disseminação do Sorriso Profissional?

Quem eles acham que enganam com o Sorriso Profissional?

E ainda assim a ausência do Sorriso Profissional agora *também* causa desespero. Qualquer um que tenha comprado chicletes numa tabacaria de Manhattan, pedido para algo receber um carimbo de FRÁGIL numa agência de correio de Chicago ou tentado obter um copo d'água junto a uma garçonete de South Boston conhece muito bem o esmagamento da alma provocado pela carranca de um prestador de serviços, isto é, a humilhação e o ressentimento de ter o Sorriso Profissional negado. E a essa altura o Sorriso Profissional deformou até mesmo meu ressentimento em relação à Carranca Profissional: não saio da tabacaria de Manhattan ofendido pelo caráter do balconista ou por sua ausência de boa vontade, mas por sua falta de *profissionalismo* ao me negar o Sorriso. Mas que merda isso tudo.

De qualquer modo, para este consumidor em particular de um 7NC, o anúncio disfarçado de ensaio escrito por Conroy acaba tendo em si uma verdade que, estou muito seguro disso, não é intencional. Enquanto minha semana a bordo do *Nadir* se esvaía, comecei a ver esse ensaio publicitário como um reflexo irônico perfeito da própria experiência do cruzeiro comercial. O ensaio é refinado, poderoso, impressionante, nitidamente o melhor texto que o dinheiro pode comprar. Ele se apresenta como se estivesse ali para o meu benefício. Gerencia minhas experiências e minha interpretação dessas experiências e toma conta delas no meu lugar. Parece se importar comigo. Mas não, ele não se importa de verdade, porque em primeiríssimo lugar ele quer alguma coisa de mim. Assim como o próprio Cruzeiro. O belo cenário, o navio cintilante, a equipe animada, os criados esforçados, os recreacionistas solícitos, todos eles querem alguma coisa de mim, e não se trata apenas do preço da minha passagem — isso eles já conseguiram. É difícil precisar com exatidão o que afinal eles querem de mim, mas no começo da semana eu já posso sentir, e a sensação cresce: rodeia o navio como uma barbatana.

9.

Todavia, a brochura perversa da Celebrity não mente nem exagera quando o assunto é luxo. Agora me debato com o problema jornalístico de não ter certeza de quantos exemplos preciso relacionar de modo a transmitir a atmosfera de mimos sibaríticos e quase enlouquecedores a bordo da e.m. *Nadir*.

Para ficar num único exemplo: sábado, 11 de março, logo após zarparmos mas antes do clima de Mar do Norte se abater, resolvo sair para a balaustrada de bombordo do Convés 10 para uma contemplação introdutória da paisagem e concluo que preciso de um pouco de óxido de zinco para o meu nariz que tende a descascar. Meu óxido de zinco ainda se encontra no interior da sacola de viagem que àquela altura está empilhada com o resto da bagagem do Convés 10 na areazinha entre o elevador 10-Proa e a escadaria 10-Proa enquanto homenzinhos vestidos com macacões azul-cadete da Celebrity, os carregadores — esta equipe parecia ser inteiramente libanesa — estão conferindo as etiquetas da bagagem com os números de Lote da lista de passageiros do *Nadir*, organizando a bagagem e levando tudo para os corredores de bombordo e estibordo até as cabines.

Mas aí eu apareço, enxergo a sacola no meio da bagagem e começo a extraí-la daquela torre de couro e náilon pensando em levá-la eu mesmo até a 1009 e fuçar nela até encontrar meu bom e velho ZnO;[41] e um dos carregadores me vê começando a pegar a sacola, larga as quatro bagagens imensas que carregava aos tropeços e salta para me interceptar. De início temo que esteja pensando que sou algum tipo de ladrão de bagagem e queira conferir meu tíquete ou coisa parecida. Mas na verdade ele quer a minha sacola: quer carregá-la até a 1009 para mim. E eu, com praticamente o dobro do tamanho desse pobre carinha todo herniado (e o mesmo vale para a minha sacola), protesto com polidez, tentando ter alguma consideração, dizendo Não Precisa, É Bobagem, Só Preciso do Bom e Velho ZnO. Explico ao carregador que percebo existir algum sistema ordinal de distribuição de bagagens incrivelmente organizado e que não quero atrapalhar nada nem fazer com que ele carregue uma sacola do Lote 7 antes de outra do Lote 2 ou coisa que o valha, e que vou eu mesmo pegar essa coisa enorme, velha, pesada e cheia de manchas e reduzir um pouco a carga de trabalho do carinha.

---

[41] (Por sinal, confie em mim, já trabalhei como salva-vidas em meio período e que se foda essa bobagem de FPS: o bom e velho ZnO conserva seu nariz igualzinho ao de um recém-nascido.)

E então acontece uma discussão muito estranha, eu *vs.* o carregador libanês, porque me vejo colocando esse cara, que mal sabe falar inglês, numa espécie terrível de dilema de serviço diligente, um paradoxo de mimos: a saber, o paradoxo O-Passageiro-Sempre-Tem-Razão-*versus*-Nunca-Deixe-Um-Passageiro-Carregar-A-Própria-Mala. Naquele momento, sem fazer ideia do problema pelo qual o pobre homenzinho libanês estava passando, desconsidero tanto seus protestos agudos quanto sua expressão de agonia como expressões de mera cortesia servil, extraio a sacola, arrasto-a pelo corredor até a 1009, passo uma quantidade generosa de ZnO na minha velha napa e saio para assistir ao litoral da Flórida recuar cinematograficamente à la F. Conroy.

Apenas mais tarde entendi o que tinha feito. Apenas mais tarde fiquei sabendo que o carregador libanês baixinho do Convés 10 levou um esporro antológico do Chefe dos Carregadores do Convés 10 (também libanês), que por sua vez tinha levado um esporro antológico do Supervisor austríaco, que tinha recebido relatos confirmados de que um passageiro do Convés 10 havia sido avistado carregando a própria bagagem até o corredor de bombordo do Convés 10, e que agora exigia que cabeças libanesas rolassem por conta desse sinal claro de negligência laboral, e que comunicou (estou falando do Supervisor austríaco) o incidente (parece ser o procedimento operacional padrão) para um oficial do Depto. de Atendimento ao Hóspede, um oficial grego com óculos Revo, walkie-talkie e dragonas tão complexas que nunca consegui entender qual era seu posto; e este cara grego de alto escalão apareceu pessoalmente na 1009 após a ceia de sábado para me pedir desculpas em nome de praticamente toda a linha de navegação Chandris e me garantir que cabeças libanesas estavam rolando de seus pescoços cansados naquele mesmo instante em diversos corredores como expiação por eu ter precisado carregar minha própria sacola. E mesmo que o inglês desse oficial grego fosse de muitas formas superior ao meu, levei não menos de dez minutos para exprimir meu horror, assumir a responsabilidade e explicar em detalhes o dilema que eu havia criado para o carregador — sacudindo em momentos relevantes o tubo de ZnO que estava por trás de toda a confusão — e precisei de mais dez minutos para obter o que parecia uma promessa do oficial grego de que várias cabeças decepadas seriam reacopladas e registros profissionais mantidos livre de mácula, até me sentir tranquilo o suficiente para deixar o oficial ir embora;[42] e o incidente todo foi incrivelmente desgastante e repleto de angústia, preenchendo quase um caderno Mead inteiro, e foi aqui relatado apenas em sua estrutura psicoesquelética mais básica.

Não importa para onde se olhe a bordo do *Nadir*: são onipresentes os indícios de uma determinação férrea de satisfazer os passageiros de maneiras que ultrapassam as expectativas de qualquer passageiro minimamente são.[43] Alguns exemplos completamente aleatórios: o banheiro da minha cabine tem muitas toalhas grossas e felpudas, mas quando subo para me esticar ao sol[44] não preciso levar nenhuma delas porque as áreas para banho de sol nos dois conveses superiores contam com carrinhos enormes cheios de toalhas ainda mais grossas e felpudas. Esses carrinhos ficam estacionados em intervalos convenientes ao longo de fileiras infinitas de espreguiçadeiras ginasticamente ajustáveis que são em si espreguiçadeiras fenomenais, robustas o suficiente para o passa-

---

[42] Em retrospecto, acho que só consegui convencer o oficial grego de que eu era um sujeito muito esquisito e possivelmente instável, impressão que, tenho certeza, era compartilhada pelo sr. Dermatite e que em combinação com o episódio da isca-de-tubarão-*au-jus* da primeira noite serviu para destruir minha credibilidade com Dermatite antes mesmo que eu o encontrasse pessoalmente.
[43] Um dos slogans da Celebrity Cruises afirma: Estamos Ansiosos Para Superar Suas Expectativas — falam isso o tempo todo, e são sinceros, embora sejam hipócritas ou inocentes a respeito das consequências psíquicas dessa Superação.
[44] (nas piscinas do Convés 11 ou no Templo de Ra do Convés 12)

geiro mais corpulento mas ao mesmo tempo narcolepticamente confortáveis, com estruturas de liga metálica pesada sobre as quais se estende um material exótico que combina a durabilidade e a rapidez de secagem da lona com a absorvência e conforto do algodão — a composição exata do material é um mistério, mas é um avanço bem-vindo em relação à superfície de plástico vagabundo das espreguiçadeiras das piscinas públicas, que grudam e produzem ruídos de sucção flatulentos sempre que alguém desloca o peso suado sobre elas — e o material das espreguiçadeiras do *Nadir* não é estriado nem composto por tiras entrecruzadas em forma de teia, sendo antes uma sólida extensão firmemente esticada sobre a estrutura, de modo que ninguém fica com aquelas marcas esquisitas e rosadas no lado sobre o qual se deita. Ah, e os carrinhos de cada convés superior são operados em tempo integral por um esquadrão de Caras das Toalhas, de modo que assim que você se julga bem passado dos dois lados e pronto para se levantar sem dificuldades da espreguiçadeira não precisa pegar a toalha e levá-la com você ou nem mesmo colocá-la no compartimento de Toalhas Usadas do carrinho, porque um Cara das Toalhas se materializa no minuto em que seu rabo deixa a espreguiçadeira, remove a toalha e a coloca no compartimento. (Na verdade os Caras das Toalhas são tão perfeccionistas no que se refere à remoção de toalhas usadas que, mesmo se você apenas se levantar por um segundo para aplicar mais ZnO ou contemplar o oceano, muitas vezes ao se virar de volta a toalha terá desaparecido e a espreguiçadeira retornado ao ângulo de descanso de 45° e será preciso reajustá-la mais uma vez e ir até o carrinho para buscar uma nova toalha felpuda, das quais não se pode negar que exista um suprimento enorme.)

No Restaurante Cinco-Estrelas Caravelle, o garçom[45] não ape-

---

[45] O garçom da Mesa 64 é o húngaro Tibor, uma pessoa realmente excepcional a respeito de quem, se houver alguma justiça editorial, você vai aprender muitas coisas mais adiante.

nas lhe trará algo, por ex. lagosta — e também uma segunda e até mesmo uma terceira porção de lagosta[46] — a uma velocidade metanfetamínica, mas também se inclinará sobre você[47] e usará um par resplandecente de quebrador de garras e garfo cirúrgico para desmantelar a lagosta, poupando o cliente do trabalho gosmento e verde que é a única coisa remotamente penosa no ato de comer lagostas.

No Café Windsurf do Convés 11, junto às piscinas, onde sempre se oferece um bufê informal no almoço, nunca se encontra as filas bovinas que tornam a maior parte das cafeterias uma chatice, e são oferecidas umas 73 variedades de entradas e um café incrivelmente bom; e se você estiver carregando alguns cadernos ou mesmo se apenas tiver muitas coisas na bandeja, um garçom se materializará enquanto você se afasta do bufê e carregará a bandeja — isto é, mesmo se tratando de uma cafeteria existe uma tropa de garçons pairando pelo recinto, com roupas em estilo indiano que lembram Nehru e toalhas brancas dobradas sobre braços esquerdos mantidos permanentemente na posição de braços quebrados ou atrofiados, e esses garçons observam você o tempo todo, sem fazer contato visual mas sondando qualquer mínima maneira de ser útil, sem falar nos *sommeliers* com roupas cor de ameixa que perambulam pelo recinto para ver se alguém precisa de uma libação alcoólica... mais toda uma equipe de *maîtres* e supervisores que observam os garçons e *sommeliers* e pessoas com chapéu de mestre-cuca que servem os pratos no bufê para garantir que nem ao menos se cogite a ideia de deixar você fazer sozinho algo que eles poderiam estar fazendo em seu lugar.[48]

---

[46] Somente na noite da lagosta do R5*C, na terça-feira, compreendi com vigor o fenômeno romano dos vomitórios.
[47] (nunca de forma invasiva, intrometida ou condescendente)
[48] Mais uma vez, nunca é preciso devolver a bandeja após comer no Windsurf, porque os garçons saltam para pegá-la, e mais uma vez tanto zelo pode ser

Todas as superfícies públicas na e.m. *Nadir* que não são de aço inoxidável, vidro, parquê sintecado ou madeira densa e perfumada ao estilo de paredes de sauna são cobertas por um macio carpete azul que nunca gasta e nunca tem chance de acumular nem mesmo um fiapinho sequer pois terceiro-mundistas de macacão estão sempre cuidando deles com aspiradores de pó da Siemens de sucção avançada. Os elevadores são envidraçados com estrutura de aço amarelo, aço inoxidável e uma espécie de material que parece madeira mas é brilhante demais para ser madeira de verdade, mas quando você tamborila nele o som lembra muito madeira de verdade.[49] Os elevadores e escadarias entre cada convés[50] parecem ser o objeto particular da atenção anal-retentiva de toda uma equipe especial de manutenção de Elevadores-e-Escadarias.[51, 52]

---

um estorvo, porque se você se levantar apenas para pegar mais um pêssego e ainda tiver uma xícara de café e algumas crostinhas de pão deliciosas que estava guardando para o final, muitas vezes você vai voltar para a mesa e descobrir que o café e as crostinhas se foram, e eu particularmente comecei a atribuir esse servilismo exagerado ao reino de terror helênico que pesa sobre o trabalho dos garçons.

[49] As muitas coisas no *Nadir* que eram feitas de algo parecido com madeira mas que não era madeira de verdade eram imitações tão sensacionais e meticulosas de madeira que muitas vezes se tinha a impressão de que teria sido mais simples e barato simplesmente usar madeira de verdade.

[50] Duas escadarias, Proa e Popa, ambas as quais revertem seu ângulo de zigue-zague a cada patamar, e os patamares em si têm paredes espelhadas, o que é para lá de sensacional porque pelos espelhos dá pra conferir traseiros femininos em vestidos apertados subindo os degraus seguintes sem dar a impressão de ser um daqueles tipos nojentos que conferem traseiros femininos em escadarias.

[51] Durante os dois primeiros dias de mar bravio, quando as pessoas vomitaram bastante (especialmente depois da ceia e ao que parece *extra*-especialmente nos elevadores e escadarias), essas poças de vômito inspiraram um verdadeiro frenesi alimentar de aspiradores e removedores de manchas e substâncias químicas eliminadoras-de-qualquer-traço-de-odor por parte dessa equipe de Forças Especiais de Elite.

[52] A propósito, a composição étnica da tripulação do *Nadir* é uma mescla indiferenciada no nível de um comercial da Benetton, e é um desafio constante

E não vamos esquecer do Serviço de Quarto, que num Cruzeiro de Luxo 7NC se chama Serviço de Cabine. O Serviço de Cabine é um adicional às onze oportunidades diárias de comer em público, está disponível 24 horas por dia durante todos os sete dias e é gratuito: basta apertar x72 no telefone ao lado da cama e dez ou quinze minutos mais tarde um cara que nem ao menos *sonharia* em insinuar que gostaria de receber uma gorjeta aparece com uma... uma *bandeja*: "Presunto Finamente Fatiado e Queijo Suíço com Pão Branco e Mostarda de Dijon", "O Combo: Frango Cajun com Salada de Macarrão e Molho Apimentado" e assim por diante, uma página inteira de sanduíches e tábuas no Catálogo de Serviços — e esses negócios merecem as iniciais maiúsculas, acredite. Na qualidade de semiagorafóbico que passa quantidades colossais de tempo trancado na cabine, criei uma relação bem complexa de dependência/vergonha com o Serviço de Cabine. Desde segunda-feira à noite, quando enfim resolvi ler o Catálogo de Serviços e descobri o Serviço de Cabine, acabei me servindo dele todas as noites — para ser honesto, umas duas

---

tentar esboçar a composição racial-geográfica das diversas hierarquias de empregados. Todos os oficiais superiores são gregos, mas como se trata de um navio grego não se poderia esperar outra coisa. Tirando eles, de início parece existir um sistema de castas eurocêntrico básico: garçons, ajudantes, garçonetes, *sommeliers*, crupiês, artistas e camareiras parecem arianos em sua maioria, enquanto carregadores, zeladores e faxineiros tendem a ser mais morenos — árabes e filipinos, cubanos, negros das Índias Ocidentais. Mas as coisas se revelam mais complexas, porque as Camareiras-chefes, *Sommeliers*-chefes e *maîtres* que supervisionam de forma obsessiva os criados arianos são eles próprios morenos e não arianos — por ex., nosso *maître* no R5*C é português, com o pescoço de touro e a expressão lúbrica de um caminhoneiro, e dá a impressão de precisar apenas de um sinal combinado muito sutil para enviar uma prostituta de 10 mil dólares por hora ou substâncias inimagináveis para a sua cabine; e toda a M64 o abomina completamente por nenhum motivo discernível, e todos combinamos de antemão que vamos botar no rabo dele com estilo quando chegar a hora de pagar as gorjetas no final da semana.

vezes por noite seria mais exato — muito embora eu ache deveras constrangedor ficar chamando x72 e pedindo que *mais* comida maravilhosa me seja trazida quando já me ofereceram onze refeições *gourmet* ao longo do dia.[53] Normalmente espalho meus cadernos, o *Fielding's Guide to Worldwide Cruising 1995*, canetas e materiais diversos sobre a cama para que o cara do Serviço de Cabine apareça na porta, veja todo esse material beletrístico e imagine que estou trabalhando sério em algo beletrístico em plena cabine e que sem dúvida andei ocupado demais para comparecer a todas as refeições públicas e que assim tenho direitos legítimos às mordomias do Serviço de Cabine.[54]

Mas minha experiência com a faxina das cabines talvez seja o exemplo supremo do estresse causado por mimos tão extravagantes que chegam a afetar a cabeça. Com ou sem paixonite aguda, a verdade a respeito da questão é que raramente chego a ver a camareira da 1009, a diáfana Petra e seus olhos de gazela com epicanto. Mas tenho bons motivos para acreditar que ela me vê. Porque toda vez que deixo a 1009 por mais de, digamos, meia hora, quando retorno a cabine está inteiramente limpa e espanada, as toalhas foram trocadas e o banheiro resplandece. Não me

---

[53] Isso contando o Bufê da Meia-Noite, que tende a ser um negócio meio desajeitado no clima temático-barra-festa-a-fantasia, c/ comida relacionada ao tema — oriental, caribenha, tex-mex — e que planejo quase nem citar neste ensaio exceto para dizer que a Noite Tex-Mex ao ar livre, ao lado das piscinas, contou com uma escultura de dois metros de altura de Pancho Villa que ficou pingando a noite toda no imenso sombrero de Tibor, o adorado garçom húngaro extremamente bacana da Mesa 64, obrigado por contrato a usar um poncho e um sombrero de palha com 43 centímetros de raio[53a] na Noite Tex-Mex, e servir chili fumegante de uma mesa colocada logo abaixo de uma escultura de gelo, e cuja face rósea e ornitoídea expressava em ocasiões como essa uma combinação de mortificação e dignidade que de algum modo parece condensar todas as agruras do Leste Europeu no pós-guerra.

[53a] (Ele me deixou medir quando o *maître* reptiliano não estava olhando.)
[54] (Como se o cara se importasse com isso, eu sei.)

entenda mal: de certo modo isso é ótimo. Sou meio porcalhão, passo muito tempo na Cabine 1009 e também entro e saio bastante,[55] e quando estou aqui na 1009 sento na cama e escrevo em cima da cama comendo frutas e geralmente bagunço a cama toda. Mas então, sempre que dou uma saída e volto em seguida encontro a cama arrumada meticulosamente e outro chocolate com recheio de menta sobre o travesseiro.[56]

Admito sem reservas que essa faxina misteriosa e invisível é ótima de certo modo, a verdadeira fantasia de qualquer porcalhão: alguém que se materializa, desemporcalha o quarto e então se desmaterializa — é como ter uma mãe sem toda a culpa que isso envolve. Mas creio que aqui existe também uma culpa sorrateira, um constrangimento gradativo, um desconforto que se apresenta — pelo menos no meu caso — como uma forma estranha de paranoia relacionada a mimos e mordomias.

Porque após alguns dias dessa faxina fabulosa e invisível começo a me perguntar como exatamente Petra sabe quando estou na 1009 e quando não estou. É então que me ocorre quão raramente eu a vejo. Por algum tempo faço experiências, como sair rapidamente para o corredor 10-Bombordo para ver se enxergo Petra escondida em algum canto observando quem deixa as cabines, e esquadrinho toda a superfície do corredor e do teto em busca de indícios de algum tipo de câmera ou monitor que registre movimentos fora das cabines — não encontro nadica de

---

[55] Isso acontecia acima de tudo por conta da semiagorafobia — eu precisava meio que me convencer a deixar a cabine e acumular experiências no lado de fora, e então no meio das pessoas minha força de vontade cedia sem demora e eu encontrava alguma desculpa para sair correndo de volta para a 1009. Isso acontecia umas quantas vezes por dia.
[56] (Esta NdR está sendo escrita quase uma semana depois do fim do Cruzeiro, e ainda estou vivendo basicamente desses chocolates com recheio de menta que guardei.)

nada. Mas então me dou conta de que o mistério é ainda mais complexo e perturbador do que eu havia imaginado, porque minha cabine é limpa sempre e apenas quando deixo o recinto por mais de meia hora. Quando saio da cabine, como Petra ou seus supervisores podem saber quanto tempo vou ficar fora? Tento sair da 1009 algumas vezes e então voltar correndo após 10 ou 15 minutos para ver se consigo surpreender Petra em flagrante delito, mas ela nunca está ali. Tento fazer uma bagunça homérica na 1009 para então sair, me esconder em algum ponto de um convés inferior e voltar correndo depois de exatos 29 minutos — e mais uma vez, ao adentrar a cabine todo esbaforido, não encontro Petra nem faxina. Então deixo a cabine com exatamente a mesma expressão e os pertences de antes, mas desta vez fico escondido por 31 minutos e volto às pressas — e agora mais uma vez não encontro Petra, mas a 1009 está esterilizada e resplandecente, e uma mentinha repousa sobre a nova fronha do travesseiro. Saiba que inspeciono com cuidado cada centímetro de cada superfície por onde passo enquanto circulo pelo convés durante esses pequenos experimentos — sem encontrar em lugar nenhum câmeras, sensores de movimento ou nenhum tipo de indício que possa explicar como Eles sabem.[57] Assim, por ora teorizo que de algum modo um tripulante especial é designado para cada passageiro e segue este passageiro a todo momento, usando técnicas altamente sofisticadas de vigilância pessoal e informando os movimentos, atividades e tempo previsto de retorno à cabine deste passageiro

---

[57] Por que não pergunto a Petra como ela faz isso? A resposta é que o inglês de Petra é bastante limitado e primitivo, e a realidade triste é que a atração e a conexão profundas que estabeleci com Petra, a camareira eslavônia, foram erigidas sobre a base frágil das duas únicas orações que ela parece conhecer em inglês, usando sempre alguma delas em resposta a qualquer afirmação, pergunta, piada ou manifestação de devoção imorredoura: "Não tem problema" e "Você é uma coisa engraçada".

ao QG das Camareiras ou coisa que o valha, e deste modo passo quase um dia inteiro realizando ações evasivas extremas — girando subitamente para conferir quem está às minhas costas, surgindo de repente dos cantos, disparando para dentro e para fora das Lojas de Presentes através de portas diferentes etc. — e não encontro um único sinal de alguém me vigiando. Nunca consigo chegar nem mesmo a uma teoria plausível sobre como Eles fazem isso. Quando enfim desisto de tentar, já estou me sentindo um pouco maluco e minhas medidas de contravigilância inspiram olhares assustados e até mesmo alguns dedos girando na altura das têmporas por parte dos outros hóspedes do 10-Bombordo.

Eu diria que existe algo de profundamente transtornante nos mimos e serviços de Personalidade Tipo A a bordo do *Nadir*, e que as maníacas faxinas invisíveis das cabines fornecem o exemplo mais claro do que isso tem de sinistro. Porque no fundo não é *realmente* como ter uma mãe. Apesar da culpa e da amolação etc., uma mãe limpa nossa bagunça antes de mais nada porque nos ama — de certa forma somos o sentido da faxina, seu objeto. Porém, a bordo do *Nadir*, assim que a novidade e a conveniência se esgotam, começo a perceber que na verdade essas faxinas fenomenais não têm nada a ver comigo. (Tem sido particularmente traumático compreender que Petra limpa tão bem a Cabine 1009 simplesmente porque recebe ordens para fazer isso, e que deste modo (obviamente) não está fazendo isso para mim, nem porque gosta de mim ou acha que Não Sou Problema ou sou Uma Coisa Engraçada — na verdade ela limparia minha cabine com a mesma competência fenomenal mesmo se eu fosse um babaca — e existe a possibilidade de, por trás do sorriso, ela realmente me achar um babaca, e neste caso, o que fazer se eu realmente for um babaca? — digo, se mimos e gentilezas radicais não parecem motivados por um forte afeto e assim não afirmam ou ajudam a afirmar de certo modo que alguém não é, enfim, um babaca, qual seria o valor derradeiro e significativo de todas essas mordomias, de todas essas faxinas?)

Esse sentimento não difere muito da experiência de se hospedar na casa de alguém que faz coisas como entrar silenciosamente no quarto de manhã e arrumar a cama enquanto você toma banho e dobrar as roupas sujas ou até mesmo lavar tudo sem que você peça, ou esvaziar o cinzeiro toda vez que você fuma um cigarro etc. Por algum tempo um anfitrião desses parece ótimo e você se sente cuidado, valorizado, reconhecido e digno etc. Mas logo em seguida você começa a intuir que o anfitrião não está agindo dessa forma por consideração ou afeto por você, mas por estar simplesmente obedecendo aos imperativos de uma neurose particular relacionada com limpeza e ordem domésticas... significando que, como o sentido e o objeto finais da faxina não são você, mas limpeza e ordem, o anfitrião ficará aliviado quando você for embora. Significando que esses mimos, essas mordomias higiênicas, são na verdade um indício de que o anfitrião não quer você por perto. O *Nadir* não conta com os tapetes impermeabilizados nem a mobília envolta em plástico de um anfitrião anal-retentivo desse quilate, mas a aura psíquica é a mesma e por conseguinte o alívio proporcionado pela ideia de cair fora dali.

10.

Não sei como um claustrófobo se sairia, mas para um agorafóbico um Megacruzeiro de Luxo 7NC apresenta toda uma gama de opções atraentes de reclusão. O agorafóbico pode escolher não deixar o navio[58] ou pode se restringir a apenas certos conveses,

---

[58] (Em alto-mar isso não quer dizer muita agoracoisa, mas durante as paradas, quando as portas se abrem e a prancha é estendida, representa uma escolha genuína e, deste modo, é agorafobicamente válido.)

ou pode se negar a deixar o convés específico onde se localiza sua cabine, ou pode se abster das balaustradas a céu aberto em qualquer lado desse convés e se manter exclusivamente em sua porção interna e fechada. Ou o agorafóbico pode simplesmente nunca sair da cabine.

Eu — que não sou um agorafóbico genuíno, do tipo que não consegue nem ir ao supermercado, mas sou o que poderia ser chamado de "agorafóbico limítrofe" ou "semiagorafóbico" — ainda assim passo a amar de forma muito profunda a Cabine 1009, Bombordo Exterior.[59] É feita de um polímero castanho-amarelado que parece meio coberto com esmalte e tem paredes muito espessas e sólidas: posso ficar batucando de maneira bem irritante por cinco minutos na parede sobre a cama até os vizinhos enfim batucarem de volta (muito suavemente) para transmitirem seu incômodo. A cabine tem treze Keds tamanho 44 de comprimento por doze Keds de largura, com um vestibulozinho peninsular que se projeta em direção à porta da cabine que possui três tecnologias diferentes de tranca e instruções trilíngues sobre botes salva-vidas afixados no lado de dentro, além de toda uma série de cartões de NÃO PERTURBE pendurados na maçaneta pelo lado de dentro.[60] O vestíbulo tem uma vez e meia a minha largura. O banheiro da cabine fica num dos lados do vestíbulo e no outro lado fica o *Wondercloset*, um complexo favo de mel de prateleiras, gavetas, cabides, escaninhos e um Cofre Particular à Prova de

---

[59] "1009" significa que a cabine fica no Convés 10, e "Bombordo" se refere ao lado do navio em que ela se localiza, e "Exterior" significa que conto com uma janela. Existem, naturalmente, cabines "Interiores" nas partes internas dos corredores dos conveses, mas aproveito para recomendar a quem tem tendências claustrofóbicas e está interessado em se tornar passageiro de um 7NC não esquecer de especificar "Exterior" ao reservar sua cabine.

[60] O agorafóbico não americano ficará animado ao saber que esta série inclui "BITTE NICHT STÖREN", "PRIÈRE DE NE PAS DÉRANGER", "SI PREGA NON DISTURBARE" e (meu predileto) "FAVOR DE NO MOLESTAR".

Fogo. O *Wondercloset* é tão intrincado em sua utilização de todo cm cúbico disponível que só posso dizer que deve de fato ter sido projetado por uma pessoa muito organizada.

Uma saliência esmaltada corre ao longo da cabine por toda a parede de bombordo sob uma janela que acredito ser minha vigia.[61] É redonda como as vigias dos navios que aparecem na TV, mas não é pequena, e lembra a rosácea de uma catedral em termos de importância na ambiência e na *raison* da cabine. É feita daquele vidro muito grosso que protege os caixas em bancos *drive-thru*. No canto do vidro da vigia se encontra o seguinte:

É possível golpear o vidro com o punho s/ que ele ceda ou vibre. É um vidro muito bom. Todas as manhãs, exatamente às 8h34, um filipino de macacão azul aparece num dos botes salva-vidas pendurados em fileiras entre o Convés 9 e o Convés 10 e lava minha vigia com uma mangueira para retirar o sal, e isso é divertido de assistir.

As dimensões da Cabine 1009 permanecem por pouco no lado bom da fronteira entre muito, muito aconchegante e atulhado. Comprimidos no quase-quadrado se encontram uma cama grande e boa, dois criados-mudos c/ lâmpadas e uma TV de 18 polegadas com cinco canais At-Sea®, dos quais dois exibem *loops* contínuos do julgamento de O. J. Simpson.[62] Há ainda uma

---

[61] Um garotinho ou um anoréxico talvez pudesse se sentar nessa saliência e fitar o oceano com ar contemplativo, mas uma dobra elevada e hostil a nádegas na borda externa da saliência torna isso impraticável para um adulto de tamanho normal.

[62] Também se exibe continuamente mais ou menos uma dúzia de filmes conheci-

escrivaninha de laminado branco que também faz às vezes de penteadeira e uma mesa redonda com tampo de vidro sobre a qual repousa uma cesta que se alterna entre ficar cheia de frutas frescas e repleta de cascas e restos delas. Não sei se é o procedimento operacional padrão ou um sutil privilégio jornalístico, mas sempre que volto para a cabine depois de ficar fora por mais do que a meia hora regulamentar encontro uma nova cesta de frutas ordeiramente coberta por filme plástico azulado sobre a mesa de vidro. São boas frutas frescas e estão sempre lá. Nunca comi tantas frutas na vida.

O banheiro da Cabine 1009 merece elogios efusivos. Já estive em muitos banheiros e rapaz, este aqui é sensacional. Tem cinco-Keds-e-meio de distância até o início do degrau que leva ao chuveiro, acompanhado pelo aviso Cuidado Com o Degrau. O cômodo é forrado de laminado branco e aço inoxidável escovado, muito reluzente. A iluminação do teto é luxuosa, uma espécie de eurofluorescência intensamente azulada tratada por um filtro difusor de modo a oferecer uma clareza cirúrgica sem ser agres-

---

dos, mediante algo que me parece ser um videocassete em algum lugar do navio, pois certas irregularidades de *tracking* ressurgem no mesmo ponto em certos filmes. Os filmes passam 24 horas por dia, 7 dias por semana, e acabo assistindo a vários deles tantas vezes que agora consigo reproduzir fielmente os diálogos. Esses filmes incluem *Atraídos pelo destino* (*A felicidade não se compra* em versão com loteria), *Jurassic Park — O parque dos dinossauros* (que não envelheceu bem: a falta essencial de um enredo não vem à tona até a terceira vez que você assiste, mas depois disso o semiagorafóbico trata o filme como um pornô, matando tempo até as partes com o T. Rex e os velociraptors (que envelheceram bem)), *Lobo* (idiota), *Os batutinhas* (nauseante), *André — uma foca em minha casa* (uma espécie de *Meu melhor companheiro* com uma foca), *O cliente* (com outro ator-mirim excelente — onde eles *arranjam* todas essas crianças que atuam como Lawrence Olivier?) e *Um novo homem* (c/ Danny DeVito, um filme que apela às emoções com a sutileza de um cachorro mordendo uma perna de calça, mas é difícil não gostar de qualquer filme que tem como herói um acadêmico).

siva.⁶³ Bem ao lado do interruptor fica um secador de cabelos da marca Alisco Sirocco soldado direto na parede, que se liga automaticamente ao ser retirado da base; a potência *Alta* do Sirocco praticamente decapita o usuário. Ao lado do secador ficam tomadas de 115v e 230v e mais uma tomada aterrada de 110v para barbeadores.

A pia é imensa e sua bacia é profunda sem parecer íngreme nem incômoda. Um belo espelho da C. C. Jensen reveste toda a parede sobre a pia. A saboneteira de aço é estriada para impedir o acúmulo de água e diminuir as chances de aquela gosma incômoda se formar debaixo do sabonete. A gentileza engenhosa da saboneteira antigosma é particularmente tocante.

Tenha em mente que a 1009 é uma cabine de solteiro de faixa média de preço. Fico muito atordoado ao imaginar como deve ser o banheiro de uma cabine de luxo no estilo cobertura.⁶⁴

Mas e aí basta adentrar o banheiro da 1009 e acender a luz para que um exaustor automático comece a funcionar com tanta força e aerodinamismo que nenhum vapor ou cheiro mais ofensivo poderia sequer cogitar qualquer chance de oferecer resistência.⁶⁵ Tamanha é a sucção do exaustor que se posicionar sob o respiradouro deixa o cabelo em pé, o que em conjunto com a ação

---

⁶³ Em outras palavras, iluminação para adultos de classe alta que se importam com a aparência e desejam uma imagem clara de tudo que pode ser esteticamente problemático naquele dia, mas ao mesmo tempo querem uma garantia de que a situação estética geral vai muito bem, obrigado.

⁶⁴ Tentativas de conferir a privada de uma cabine de luxo foram constantemente mal interpretadas e rejeitadas por *Nadir*itas de estirpe superior — há desvantagens em participar de um Cruzeiro de Luxo como turista ao invés de ser identificado como jornalista.

⁶⁵ O banheiro da 1009 sempre cheira a um desinfetante norueguês estranho, mas nada mau, cujo perfume se parece com o cheiro que existiria se alguém que conhecesse a exata composição organoquímica de um limão mas nunca tivesse de fato cheirado um limão tentasse sintetizar o perfume de um limão. Mais ou

concussiva e abundantemente ondulatória do secador de cabelo Sirocco proporciona horas de diversão em frente ao espelho iluminado.

O chuveiro em si é um espetáculo grandioso. A água quente é escaldante a ponto de esfoliar a pele, mas basta girar o registro até um nível predeterminado para obter água a perfeitos 37°. Seria bom se a água da minha querida casa tivesse tanta pressão: a ducha é tão forte que você fica imobilizado e inerme na parede oposta, e a 37° a função MASSAGEM faz os olhos se revirarem e o esfíncter ficar a ponto de ceder.[66] A ducha e seu cabo metálico flexível também são destacáveis, de modo que você pode segurá-la e direcionar o jato disciplinador bem em cima de, por ex., seu joelho direito particularmente sujo ou coisa que o valha.[67]

Em termos de artigos de toalete, encontramos amplas cestinhas rasas de aço cheias de todo tipo de coisas grátis flanqueando o espelho da pia. Contamos com xampu/condicionador Caswell-Massey em frascos convenientes, do tamanho das

---

menos a mesma relação com um limão genuíno que uma Aspirina Infantil da Bayer tem com uma laranja de verdade.

A cabine em si, por outro lado, depois da faxina, não tem cheiro algum. Nada. Nem no tapete, na roupa de cama, no interior das gavetas da mesa, na madeira das portas do *Wondercloset*: nada. É um dos pouquíssimos lugares completamente inodoros onde já estive. Com o tempo isso também começou a me deixar nervoso.

[66] Talvez projetado com isso em mente, o piso do chuveiro tem uma inclinação de 10° em todos os lados na direção do ralo central, que é do tamanho de uma bandeja e possui uma sucção audivelmente agressiva.

[67] É possível que esta ducha destacável e concussiva também possa ser empregada com propósitos não higiênicos e até mesmo lascivos, ao que parece. Ouvi uns caras de um pequeno contingente da U. do Texas em férias de primavera (o único grupo de idade universitária em todo o *Nadir*) se gabando uns para os outros de sua engenhosidade com a ducha. Um cara em especial estava com a ideia fixa de que a tecnologia do chuveiro podia de algum modo ser modificada para aplicar felação se ele conseguisse botar as mãos num "conjunto de catracas métricas" — se você ficou confuso com isso, saiba que eu também.

garrafas de destilados em aviões. Contamos com Emulsão de Amêndoas e Babosa para as Mãos e o Corpo da Caswell-Massey. Contamos com uma robusta calçadeira de plástico e uma luva de camurça que serve tanto para limpar os óculos quanto para engraxar sapatos — ambas são apresentadas nas cores da Celebrity, azul-marinho-sobre-branco-ofuscante.[68] Contamos com não apenas uma, mas *duas* toucas de banho novinhas a qualquer momento. Contamos com o bom e velho sabonete Safeguard, despretensioso e discreto. Contamos com toalhas de rosto s/ imperfeições e que não soltam fiapos e, é claro, toalhas de banho que dão vontade de pedir em casamento.

No *Wondercloset* do vestíbulo encontramos cobertores de camurça adicionais e travesseiros hipoalergênicos e sacolas plásticas com o logotipo CELEBRITY CRUISES, em todos os tamanhos e formatos, para colocar a roupa suja ou requisitar lavagem a seco opcional etc.[69]

Mas tudo isso não passa de migalhas se comparado à privada fascinante e potencialmente malévola da 1009. Um pacto harmônico entre forma elegante e função vigorosa, flanqueada por rolos de papel higiênico tão macio a ponto de não contar com as perfurações habituais que separam as folhas, minha privada traz sobre si o seguinte alerta: ESTE VASO SANITÁRIO ESTÁ CONECTADO A UM

---

[68] O *Nadir* em si é azul-marinho sobre branco, e todas as megalinhas têm seu próprio esquema de cores característico — verde-limão sobre branco, azul-piscina sobre branco, azul-ovo-de-tordo sobre branco, vermelho-celeiro sobre branco (branco parece ser uma constante).
[69] Ao que parece é possível obter "serviços de Mordomo" e serviços de lavagem a seco e engraxamento de sapatos, tudo a preços que me disseram ser razoáveis, mas os formulários que você precisa preencher e pendurar na porta para obter tudo isso são loucamente complexos e tenho medo de colocar em marcha mecanismos de serviço que parecem ter o potencial de serem avassaladores.

SISTEMA DE ESGOTO A VÁCUO. FAVOR NÃO ATIRAR NO VASO SANITÁRIO NADA DE DEJETOS COMUNS E PAPEL HIGIÊNICO[70]
Sim, é isso mesmo, uma *privada a vácuo*. E, como no caso do exaustor no teto, não se trata de um vácuo peso-leve ou desprovido de ambições. A descarga da privada produz um ruído breve mas traumatizante, uma espécie de gargarejo prolongado em Si agudo que sugere uma perturbação gástrica em escala cósmica. Em conjunto com esse ruído vem uma sucção concussiva de força tão sensacional que é ao mesmo tempo assustadora e estranhamente tranquilizante — os dejetos não parecem ser meramente removidos, mas arremessados para longe, e arremessados a uma velocidade tamanha que ficamos com a impressão de que eles vão parar num lugar tão distante que acabarão se tornando uma abstração... uma espécie de tratamento de esgotos de nível existencial.[71, 72]

---

[70] A preposição predicativa que falta aqui é *sic* — o mesmo valendo para o que parece ser uma imagem implícita de excremento jogado — mas os erros parecem enternecedores de algum modo, humanizadores, e esta privada realmente precisa de toda a humanização possível.

[71] É bem difícil deixar de perceber conexões entre o exaustor e o vácuo da privada — uma obsessão quase ao nível de Solução Final pela erradicação de dejetos e odores (dejetos e odores que em todo caso são uma consequência natural de refeições dignas de Henrique VIII e Serviço de Cabine ilimitado e cestas de frutas) — e as fantasias de negação/transcendência da morte que o megacruzeiro 7NC está tentando proporcionar.

[72] Depois de um tempo o SISTEMA DE ESGOTO A VÁCUO do *Nadir* começa a exercer tamanho fascínio sobre mim que acabo voltando com o rabo entre as pernas até o Gerente Dermatite para mais uma vez requisitar acesso às partes restritas do navio, e mais uma vez cometo um erro crasso: faço uma menção inocente à minha fascinação específica pelo SISTEMA DE ESGOTO A VÁCUO do navio — erro crasso consequente a outro erro crasso anterior, no qual deixei de descobrir em minhas pesquisas pré-embarque que apenas alguns meses atrás houve um tremendo escândalo a respeito de um meganavio, se não me engano o *QE2*, que teria sido descoberto lançando dejetos ao mar em plena viagem, violando inúmeros códigos nacionais e marítimos, e foi gravado em

11.

Viajar de navio pela primeira vez abre uma oportunidade de perceber que o oceano não é um único oceano. A água muda. O Atlântico que borbulha na costa leste dos EUA é glauco e sombrio e parece maligno. Porém ao redor da Jamaica fica mais límpido e verde-claro, além de translúcido. Perto das Ilhas Caimã assume um azul-elétrico, e perto de Cozumel é quase roxo. Vale o mesmo para as praias. Dá para perceber de primeira que a areia do sul da Flórida descende de rochas: machuca os pés descalços e tem aquele brilho meio mineral. Mas na praia de Ocho Rios ela mais

---

vídeo durante essa operação por alguns passageiros que em seguida parecem ter vendido a fita para algum noticiário de rede nacional, deixando assim todo o ramo de megacruzeiros num estado de paranoia quase nixoniana a respeito de jornalistas inescrupulosos que estariam tentando fabricar escândalos sobre o tratamento de dejetos nos meganavios. Mesmo por trás das lentes espelhadas dos óculos de sol percebo que o sr. Dermatite está deveras incomodado com meu interesse em esgotos, e nega meu pedido de dar uma olhada no S.E.V. de uma forma defensiva tão complexa que eu nem conseguiria começar a expor aqui. Apenas mais tarde naquela noite (quarta-feira, 15/3), durante a ceia na boa e velha Mesa 64 no R5*C, meus companheiros veteranos de cruzeiros me informam a respeito do escândalo dos dejetos do *QE2*, e gritam[72a] de hilaridade diante da débil ingenuidade com a qual eu fui até Dermatite com o que era de fato uma fascinação inocente, ainda que pueril, com dejetos hermeticamente evacuados; e tamanho é meu constrangimento e meu ódio do sr. Dermatite a essa altura que começo a imaginar que, se o Gerente do Hotel *realmente* acha que sou alguma espécie de repórter investigativo com tesão por tubarões e escândalos de esgoto, pode ser que ele pense que vale a pena correr o risco de me prejudicar de algum modo; e mediante uma série de conexões neuróticas que não vou nem tentar defender, eu, por mais ou menos um dia e meio, começo a temer que o episcopado grego do *Nadir* vá de algum modo tramar o uso da própria privada vigorosa e potente da 1009 para me assassinar — sei lá, talvez lubrifiquem o vaso de alguma forma e aumentem a sucção de modo que não apenas meus dejetos mas eu mesmo acabe sugado pela abertura do assento e lançado em alguma espécie abstrata de tanque séptico.

[72a] (literalmente)

parece açúcar mascavo, e em Cozumel parece açúcar refinado, e em alguns pontos ao longo da costa da Grande Caimã a textura da areia mais parece farinha ou silicato, seu branco tão onírico e etéreo quanto o branco das nuvens. A única constante na topografia náutica do Caribe apresentada pela e.m. *Nadir* diz respeito à sua boniteza[73] irreal e de aparência quase retocada — é impossível descrever com precisão, mas o melhor que consigo fazer é afirmar que tudo parece: *caro*.

12.

Manhãs de escala são um momento especial para o semiagorafóbico, porque quase todo mundo deixa o navio e vai para a terra firme participar de Passeios Organizados ou fazer turismo peripatético espontâneo e os conveses superiores da e.m. *Nadir* assumem a mesma qualidade fantasmagórica e misteriosa da sua casa quando você é criança, adoece e fica em casa quando todo mundo saiu para o trabalho ou a escola etc. Agora são 9h30 de 15 de março (idos de quarta-feira) e estamos atracados em Cozumel, no México. Estou no Convés 12. Uma dupla vestindo camisetas de empresa de software passa correndo por mim a cada dois minutos[74] emitindo seu aroma, mas fora isso somos apenas eu, o ZnO, o boné e umas mil espreguiçadeiras de alta qualidade vazias e dobradas de forma idêntica. O Cara das Toalhas do 12-Popa

---

[73] Não é "belo"; é "bonito". Há uma diferença.
[74] Quatro voltas ao redor do Convés 12 representam um quilômetro, e eu sou um dos pouquíssimos *Nadir*itas com menos de 70 anos que não corre como um condenado aqui em cima agora que o tempo ficou bom. O início da manhã é a hora do rush aneliforme das corridas no Convés 12. Já assisti a algumas colisões maravilhosas entre corredores, dignas de comédias pastelão da Keystone.

não tem quase ninguém por quem zelar, e quando chegam as 10h00 já estou na minha quinta toalha nova.

Aqui o semiagorafóbico pode ficar sozinho na balaustrada de bombordo mais alta do navio e fitar o oceano com ar contemplativo. O mar em Cozumel é meio anil diluído e permite que se enxergue o branco-talco do fundo. Na metade do caminho, formações submarinas de coral surgem como imensas nuvens de roxo profundo. Dá para entender por que se costuma chamar mares calmos de "cristalinos": às 10h00 o sol assume uma espécie de ângulo de Brewster em rel. à superfície e o porto se ilumina até onde o olho enxerga: a água se move em milhões de direçõezinhas ao mesmo tempo e cada movimento refulge. Para além dos corais a água vai escurecendo em listras nítidas como aquelas de uma fatia de bacon — acho que esse fenômeno tem a ver com a perspectiva. É tudo muito bonito e tranquilo. Além de mim, do C.d.T. e dos corredores em órbita estão presentes apenas uma senhora idosa deitada de bruços e lendo *Codependência nunca mais* e um homem postado bem na ponta da balaustrada de bombordo, filmando o mar. Esse sujeito triste e cadavérico, que batizei de Capitão Vídeo no segundo dia de cruzeiro, tem cabelos grisalhos e espetados, calça Birkenstocks, conta com panturrilhas muito finas e calvas e é um dos excêntricos mais destacados do cruzeiro.[75]

---

[75] Outros excêntricos neste 7NC incluem: o garoto de treze anos com a peruca, que passa a semana inteira de colete salva-vidas e fica sentado no piso de madeira dos conveses superiores lendo edições de bolso de Jose Philip Farmer cercado a todo momento por três embalagens diferentes de lenços de papel; o cara inchado e de olhos mortiços que fica sentado na mesma cadeira da mesma mesa de vinte e um no Cassino Mayfair todos os dias das 12h00 às 3h00, bebendo Long Island Ice Tea e jogando vinte e um num ritmo narcótico e submarino. Tem O Cara Que Dorme Ao Lado da Piscina, que faz exatamente o que seu nome sugere, mas faz isso o tempo inteiro, mesmo debaixo de chuva, um cara de barriga peluda com uns 50 anos, com um exemplar de *Megatrends* aberto sobre o peito, dormindo s/óculos de sol nem protetor solar, s/se mover, por horas e

Praticamente todo mundo no *Nadir* pode ser classificado como louco por câmeras, mas Capitão Vídeo filma absolutamente *tudo*, inclusive refeições, corredores vazios, partidas infinitas de bridge geriátrico — chegando a subir no palco elevado do Convés 11 durante a Festa da Piscina para filmar a multidão do ponto de vista dos músicos. Dá para ver que o registro magnético da experiência de megacruzeiro do Capitão Vídeo vai ser um negócio warholianamente tedioso que se arrastará pela duração exata do cruzeiro em si. Além de mim, Capitão Vídeo é o único passageiro que tenho certeza que está viajando sem nenhum parente ou acompanhante, e como certas semelhanças adicionais entre C.V. e eu (uma delas é a relutância semiagorafóbica de deixar o navio durante as escalas) tendem a me deixar perturbado, tento evitá-lo o máximo possível.

O semiagorafóbico também pode ficar na balaustrada de bombordo do Convés 12 contemplando o exército de passageiros do *Nadir* sendo vomitados lá embaixo pela saída do Convés 3.

---

horas, com o sol a pino em potência máxima, e que até onde pude notar nunca se queima nem acorda (suspeito que à noite ele é transferido para a cabine numa maca). Tem também os dois casais inconcebivelmente idosos e de olhos turvos que ficam sentados em quarteto com os encostos das cadeiras erguidos dentro da área do Convés 11 delimitada por paredes de plástico translúcido contendo as piscinas e o Café Windward, olhando para fora, isto é, através das paredes de plástico, observando o mar e os portos como se fosse algo passando na TV, e sem nunca fazer qualquer movimento visível.

Parece relevante que a maioria dos excêntricos do *Nadir* são excêntricos em *estase*: o que os distingue é o fato de fazerem a mesma coisa por horas e horas e dias e dias sem se mover. (O Capitão Vídeo é uma exceção ativa. As pessoas são consideravelmente tolerantes com o Capitão Vídeo até a Festa Caribenha da Meia-Noite na penúltima noite, junto às piscinas, quando ele não para de entrar no meio do Trenzinho da Conga, tentando mudá-lo de direção para que ele possa registrá-lo mais favoravelmente em vídeo; em seguida sobrevém uma incruenta mas desagradável revolta contra Capitão Vídeo, e ele se recolhe à própria insignificância pelo resto do Cruzeiro, provavelmente organizando e editando suas fitas.)

Ficam jorrando pela porta e passando pelo portaló estreito. Assim que a sandália de cada um atinge o píer acontece uma transformação sociolinguística de *passageiro* para *turista*. Neste exato momento, 1300+ turistas de classe alta com fundos para gastar e experiências para experimentar e registrar formam uma fila serpenteante que se estende até o píer de Cozumel, píer que é pré-fabricado e tem uns quatrocentos metros de extensão e leva ao CENTRO TURÍSTICO,[76] uma espécie de megabarracão militar onde se oferecem Passeios Organizados[77] além de táxis e motos à disposição para visitar San Miguel. Ontem à noite, na boa e velha Mesa 64, comentavam que na primitiva e incrivelmente pobre Cozumel o dólar americano é tratado como um OVNI: "Eles o veneram quando pousa por lá".

No píer de Cozumel, nativos oferecem aos *Nadi*ritas uma chance de serem fotografados segurando uma iguana enorme. Ontem, no píer da Grande Caimã, nativos ofereciam aos *Nadi*ritas uma chance de serem fotografados ao lado de um cara com perna de pau e gancho, enquanto nas cercanias da amurada de bombordo do *Nadir* um navio pirata de mentirinha passou a manhã inteira vagando pela baía, disparando salvas de festim e enchendo o saco de todo mundo.

As multidões do *Nadir* avançam em duplas, quartetos, grupos e bandos; a fila ondula de forma complexa. Todas as camisas são de algum tom pastel e adornadas com estojos de material de

---

[76] (a placa está em inglês, não por acaso).
[77] Na segunda-feira, em Ocho Rios, a grande atração turística parecia ser um tipo de cachoeira que podia abrigar em seu interior um grupo inteiro de *Nadi*ritas com um guia e guarda-chuvas para proteger suas câmeras. Ontem, na Grande Caimã os atrativos eram o rum do *free shop* e um negócio chamado Arte em Coral Negro de Bernard Passman. Aqui em Cozumel parece que a boa são as joias de prata vendidas por ambulantes craques na barganha, mais bebidas livres de impostos e um bar lendário em San Miguel chamado Carlos & Charlie's, onde se diz que servem doses de algo feito quase inteiramente com fluido de isqueiro.

gravação e 85% das mulheres usam viseiras brancas e carregam bolsas de palha. E todo mundo lá embaixo usa óculos de sol com o acessório da moda neste ano, um cordão fluorescente acolchoado que fica preso às hastes dos óculos de modo que estes possam ficar pendurados no pescoço e ser colocados e retirados à vontade.[78] Bem à minha direita (sudeste), agora mesmo, outro megacruzeiro se aproxima para ancorar em algum ponto que parece bem próximo de nós, a se julgar pelo vetor de aproximação. Ele se move como uma força da natureza e parece inacreditável que tamanha massa esteja sendo conduzida por um simples par de mãos num timão. Nem consigo imaginar como deve ser tentar manobrar uma coisinha dessas até um píer. Talvez fazer baliza com uma caminhonete num espaço do tamanho exato de uma caminhonete estando de olhos vendados e tendo tomado quatro doses de LSD possa ser um pouco parecido. Não existe modo empírico de saber: eles não me deixam nem chegar perto do passadiço do navio, especialmente depois da cagada das entranhas *au jus*. Nossa atracação ao nascer do sol desta manhã envolveu um formigamento frenético de tripulantes, pessoal de terra firme, uma âncora[79] que deslizou do centro do navio e mais de uma dúzia de cordas amarradas com imensa complexidade no que parecem dormentes gigantes cravados no píer. A tripulação insiste em chamar as cordas de "linhas" mesmo que cada uma delas tenha no mínimo o diâmetro de uma cabeça de turista.

Eu não conseguiria transmitir a escala absoluta e surreal de tudo aquilo: o navio imponente, as cordas, os dormentes, a ân-

---

[78] Parece que não está mais na moda empurrar os óculos até ficarem quase no topo do crânio, coisa que eu costumava ver aos montes nos adeptos de óculos de sol de classe alta; o hábito parece ter tido o mesmo destino da mania de amarrar as mangas do suéter branco da Lacoste na altura do peito e usá-lo como uma capa.

[79] A âncora é gigantesca e deve pesar cem toneladas, e — adoravelmente — tem de fato forma de âncora, isto é, a mesma forma das âncoras em tatuagens.

cora, o píer, a vasta abóbada lápis-lazúli do céu. O Caribe, como sempre, inodoro. O piso do Convés 12 é feito de tábuas perfeitamente encaixadas da mesma madeira perfumada e rolhosa que se encontra em saunas.

Contemplar de uma grande altura seus compatriotas se bamboleando com sandálias caras em portos afligidos pela pobreza, todavia, não é um dos momentos mais divertidos de um Cruzeiro de Luxo 7NC. Existe algo de inescapavelmente *bovino* num turista americano se movendo como parte de um grupo. Uma certa placidez gananciosa, eles têm. Ou melhor, nós temos. Durante as escalas, é automática a transformação em *Peregrinator americanus, Die Lumpenamerikaner*. Os Feiosos. Para mim, a boviscopofobia[80] é um motivo ainda mais forte que a semiagorafobia para ficar no navio quando atracamos. É durante as escalas que me sinto mais comprometido, culpado por associação notória. Saí muito pouco dos EUA e nunca fiz isso como parte de um rebanho de classe alta, e durante as escalas — mesmo aqui em cima, apenas assistindo a tudo do Convés 12 — me sinto nova e desagradavelmente consciente de ser um americano, da mesma forma como me sinto repentinamente consciente de ser branco sempre que estou cercado de muitas pessoas não brancas. Não consigo deixar de nos imaginar tal como aparecemos aos olhos deles, os impassíveis jamaicanos e mexicanos,[81] ou especialmente

---

[80] (= medo mórbido de ser visto como bovino)
[81] E na minha cabeça fico remoendo se meus companheiros *Nadir*itas sofrem do mesmo desprezo profundo por si mesmos. Observando a tudo daqui do alto, geralmente imagino que os outros passageiros não percebem o olhar de desdém impassível dos comerciantes locais, prestadores de serviços, vendedores de fotografias com lagartos etc. Geralmente imagino que meus companheiros de turismo estão tão bovinamente absortos em si mesmos que sequer percebem o modo como olham para nós. Em outros momentos, porém, me ocorre que é muito possível que os outros americanos a bordo sintam o mesmo vago desconforto a respeito de seu papel como bovino-americanos em escala que eu, mas

a mencionada tripulação não ariana do *Nadir*. Percebo que passei a semana inteira fazendo tudo que podia para, aos olhos da tripulação, me distanciar do rebanho bovino que integro, me descomprometer: me abstenho de câmeras, óculos de sol e roupas caribenhas em tons pastéis; insisto em carregar minha própria bandeja na cafeteria e sou efusivo ao agradecer qualquer serviço prestado, por menor que seja. Já que tantos dos meus companheiros gritam, sinto um orgulho especial por fazer questão de falar muito calmamente com qualquer tripulante cujo inglês seja fraco.

Às 10h35 há apenas umas duas nuvenzinhas num céu tão azul que dói. Até agora, todas as alvoradas em escalas foram nubladas. Então o sol ascendente ganha força e de algum modo dispersa as nuvens e por uma hora e pouco o céu parece retalhado. Então, perto das 8h00, um azul infinito se abre como se fosse um olho e fica desse jeito a manhã inteira, com umas duas nuvens sempre ao longe, talvez oferecendo perspectiva.

Têm início manobras formicatórias compactas entre trabalhadores do píer com cordas e walkie-talkies, enquanto outro meganavio de um branco ofuscante se move lentamente na direção do píer, à minha direita.

E então, no final da manhã, as nuvens isoladas começam a se mover umas em direção às outras, e no começo da tarde passam a se encaixar muito discretamente, como peças de quebra-cabeça, e ao anoitecer tudo estará montado e o céu terá a mesma cor de moedas antigas de dez centavos.[82]

---

que se recusam a deixar que sua boviscopofobia os domine: pagaram um bom dinheiro para se divertirem, serem mimados e registrarem algumas experiências estrangeiras, e de jeito nenhum deixariam que pontadas autoindulgentes de projeções neuróticas a respeito de como sua americanidade é vista por nativos desnutridos arruinassem o Cruzeiro de Luxo 7NC que eles concluíram que merecem e pelo qual trabalharam e economizaram dinheiro.

[82] Essa nebulosidade de aurora-e-anoitecer formava um padrão. No fim das contas, três dias da semana poderiam ser considerados substancialmente nublados,

Mas é claro que todo esse comportamento ostensivamente descomprometedor de minha parte é em si motivado por uma preocupação encabulada e de certo modo condescendente a respeito de como apareço aos olhos dos outros que é (esta preocupação) 100% americana de classe alta. Parte do desespero generalizado que me aflige neste Cruzeiro de Luxo é que, não importa o que eu faça, não tenho como fugir da minha americanidade essencial e subitamente incômoda. Esse desespero chega ao ápice quando atracamos e fico na balaustrada olhando para algo do qual estou condenado a fazer parte. Seja aqui em cima ou lá embaixo, sou um turista americano e por conseguinte sou *ex officio* grande, corpulento, vermelho, barulhento, grosseiro, condescendente, egocêntrico, mimado, preocupado com a aparência, envergonhado, desesperado e ganancioso: a única espécie conhecida de bovino carnívoro no mundo inteiro.

Aqui, como durante as outras escalas, jet skis zumbem ao redor do *Nadir* a manhã toda. Desta vez são uma meia dúzia. Jet skis são os mosquitos dos portos do Caribe, inoportunos, irrelevantes e, ao que parece, onipresentes. Seu ruído é uma cruza entre gargarejo e motosserra. Já estou farto de jet skis e nunca cheguei a andar de jet ski. Lembro de ter lido em algum lugar que jet skis são incrivelmente perigosos e propensos a acidentes, e encontro algum conforto malévolo nisso enquanto assisto a loiros com barrigas de tanquinho e óculos de sol com cordões fluorescentes zumbirem pela água traçando hieróglifos de espuma.

Em vez de navios piratas de mentirinha, em Cozumel há barcos com fundo de vidro que navegam pelas águas em torno das sombras de corais. Avançam vagarosos por estarem superlotados

---

e choveu algumas vezes, incluindo a sexta-feira toda, quando estávamos atracados em Key West. Mais uma vez, não vejo como culpar o *Nadir* ou a Celebrity Cruises, Inc. por esta casualidade.

de cruzeiristas participantes de um Passeio Organizado. O legal dessa vista é que todo mundo nos barcos olha diretamente para baixo, umas boas 100+ pessoas por barco — parece uma espécie de reza e destaca o piloto da embarcação, um nativo que olha enfastiado para a frente encarando o mesmo nada que costuma ser encarado por motoristas de todo tipo de transporte de massa.[83]

Um *parasail* vermelho e laranja paira imóvel sobre o horizonte do porto, com um bonequinho de palito dependurado.

O Cara das Toalhas do 12-Popa, um tcheco espectral com olhos tão fundos que parecem negros à sombra do cenho, permanece muito ereto e inexpressivo ao lado do carrinho, dando a impressão de estar jogando joquempô consigo mesmo. Já aprendi que o Cara das Toalhas do 12-Popa é imune a conversas fiadas com intenções jornalísticas — ele me olha com uma expressão do que eu só posso chamar de *neutralidade contundente* sempre que vou pegar uma toalha. Estou passando uma nova camada de ZnO. Capitão Vídeo não está filmando nada, mas observa a baía através de um quadrado feito com as mãos. É o tipo de pessoa que você nem precisa observar com atenção para perceber que está falando sozinha. Agora aquele outro meganavio está atracando ao nosso lado, um procedimento que parece exigir muitos toques em código de sua sirene apocalíptica. Mas talvez a melhor de todas as cenas matinais nesta escala seja outro passeio turístico organizado: um grupo de *Nadir*itas está aprendendo a fazer *snorkeling* nas piscinas naturais próximas à praia; da amurada de bombordo enxergo uns bons 150 cidadãos corpulentos boiando de bruços, imóveis, na postura clássica do afogado, como se fossem as vítimas reunidas e flutuantes de algum terrível infortúnio — desta altura,

---

[83] Um golpe adicional na autoestima fica por conta do ar entediado de todos os nativos ao interagirem com turistas americanos. Nós os entediamos. Entediar alguém parece bem pior do que ofendê-lo ou causar repugnância.

é uma visão macabra e instigante. Desisti de procurar nadadeiras dorsais quando estamos atracados. Parece que os tubarões, talvez por não possuírem muito senso estético, nunca aparecem em belos portos caribenhos, ainda que alguns jamaicanos tenham compartilhado histórias apavorantes mas duvidosas sobre barracudas capazes de decepar membros em investidas de precisão cirúrgica. Também não se encontra nos portos caribenhos qualquer indício de laminárias, salicornias, algas decompostas ou qualquer tipo de sapropel que se imagina existirem no oceano. Talvez os tubarões prefiram águas mais turvas e sujas; aqui as vítimas em potencial enxergariam facilmente sua aproximação.

Falando em carnívoros, os bons navios *Ecstasy* e *Tropicale* da Carnival Cruises Inc. estão ancorados do outro lado da baía. Durante as escalas os meganavios da Carnival tendem a manter alguma distância dos outros cruzeiros, e sinto que os outros navios acham isso muito bem-vindo. Os navios da Carnival abrigam nas balaustradas massas de pessoas que aparentam ter vinte e poucos anos e, a esta distância, parecem pulsar levemente, como o *woofer* de uma aparelhagem de som. Há uma legião de boatos sobre os 7NC da Carnival, e um desses boatos afirma que esses cruzeiros são meio que uma espécie de açougues flutuantes, e que à noite os navios se sacodem no ritmo de um ostensivo *tchacatchacatchá* carnal. Esse comportamento libidinoso não ocorre a bordo do *Nadir*, folgo em declarar. Já me tornei uma espécie de esnobe dos 7NC a esta altura, e quando a Carnival ou a Princess são mencionadas na minha presença sinto meu rosto assumir de forma automática a expressão de aversão refinada de Trudy e Esther.

Mas então ali estão eles, o *Ecstasy* e o *Tropicale*; e agora bem ao lado do *Nadir*, no outro lado do píer, se encontra enfim atracada e segura a e.m. *Dreamward*, com o esquema de cores pêssego-sobre-branco que imagino significar que pertença à linha Norwegian de cruzeiros. Sua passarela do Convés 3 se projeta e quase encosta em nossa passarela do Convés 3 — de um modo meio obsceno — e os passageiros do *Dreamward*, idênticos em todos os aspectos importantes aos passageiros do *Nadir*, estão agora sendo escoados por ali, formando uma massa humana que avança pelo píer em meio a uma espécie de cânion de sombras formado pelos muros altos dos cascos dos dois navios. Os cascos encurralam os passageiros e os obrigam a marchar numa fila que se estende ao infinito. Muitos dos passageiros do *Dreamward* se viram e esticam o pescoço para encarar maravilhados o tamanho da coisa de onde acabam de ser expelidos. Capitão Vídeo, agora tão recurvado sobre a balaustrada de estibordo que apenas as pontas das sandálias encostam no convés, filma os passageiros olhando para nós, e um número considerável dos *Dreamward*itas lá embaixo ergue as próprias câmeras e as aponta para cima em nossa direção num gesto quase defensivo ou retaliatório, e por um instante eles e C.V. compõem um quadro que parece quase classicamente pós-moderno.

Como o *Dreamward* está alinhado conosco, quase vigia com vigia, com a balaustrada de bombordo do Convés 12 praticamente encostada[84] em nossa balaustrada de bombordo do Convés 12, eu e os semiagorafóbicos do *Dreamward* que evitam descer nas escalas podemos ficar nas balaustradas e meio que conferir uns aos outros lado a lado, como dois carros envenenados alinhados num sinal fechado. Nós podemos meio que ver qual de nós é o melhor. Vejo o pessoal do *Dreamward* conferindo o *Nadir* de cima a baixo. Seus rostos brilham por conta do protetor de alto FPS. O *Dreamward* é ofuscantemente branco, branco num grau que parece um tanto agressivo e faz o branco do próprio *Nadir* parecer cor da pele ou creme. A proa do *Dreamward* é um pouco mais afunilada que a nossa, com uma aparência mais aerodinâmica, e

---

[84] (na escala desses navios isso significa algo como 100 m)

o acabamento é um pêssego meio fluorescente, e os guarda-sóis em volta das piscinas[85] do seu Convés 11 também são cor de pêssego — nossos guarda-sóis são laranja-claro, algo que sempre me pareceu estranho dado o esquema branco-e-azul-marinho do *Nadir* e agora me parece um improviso desleixado. O *Dreamward* tem mais piscinas no Convés 11 do que nós, além de algo que parece uma piscina adicional cercada de vidro no Convés 6; e o azul dessas piscinas tem aquele tom característico da água clorada — ambas as piscinas pequenas do *Nadir* contêm água salgada e meio pegajosa, muito embora no folheto da Celebrity as piscinas exibissem enganosamente o conhecido visual azul-elétrico da boa e velha água clorada.

Em cada convés, de cima a baixo, as cabines do *Dreamward* contam com varandinhas brancas para contemplação privativa do oceano. O Convés 12 possui uma quadra de basquete completa, com redes de cores combinadas e tabelas brancas como hóstias. Percebo que cada um da miríade de carrinhos de toalhas no Convés 12 do *Dreamward* é operado por seu próprio Cara das Toalhas, e que os Caras das Toalhas são avermelhados, nórdicos e não espectrais, e suas expressões não têm nada que lembre neutralidade contundente ou tédio.

A questão é que, enquanto fico aqui olhando para o *Dreamward* ao lado do Capitão Vídeo, começo a sentir uma inveja cobiçosa e quase lasciva. Imagino que o interior do navio seja mais limpo que o nosso, mais amplo, mais ricamente equipado. Imagino que a comida do *Dreamward* seja ainda mais variada e preparada de forma mais meticulosa, que a Loja de Presentes seja mais barata, o cassino menos deprimente, as apresentações ao

---

[85] Em todos os Meganavios de 7NC, o Convés 12 forma uma espécie de mezanino elíptico sobre o Convés 11, que tem sempre cerca de metade da área ao ar livre (o 11) e sempre conta com piscinas cercadas por paredes de plástico/acrílico.

vivo menos cafonas e as mentinhas deixadas sobre o travesseiro, maiores. As varandinhas particulares das cabines do *Dreamward*, em especial, parecem vastamente superiores à nossa vigia de vidro bancário, e de uma hora para a outra varandas particulares parecem absolutamente cruciais a toda a Megaexperiência 7NC que esperam que eu seja capaz de transmitir.

Passo vários minutos fantasiando sobre como devem ser os banheiros no bom e velho *Dreamward*. Imagino que os cômodos da tripulação são abertos a todos os passageiros, que podem descer até lá quando bem entenderem para visitar e jogar conversa fora, e que a tripulação do *Dreamward* é acessível e genuinamente amistosa, com mestres em Literatura e diários ricamente impressos e encadernados em couro contendo uma cornucópia de fatos e curiosidades náuticas, além de comentários sardônicos e cativantes sobre o 7NC. Imagino que o Gerente do Hotel do *Dreamward* é um norueguês afável que veste um suéter puído e recende apaziguadoramente a fumo de cachimbo, um cara s/ óculos escuros, despretensioso, que escancara as portas pressurizadas que levam ao passadiço, às cozinhas e ao Sistema de Esgoto a Vácuo do *Dreamward* e me acompanha pessoalmente, oferecendo respostas concisas e citáveis a perguntas que nem mesmo chego a fazer. Sinto uma repentina onda de ressentimento contra a revista *Harper's* por ter me feito embarcar no *Nadir* e não no *Dreamward*. Calculo por alto a distância que eu teria de cobrir por salto ou *rappel* para me bandear para o *Dreamward* e esboço mentalmente os parágrafos que relatariam em detalhes a manobra jornalística ousada de literalmente saltar de um navio para o outro, um negócio digno de William T. Vollmann.

Essa linha de pensamento saturnina avança enquanto as nuvens lá no alto começam a se aglutinar e o céu assume o peso vespertino habitual. Aqui estou eu sofrendo de uma delusão, e eu sei que é uma delusão esta inveja de outro navio, e mesmo assim é doloroso. Representa também uma síndrome psicológica que percebi se agravar paulatinamente enquanto o Cruzeiro avança, uma lista mental de insatisfações e ressentimentos que começaram insignificantes mas logo se tornaram quase indutores de desespero. Sei que a causa da síndrome não está apenas no desdém que brotou após uma semana de familiaridade com o pobre e velho *Nadir*, e que a fonte de todas essas insatisfações não é de modo algum o *Nadir* mas o bom e velho eu mesmo, minha consciência humana, ou para ser mais preciso, minha porção atavicamente americana que anseia e reage a mimos e prazeres passivos: minha porção Criança Insatisfeita, minha porção que sempre e indiscriminadamente QUER. Daí esta síndrome graças à qual, por exemplo, há apenas quatro dias fiquei tão constrangido com minha óbvia autoindulgência ao pedir mais comida grátis usando o Serviço de Cabine que cobri a cama inteira com falsos indícios de trabalho duro e refeições perdidas, ao passo que noite passada me surpreendo olhando para o relógio após quinze minutos, muito aborrecido e tentando imaginar *onde* o carinha do Serviço de Cabine se meteu com a porra da minha bandeja. E agora percebo que os sanduíches da bandeja são meio pequenos e que a fatia longitudinal de picles[86] sempre encharca a porção estibordo do pão, e que o maldito corredor de bombordo é estreito demais para me permitir depositar a bandeja do Serviço de Cabine no lado de fora da porta da 1009 à noite quando termino de comer, de modo que a bandeja fica a noite inteira na cabine e de manhã adultera a esterilidade olfatória da 1009 com um cheiro rançoso de raiz-forte, e como no quinto dia de Cruzeiro de Luxo isso me parece profundamente insatisfatório.

Não obstante a morte e Conroy, talvez estejamos agora em

---

[86] (Odeio picles, e o S.d.C. teima em ser rude e não substituí-lo por pepino cru ou agridoce.)

condições de avaliar a mentira que se esconde no coração trevoso da brochura da Celebrity. Pois esta — a promessa de saciar aquela minha porção que sempre e apenas QUER — é a fantasia central vendida pela brochura. É preciso notar que a verdadeira fantasia por aqui não é a de que essa promessa será cumprida, mas que é possível cumprir tal promessa. É das grandes, essa mentira.[87] E eu, claro, quero acreditar nela — pau no cu do Buda — quero acreditar que talvez essas Supremas Férias de Luxo ofereçam mimos *suficientes,* que desta vez o luxo e o prazer serão administrados de forma tão completa e impecável que minha porção Infantil ficará saciada.[88]

Mas minha porção Infantil é insaciável — na verdade, toda a sua essência, *dasein* ou coisa que o valha repousa nessa insaciabilidade *a priori.* Em resposta a qualquer ambiente de mimos e gratificações extraordinários, minha porção Criança Insaciável simplesmente reajustará as expectativas até que alcancem novamente uma homeostase de insatisfação feroz. E como era de se esperar, após poucos dias de mordomias a bordo do *Nadir* e o subsequente reajuste, minha porção enfaixada em fralda Pampers que QUER voltou com tudo. Nos idos de quarta-feira já possuo uma consciência aguda de que o respiradouro do ar-condicionado na cabine faz um chiado (*alto*), e que embora eu possa desligar o reggae pasteurizado que sai da caixa de som da cabine não tenho como desligar o alto-falante ainda mais barulhento no corredor

---

[87] Pensando bem, talvez seja *a* Grande Mentira.
[88] A fantasia que estão vendendo é justamente o porquê de todos que aparecem nas fotos do folheto terem expressões faciais ao mesmo tempo orgásticas e estranhamente relaxadas: essas expressões são o equivalente facial de um *"Aaaahhhhh"*, e este som não é apenas aquele da porção Infantil de alguém exultando ao finalmente receber absolutamente todos os mimos que sempre quis, mas também o do alívio que todas as outras porções de uma pessoa sentem quando a porção infantil enfim *cala a boca.*

da 10-Bombordo. Agora percebo que, quando o enorme ajudante de garçom da Mesa 64 usa seu aspirador de migalhas para retirar as migalhas da toalha entre os pratos, ele nunca consegue retirar *todas* as migalhas. Agora as chacoalhadas noturnas da única gaveta frouxa do *Wondercloset* parecem uma britadeira. Ainda que Petra seja a bem-amada dos oceanos, quando ela arruma a cama nem todos os cantos do lençol ficam *exatamente* no mesmo ângulo. Minha escrivaninha/penteadeira possui no canto superior direito da lateral uma rachadura fina como um fio de cabelo, mas que se parece com um lábio sinistro, rachadura que passei a odiar porque não consigo deixar de olhar para ela assim que abro os olhos na cama de manhã. Quase todas as apresentações noturnas Celebrity Showtime no Celebrity Show Lounge são tão ruins que chegam a me constranger, e a parede posterior da 1009 exibe uma paisagem marinha repelente no estilo de quadro de hotel que fica pregada na parede e não pode ser removida nem virada para trás, e o xampu-condicionador da Caswell-Massey se mostrou mais difícil de enxaguar que a maioria dos outros xampus, e as esculturas de gelo no Bufê da Meia-Noite às vezes parecem feitas às pressas, e as verduras da minha entrada sempre são cozidas demais, e é impossível obter água *anestesicamente* gelada da torneira do banheiro da 1009.

Estou aqui no Convés 12 olhando para um *Dreamward* que, tenho certeza, oferece água gelada a ponto de azular os nós dos dedos, e como aconteceu com Frank Conroy uma parte de mim percebe que faz uma semana que não lavo um prato nem fico preso atrás de alguém cheio de cupons de desconto numa fila de caixa de supermercado; e ainda assim, ao invés de me sentir revigorado e renovado, fico antecipando o quão estressante, exigente e desagradável será a minha vida adulta e normal em terra firme a partir de agora, quando até mesmo a remoção prematura de uma toalha por um tripulante sepulcral parece uma ofensa aos meus direitos básicos, e agora também a lentidão do elevador de Proa é um absurdo, e a ausência de halteres de 10 kg na estante da Academia Olympic é uma afronta pessoal. E agora, enquanto me preparo para descer para o almoço, estou rascunhando mentalmente uma nota de rodapé bem sarcástica a respeito da minha maior implicância com o *Nadir: o refri não é grátis,* nem mesmo no jantar: você precisa pedir um Mr. Pibb para a garçonete do R5*C, que mal consegue falar inglês, como se fosse uma porra de um Slippery Nipple, e depois precisa assinar uma nota no ato, em plena mesa, e eles *cobram* — e eles nem mesmo *têm* Mr. Pibb; impingem Dr. Pepper sobre o passageiro sem nenhum constrangimento e com um meneio de ombros enlouquecedor, quando qualquer *idiota* sabe que Dr. Pepper *não substitui* Mr. Pibb, e esse negócio todo é uma farsa ridícula, ou ao menos extremamente insatisfatória sob qualquer ponto de vista.[89]

[89] Esta aqui não é a nota de rodapé sarcástica supracitada, mas a questão do refri tem relação direta com o que me pareceu um dos verdadeiros mistérios deste Cruzeiro, a saber: como a Celebrity lucra com um 7NC de luxo. Se você aceitar o *per diem* do *Nadir* em cerca de 275 dólares por cabeça, como declarado no *Fielding's Worldwide Cruises 1995*, e então pensar que a e.m. *Nadir* em si custou 250 milhões de dólares à Celebrity Cruises para ser construída em 1992, e que possui 600 empregados dos quais ao menos os escalões superiores devem estar ganhando muito dinheiro (todo o contingente grego possui o esgar inconfundível de quem recebe salários de seis dígitos), além dos custos infernais de combustível — mais taxas portuárias e seguros e equipamentos de segurança e máquinas de navegação e comunicação da era espacial e um timão computadorizado e esgoto marítimo de topo de linha — e então começar a incluir todo o luxo, a decoração de primeira e os enfeites metálicos no teto, candelabros, umas boas três dúzias de pessoas a bordo com a única função de se apresentar duas vezes por semana no palco, mais o Chef profissional e a lagosta e as trufas etruscas e a cornucópia de frutas frescas e as mentinhas importadas nos travesseiros... nesse caso, mesmo sendo bastante conservador, é impossível obter um cálculo que faça sentido. Não parece haver maneira nenhuma da Celebrity estar lucrando. E ainda assim o número maciço de diferentes megalinhas oferecendo 7NCs constitui uma evidência confiável de que Cruzeiros de Luxo devem

13.

Toda noite após arrumar a cama, a camareira do 10-Bombordo, Petra, deixa sobre o travesseiro — junto com a última mentinha do dia e o cartão impresso da Celebrity desejando bons sonhos em seis idiomas — o *Nadir Diário* do dia seguinte, um arremedo de jornalzinho com quatro páginas impresso em pergaminho branco com fonte azul-marinho. O *ND* traz curiosidades históricas sobre as próximas escalas, propagandas de Passeios Organizados e ofertas na Loja de Presentes e assuntos mais sérios em quadros com chamadas repletas de humor involuntário, como

mesmo ser muito lucrativos. Mais uma vez a RP da Celebrity, srta. Wiessen — apesar da voz ao telefone cuja audição era um prazer imenso — não foi particularmente esclarecedora desse mistério:

A explicação da sua viabilidade financeira, como conseguem oferecer um produto tão bom, de fato se baseia na gestão. Eles estão por dentro de todos os detalhes importantes para o público e prestam muita atenção a esses detalhes.

A renda com libações fornece parte da verdadeira explicação, no fim das contas. É um pouco como a microeconomia dos cinemas. Quando você fica sabendo o quanto eles têm de repassar da renda com ingressos aos distribuidores, é impossível entender como os cinemas não vão à falência. Mas naturalmente você não pode depender apenas dos ingressos, porque os cinemas realmente lucram é com a venda de pipoca, guloseimas e bebidas.

O *Nadir* vende um porrilhão de bebidas. Garçonetes de shorts cáqui e viseiras da Celebrity, dedicadas somente a servir bebidas, estão discretamente em todos os cantos — ao lado da piscina, no Convés 12, durante as refeições, nos shows, no Bingo. Um copinho bem fino de refri custa 2 dólares (você não paga em dinheiro vivo, apenas assina um papel; na última noite eles enfiam uma Fatura de Cobrança na sua goela), e coquetéis exóticos como Wallbangers e Fuzzy Navels chegam a 5 dólares e 50. O *Nadir* não usa de práticas deselegantes como salgar demais a sopa ou colocar baldes de *pretzels* por todo canto, mas a atmosfera fabricada de gratificação e festa sem fim de um Cruzeiro de Luxo 7NC — "Vai fundo, Você Merece" — mais do que contribui para que o álcool role solto. (Não vamos esquecer do custo de um bom vinho na ceia e os *sommeliers* onipresentes.) Dos diversos passageiros com quem conversei, mais da metade estimou o custo total da conta de bebidas de seu grupo em mais de 500 dólares. E

QUARENTENA DE TRÂNSITO ALIMENTÍCIO e MAU USO DA LEI DOS NARCÓTICOS DE 1972.[90] Agora é quinta-feira, 16 de março, 7h10, e estou sozinho no Café da Manhã Madrugador do R5*C com o garçom da Mesa

se você sabe um pouquinho que seja sobre a margem de lucros com bebidas em qualquer bar/restaurante, sabe que muitos desses 500 dólares representam lucro líquido. Outras chaves para a lucratividade: boa parte da receita dos funcionários do navio não está fatorada no preço da passagem do Cruzeiro: você precisa dar gorjetas ao final da semana, senão eles ficarão em apuros (também é enervante que isso não seja mencionado na brochura da Celebrity). E no fim das contas muito do entretenimento pago a bordo do *Nadir* é "franqueado" — agências estabelecem contratos com a Celebrity Cruises para fornecer equipes como os Matrix Dancers para todos os shows de palco, as aulas de Eletric Slide etc.

Outro franqueado é o Cassino Mayfair do Convés 8, cujo proprietário paga uma taxa semanal fixa mais uma porcentagem indefinida ao *Nadir* pelo privilégio de investir com seus crupiês exuberantes e dispensadores de quatro baralhos contra passageiros que aprenderam as regras do 21 e do Pôquer Caribenho num "Vídeo Educativo" exibido continuamente num dos canais de TV At-Sea. Não passei muito tempo no Cassino Mayfair — não é muito divertido ficar encarando os olhos de vovós de 74 anos de Cleveland enquanto enfiam moedas nas ranhuras de máquinas que não param de piar — mas fiquei ali dentro o suficiente para ver que, mesmo se o *Nadir* estiver recebendo apenas 10% dos lucros semanais do Mayfair, a Celebrity está lucrando os tubos.

[90] Fragmento deste último: "Todas as pessoas entrando em cada ilha [?] devem saber que é uma OFENSA CRIMINAL importar ou possuir narcóticos e outras Drogas Controladas, incluindo maconha. As penas para os infratores são severas". Metade da Palestra concedida antes da escala na Jamaica consistia em conselhos sobre traficantes desonestos que vendem 7 gramas de fumo vagabundo e em seguida vão atrás de um policial para denunciar você e ganhar uma recompensa. As condições das prisões locais são descritas apenas o suficiente para estimular as partes mais sinistras da imaginação.

A política sobre drogas a bordo da Celebrity Cruises permanece obscura. Embora haja sempre uma meia dúzia de seguranças sisudos ao redor da entrada do *Nadir* durante as escalas, você nunca é revistado ao reembarcar. Nunca vi nem farejei qualquer indício de uso de drogas a bordo do *Nadir* — como no caso da luxúria, não parece ser o barato desse tipo de pessoal. Mas deve ter havido incidentes curiosos no passado do *Nadir*, porque a equipe do cruzeiro se tornou quase operística em suas advertências quando tomamos o

64 pairando por perto acompanhado pelo auxiliar.[91] Chegamos ao final do trajeto e demos a volta para retornar a Key West, e hoje é um dos dois dias "Em Alto-Mar" da semana, quando as atividades a bordo se tornam mais abundantes e alcançam o pico de organização; e este é o dia que escolhi para usar o *Nadir Diário* como guia de viagem enquanto deixo a Cabine 1009 por um período muito superior a meia hora, mergulho de cabeça no universo recreativo e mantenho um registro preciso e detalhado de algumas experiências genuinamente representativas enquanto avançamos unidos Em Busca da Diversão Gerenciada. Assim, daqui em diante tudo foi extraído do registro de experiências desse dia em meu diário pessoal:

6H45: Uma campainha tríplice soa nos alto-falantes da cabine e do corredor, seguida por uma voz feminina e serena que deseja Bom-Dia, informa a data, o tempo etc. Fala primeiro num inglês com sotaque bem sutil, depois repete num francês que soa alsaciano, depois novamente em alemão. Consegue fazer até mesmo o alemão soar delicioso e pós-coital. Não é a mesma voz do

---

rumo de Fort Lauderdale na sexta-feira, embora cada aviso fosse precedido por um reconhecimento de que o conselho de jogar fora qualquer substância controlada *certamente* não se aplicaria a ninguém neste cruzeiro em particular. Ao que parece, a opinião do pessoal da alfândega em Fort Lauderdale sobre os passageiros que retornam de um 7NC é parecida com a opinião de policiais de cidades pequenas sobre infratores de velocidade com placas de outros estados em seus Saab Turbos. Um veterano de muitos CL7NCs comentou com um dos garotos da U. Texas na minha frente na fila da alfândega no último dia: "Menino, se um desses cachorros parar na sua mala, reza pra ele levantar a perna".
[91] O sono desses garçons é um mistério completo. Trabalham todas as noites no Bufê da Meia-Noite, depois ajudam na limpeza, depois reaparecem no dia seguinte às 6h30 no R5*C usando smokings impecáveis, sempre tão vistosos e alertas que parecem ter acordado na base do tapa.

sistema de som do Píer 21, mas possui a mesma exata qualidade de soar da mesma forma que um perfume caro cheira.

6H50-7H05: Chuveiro, diversão com secador de cabelo Alisco Sirocco & ventilador & cabelo no espelho do banheiro, ler um trecho de *Meditações Diárias para Afligidos por Semifobias*, analisar o *Nadir Diário* empunhando um marcador amarelo fluorescente.

7H08-7H30: Café da Manhã Madrugador na Mesa 64 do R5*C. Ontem à noite todos anunciaram sua intenção de dormir durante o café e mais tarde comer uns bolinhos ou coisa que o valha no Café Windsurf. Deste modo estou sozinho na Mesa 64, que é grande, redonda e fica bem ao lado de uma janela de estibordo.

Como mencionei antes, o nome do garçom da Mesa 64 é Tibor. Mentalmente me refiro a ele como "*The Tibster*", mas nunca faço isso em voz alta. Tibor desmontou alcachofras e lagostas para mim e me ensinou que muito-bem-passado não é a única forma palatável de carne. Sinto que criamos uma conexão. Ele tem 35 anos, mais ou menos 1,63 m e é rechonchudo, e seus movimentos têm a economia característica de homens pequenos, rechonchudos e graciosos. Em termos de cardápio, Tibor aconselha e recomenda, mas sem a arrogância que sempre me fez odiar garçons gastropedantes em restaurantes de luxo. Tibor é onipresente sem ser lacaiesco ou opressivo; é gentil, caloroso e divertido. Eu meio que amo Tibor. Ele nasceu em Budapeste e se pós-graduou em Gestão de Restaurantes numa faculdade húngara de nome impronunciável. Na Hungria, sua esposa espera o primeiro filho do casal. Ele é Chefe dos Garçons das Mesas 64-67 durante as três refeições. Carrega três bandejas s/ pestanejar e nunca aparenta estar estressado ou nervoso como a maioria dos garçons que cuidam de várias mesas. Ele parece se importar. Seu rosto é ao mesmo tempo redondo e pontudo, e corado. Seu smoking nunca amassa. Suas mãos são macias e rosadas, e a pele na junta do polegar não tem rugas, como a junta do polegar de uma criança pequena.

Tibor foi definido pelas mulheres da Mesa 64 como "uma fofura". Mas aprendi a não ser enganado por essa fofice. Tibor é um profissional. Seu comprometimento em incorporar pessoalmente o compromisso fanático do *Nadir* com a excelência é a única coisa a respeito da qual ele não demonstra senso de humor algum. Se alguém foder com ele nesse quesito, Tibor vai sofrer e não fará nenhum esforço para disfarçar. Por exemplo: na ceia da segunda noite, domingo, Tibor circundava a mesa perguntando a cada um de nós como estava a entrada, e todos consideramos isso como mais uma das perguntas perfunctórias de garçom e abrimos sorrisos perfunctórios e limpamos a boca e dissemos Ótimo, ótimo — e Tibor enfim parou, nos olhou com uma expressão dolorida e mudou de leve o timbre da voz para deixar claro que estava falando com a mesa inteira: "Por favor. Pergunto a todos: excelente? Se excelente, diga, e estarei feliz. Se não excelente, por favor: não diga excelente. Eu conserto. Por favor". Não se percebia sinal de arrogância ou pedantismo enquanto ele falava. Queria dizer exatamente o que disse. Tinha a expressão desarmada de um bebê, e prestamos atenção no que ele disse, e nada mais voltou a ser perfunctório.

O bom e velho Wojtek, o polonês gigante de óculos, com 22 anos e pelo menos dois metros de altura, auxiliar de garçom da Mesa 64 — responsável pela reposição de água e pães, pela remoção de farelos e pelo uso de um moedor imenso para colocar pimenta sobre praticamente qualquer coisa que não estiver protegida pelo tronco de alguém — o bom e velho Wojtek trabalha exclusivamente com Tibor, e eles têm uma coreografia intrincada de serviço afinada até o último passo, e conversam em voz baixa usando um *pidgin* alemão eslavizado que se percebe ter evoluído ao longo de incontáveis conversas profissionais discretas; e se percebe que Wojtek reverencia Tibor tanto quanto a gente.

Nesta manhã *Tibster* está usando uma gravata-borboleta vermelha e cheira sutilmente a sândalo. O Café da Manhã Madrugador é a melhor hora para estar perto de Tibor, porque ele não está muito ocupado e pode ser induzido a bater papo sem dar a impressão de estar sofrendo por negligenciar seus deveres. Ele não sabe que estou a bordo do *Nadir* como pseudojornalista. Não sei bem por que não contei — de certo modo, imagino que poderia dificultar as coisas para ele. Durante nossos bate-papos no C.M.M. nunca perguntei nada sobre a Celebrity Cruises ou o *Nadir*,[92] não por consideração às injunções irritadiças do sr. Dermatite, mas porque sinto que morreria se Tibor entrasse em apuros por minha culpa.

Tibor tem a ambição de um dia voltar em definitivo para Budapeste[93] e usar as economias de seu período no *Nadir* para abrir um café de calçada no estilo jornal-e-boina, especializado em algo conhecido como Sopa de Cereja. Com isso em mente, daqui a dois dias, em Ft. Lauderdale, darei ao *Tibster* uma gorjeta muito, muito superior aos 3 dólares/dia que foram sugeridos,[94] equilibrando os gastos totais mediante um corte radical nas gorjetas do *maître* lúgubre e desprovido de lábios e do *sommelier*, um cingalês sinistro e servil que a mesa inteira batizou de Abutre de Veludo.

---

[92] (mas pedi descrições precisas de quaisquer nadadeiras dorsais que ele pudesse ter avistado)

[93] (ele pronuncia o final "peste" como "percht")

[94] O *ND* de ontem à noite revelou informações sobre gorjetas e deu "sugestões" cuidadosas a respeito de valores.

8h15: Missa Católica celebrada com padre DeSandre, Local: Sala Rainbow, Convés 8.[95]

O *Nadir* não conta com uma capela propriamente dita. O Padre arma uma espécie de altar dobrável na Sala Rainbow, o salão mais ao fundo do Convés Fantasia, decorado em salmão e amarelo queimado com rodapés de bronze polido. Em alto-mar a genuflexão se mostra um negócio complicado. Há umas doze pessoas por aqui. O Padre está iluminado por detrás pela janela ampla e sua homília é misericordiosamente livre de trocadilhos náuticos ou referências à vida como uma viagem. Há duas opções de bebida comunal, vinho ou suco de uva não adoçado da marca Welch. Até mesmo as hóstias do *Nadir* são mais gostosas que o usual, mais parecidas com um biscoito, e há um toque doce na pasta em que se transformam ao se encontrarem com os dentes.[96] Comentários cínicos a respeito de como é apropriado que a missa diária num Cruzeiro de Luxo 7nc aconteça num bar excessivamente decorado parecem fáceis demais para merecerem espaço. Como um sacerdote diocesano recebe um Megacruzeiro 7nc como paróquia — talvez a Celebrity tenha clérigos em seus quadros, mais ou menos como o Exército, ou talvez sejam designados em rodízio para navios diferentes, ou talvez a Igreja C.R. seja paga da mesma forma que as outras empresas que oferecem serviços e equipes de entretenimento etc. — temo que permanecerá obscuro para sempre: o padre DeSandre explica que após a cerimônia não terá tempo para esclarecer dúvidas profissionais, por conta da

---

[95] Tudo que está em negrito foi transcrito palavra por palavra do *Nadir Diário* de hoje.
[96] Se a *Pepperidge Farm* produzisse hóstias, seriam iguais a estas.

9H00: **Renovação de Votos Matrimoniais com Padre DeSandre.** Mesmo local, mesmo altar portátil. Todavia nenhum casal se apresenta para renovar os votos de matrimônio. Além de mim, estão aqui Capitão Vídeo e talvez uma dúzia de outros *Nadir*itas, sentados em cadeiras salmão, e uma garçonete de viseira dá algumas voltas com uma prancheta, e o padre DeS. aguarda paciente com sua batina e manto branco até as 9h20, mas nenhum casal mais velho aparece ou se apresenta para a renovação. Algumas das pessoas na S.R. sentam mais próximas e demonstram com suas atitudes que se trata de casais, mas informam ao padre com um ar meio constrangido que nem ao menos são casados; quando o padre DeS., surpreendentemente bacana e descontraído, os convida a usufruírem do altar, das velas gêmeas e do sacerdote c/ o *Livro dos Ritos* sacramental aberto na página correta os casais respondem com risadas tímidas, mas ninguém se voluntaria. Não sei o que pensar da ausência de candidatos à R.V. M. em termos das questões de morte/desespero/mimos/insaciabilidade.

9H30: **A Biblioteca está aberta para retirada de jogos, cartas e livros, Local: Biblioteca,[97] Convés 7.**
A Biblioteca do Nadir é uma salinha delimitada por vidros num canto do Salão Rendez-Vous do Convés 7. A Biblioteca tem paredes de madeira de qualidade, poltronas de couro e lâmpadas tridirecionais, um lugar bastante agradável, mas só fica aberta em horários esquisitos e inconvenientes. Apenas uma das paredes tem prateleiras, e a maior parte dos livros são do tipo que se espera encontrar em mesas de centro nas casas de idosos que vivem em condomínios próximos a campos de golfe que não oferecem

---

[97] Dãa.

desafio algum: em tamanho fólio, com pranchas coloridas e títulos como *Gloriosas Villas Italianas* e *Os Mais Famosos Jogos de Chá do Mundo Moderno* etc. Mas é um ótimo local para se estar e relaxar um pouco, a Biblioteca. E é onde ficam os tabuleiros de xadrez. Nesta semana outra atração é um quebra-cabeças muito complexo e de tamanho inacreditável, montado quase pela metade sobre uma mesa de carvalho num canto, e que recebe a atenção laboriosa de diferentes idosos em turnos. Uma partida aparentemente infinita de bridge está sempre acontecendo no Salão de Cartas que fica bem ao lado, e as silhuetas imóveis dos jogadores de bridge estão sempre visíveis através do vidro fosco que separa a Biblioteca e o S.d.C. quando estou relaxando e brincando com os tabuleiros de xadrez.

A Biblioteca do *Nadir* conta com jogos de xadrez vagabundos da Parker Brothers, com peças ocas de plástico que garantem o deleite de qualquer bom enxadrista.[98] Nem em sonho sou tão bom no xadrez quanto no Pingue-Pongue, mas sou muito bom. A bordo do *Nadir*, na maior parte do tempo jogo xadrez comigo mesmo (não é tão tedioso quanto pode parecer), pois estipulei que — sem querer ofender — os tipos de pessoas que participam de Megacruzeiros 7nc tendem a não ser muito bons no xadrez.

Hoje, porém, é o dia em que uma garota de nove anos me aplica um xeque-mate em 23 lances. Não vamos perder muito tempo com isso. A garota se chama Deirdre. É uma das poucas crianças a bordo que não fica enfiada na Creche do Convés 4.[99] A

---

[98] Peças caras, pesadas e esculpidas artisticamente são coisa de babaca.

[99] É mais uma das coisas que o sr. Dermatite me impediu de visitar, mas segundo todos os informes as creches desses Meganavios são fenomenais, c/ esquadrões de jovens recreacionistas protetoras e hipercinéticas que mantêm a criançada num nível insano de estimulação por até dez horas seguidas mediante um número infinito de atividades terrivelmente bem estruturadas, deixando as crianças tão fatigadas que elas desabam silenciosas em suas camas às 20h00 e deixam os pais livres para mergulhar na vida noturna do navio e Fazer Tudo Isso.

mãe de Deirdre nunca a deixa na Creche, mas também nunca sai de perto dela, e tem a figura pétrea e desprovida de lábios de um pai cujo filho é bom em alguma coisa a um nível sobrenatural.

Eu provavelmente percebo isso e certos sinais adicionais de humilhação iminente quando a garotinha se aproxima enquanto estou sentado ali experimentando um cenário onde os dois lados do tabuleiro empregam uma Defesa Indiana da Rainha, puxa a manga da minha camisa e pergunta se por acaso eu gostaria de jogar. Ela realmente puxa a manga da minha camisa, e me chama de Senhor, e os olhos dela são mais ou menos do mesmo tamanho de pratos de sanduíche. Em retrospecto, me ocorre agora que essa garota era um pouco *alta* para ter nove anos, e parecia esgotada, com os ombros caídos de um modo que normalmente só se percebe em garotas bem mais velhas — uma espécie de má postura psíquica. Por melhor que ela seja no xadrez, esta não é uma garotinha feliz. Imagino que isso não seja pertinente.

Deirdre puxa uma cadeira, comenta que em geral prefere jogar com as pretas e me informa que num monte de culturas a cor preta não é tanatoide nem mórbida mas o equivalente espiritual daquilo que o branco representa nos EUA, e que nessas outras culturas a cor *branca* é que é mórbida. Digo a ela que já sabia de tudo isso. Começamos. Empurro alguns peões e Deirdre desenvolve um cavalo. A mãe de Deirdre assiste ao jogo inteiro em pé, atrás do assento da filha,[100] imóvel exceto pelos olhos. Descubro em poucos segundos que desprezo essa mãe. É uma espécie de mãe tirana do xadrez. Deirdre, todavia, parece uma pessoa o.k. — já joguei com crianças-prodígio e Deirdre pelo menos não me vaia nem abre sorrisos cretinos. Parece até meio triste por eu não ter me revelado um adversário à sua altura.

---

[100] As únicas poltronas na Biblioteca são poltronas de couro com abas no encosto e assento baixo, de modo que apenas os olhos e o nariz de Deirdre ficam visíveis por detrás do tabuleiro do meu ponto de vista, agregando um caráter surreal à humilhação.

A primeira indicação de problemas sérios acontece no quarto lance, quando emprego um fianqueto e Deirdre sabe perfeitamente que se trata de um fianqueto e usa o termo corretamente, mais uma vez me chamando de Senhor. A segunda pista nefasta é a maneira como ela afasta rapidamente a mãozinha para a lateral do tabuleiro após fazer o lance, um sinal de que está acostumada a jogar usando cronômetro. Ela avança com seu CD desenvolvido e garfa minha rainha no décimo segundo lance e depois disso é apenas uma questão de tempo. Não importa. Eu nem mesmo *comecei* a jogar xadrez até estar com quase trinta anos. No lance 17, três pessoas desesperadamente idosas e aparentadas que estavam na mesa do quebra-cabeças meio que cambaleiam até nós e assistem enquanto sacrifico minha torre e a carnificina tem início. Não importa. Nem Deirdre nem sua mãe abominável sorriem quando tudo chega ao fim; eu sorrio o bastante por todos. Nenhum de nós fala nada sobre talvez jogar de novo amanhã.

9H45-10H00: Breve retorno à boa e velha 1009B.E. para recarregar as baterias psíquicas. Como quatro pedaços de um tipo de fruta que parece uma tangerina minúscula e dulcíssima e pela quinta vez na semana assisto ao trecho de *Jurassic Park* em que os velociraptors encurralam as crianças-prodígio na reluzente cozinha industrial, e desta vez registro nutrir uma simpatia sem precedentes pelos velociraptors.

10H00-11H00: Três locais simultâneos de Diversão Gerenciada, todos na parte posterior do Convés 9: **Torneio de Dardos, mire e acerte na mosca!**; *Shuffleboard Shuffle*, **junte-se aos outros hóspedes em uma partida matinal; Torneio de Pingue-Pongue, enfrente a Equipe do Cruzeiro nas mesas, Prêmios para os Vencedores!**

Shuffleboard organizado é uma coisa que sempre me encheu de pavor. Tudo sugere senescência enferma e morte: é como se fosse um jogo praticado sobre a cobertura de um abismo e as raspadas do disco deslizante fossem o som da cobertura se erodindo pouco a pouco. Também possuo um temor mórbido mas inteiramente justificável de dardos, derivado de um trauma infantil intrincado e apavorante demais para ser discutido aqui, e agora que sou um adulto fujo de dardos como se transmitissem cólera.

O que me traz aqui é o Pingue-Pongue. Sou um jogador excepcionalmente bom de Pingue-Pongue. O uso do termo "Torneio" por parte do *ND* foi um eufemismo, todavia, pois não existem folhas de resultados nem troféus e nenhum outro *Nadir*ita é visto jogando. Os ventos fortes e constantes no 9-Popa talvez expliquem o baixo comparecimento ao Pingue-Pongue. Hoje foram armadas três mesas (bem longe do Torneio de Dardos, o que me parece bastante prudente levando em conta o nível dos jogadores de dardos por aqui) e o Profissional do Pingue-Pongue (ou "3P", como ele se apresenta) exclusivo do *Nadir* aguarda com ar presunçoso na mesa central, se distraindo usando a raquete para quicar a bolinha pelo meio das pernas e pelas costas. Ele se vira quando estalo os dedos. Nesta semana já compareci três vezes ao Pingue-Pongue e nunca encontro ninguém por aqui exceto o bom e velho 3P, cujo nome verdadeiro é Winston. Ele e eu estamos agora no ponto onde nos saudamos com os acenos breves de cabeça de velhos inimigos que nutrem um respeito mútuo.

Abaixo da mesa central fica uma caixa enorme de bolinhas de Pingue-Pongue, e parece que há muitas outras dessas caixas no armário que fica atrás da rede do *Golf-Drive*, outra coisa que parece bem prudente levando em conta o número de bolas que são esmagadas ou acabam parando no mar a cada partida.[101] Há

---

[101] Imagino que seria bem interessante seguir um Meganavio durante todo um Cruzeiro 7NC e simplesmente catalogar a trilha de coisas que ficam boiando em sua esteira.

também um grande painel cravejado de pinos na parede da antepara com mais de uma dúzia de raquetes diferentes, tanto as do tipo mais comum, de cabo de madeira e cabeça com revestimento fino de borracha áspera e vagabunda, quanto as mais sofisticadas, de cabo forrado e cabeça com revestimento grosso e macio de borracha lisa, todas nas cores estilosas da Celebrity: branco/azul-marinho.[102]

Sou, como acredito talvez já haver informado, um jogador extraordinário de Pingue-Pongue,[103] e acabei descobrindo que sou um jogador de Pingue-Pongue ainda mais extraordinário ao ar livre, em meio a ventos tropicais ardilosos; e embora Winston de fato jogue bem o suficiente para se habilitar ao título de 3P num navio cujo interesse em pingue-pongue é, digamos assim, pouco entusiasmado, até o momento meu histórico contra ele é de oito vitórias e somente uma derrota, sendo que esta derrota não apenas foi apertada como também consequência de algumas lufadas de vento traiçoeiras e uma rede que o próprio Winston admitiu mais tarde não corresponder à altura e à tensão oficiais das regras da F.I.T.M. Winston tem a curiosa (e falsa) impressão de que combinamos tacitamente que o 3P necessita de três vitórias em cinco jogos para ganhar meu boné colorido do Homem-Aranha, boné que ele cobiça e sem o qual eu nunca me atreveria a jogar Pingue-Pongue a sério.

Winston faz apenas um bico como 3P. Sua função primária no *Nadir* é servir como DJ Oficial do Cruzeiro na Discoteca Scor-

---

[102] Somente o medo de uma revista-surpresa na alfândega de Fort Lauderdale me impediu de roubar uma dessas raquetes. Confesso que acabei roubando o limpador de óculos de camurça do banheiro da 1009, mas talvez você possa mesmo levar isso para casa — não consegui decidir se entravam na categoria lenços de papel ou na categoria toalha.

[103] Tenho certeza que nunca perdi para garotas pré-pubescentes na merda do *Pingue-Pongue*, isso eu garanto.

pio do Convés 8, onde todas as noites ele fica postado em frente a uma gama incrível de equipamentos usando óculos escuros com aro de tartaruga e cuidando ao mesmo tempo do CD player e dos estrobos frenéticos até bem depois das 2h00, o que talvez se reflita no caráter letárgico e um tanto atordoado de seu Pingue-Pongue matinal. Ele tem 26 anos e, como boa parte da equipe de Cruzeiro e Atendimento ao Hóspede do *Nadir*, é bonito da mesma forma vagamente irreal que atores de novelas e modelos de catálogos da Sears são bonitos. Tem imensos olhos castanhos suplicantes e um corte de cabelo na forma de uma bigorna de ferreiro do século XIX, e joga Pingue-Pongue com a raquete de borracha grossa de cabeça para baixo com o jeito de quem está comendo com *hashis*, como faz quem recebeu treinamento profissional.

Ao ar livre, na popa, a pulsação dos motores do *Nadir* é alta e sempre soa estranhamente desigual. Winston 3P e eu chegamos ao nível de domínio quase zen do Pingue-Pongue em que o jogo é que nos joga — as investidas, piruetas, *smashes* e recuperações são materializações exteriores e automáticas de uma espécie de harmonia intuitiva entre mão, olho e uma Ânsia de Matar primal — de um modo que deixa nossos cérebros anteriores livres e capazes de conversar fiado enquanto jogamos:

"Que boné matador. Quero esse boné. Boné de patrão."

"Vai ficar querendo."

"Que boné matador, porra. Homem-Aranha é treta."[104]

"Valor sentimental. Esse boné tem história."

Não obstante a insipidez, é provável que neste Cruzeiro de Luxo 7NC eu tenha trocado mais palavras com Winston 3P do que com qualquer outra pessoa.[105] Como no caso do bom e velho

---

[104] Às vezes Winston parecia sofrer da delusão verbal de ser um jovem negro urbano; não tenho ideia do que está por trás disso nem de que conclusões tirar desse fato.

[105] Isso sem contar minhas interações com Petra, que embora prolongadas e verborrágicas, naturalmente tendiam a ser unilaterais exceto pelos "Você é uma coisa engraçada".

Tibor, não sondo Winston com nenhum propósito jornalístico sério, embora neste caso não seja tanto por temer colocar o 3P em apuros mas porque (nada pessoal contra o bom e velho Winston) ele não é a lâmpada mais brilhante do candelabro intelectual do navio, se é que você me entende. Por ex., o chiste predileto de Winston enquanto trabalha de DJ na Discoteca Scorpio é distorcer ou trocar palavras de alguma expressão popular bem comum para então dar uma risada seguida por um tapa na testa e o comentário "Essa me pegou!". De acordo com Mona e Alice, ele também não é bem-visto pelo pessoal mais jovem na Discoteca Scorpio porque insiste em tocar *rap* pasteurizado do topo das paradas ao invés de boa *disco music* da época de ouro.[106]

Também é desnecessário perguntar qualquer coisa a Winston, porque ele se torna um tagarela impressionante quando está perdendo. Há misteriosos sete anos é aluno da U. do Sul da Flórida e tirou este ano de folga para *"ganhar* algum dinheiro, pra variar um pouco"* a bordo do *Nadir*. Alega ter avistado inúmeros tipos de tubarão nestas águas, mas suas descrições não inspiram muita confiança ou pavor. Estamos no meio da segunda partida, na quinta bola. Winston declara ter contemplado o oceano e refletido muito sobre a vida nas horas de folga dos últimos meses, e decidiu voltar para a U.S.F. no Outono de 1995 e meio que recomeçar a faculdade, desta vez abandonando o curso de Administração de Empresas para se formar em algo que ele alega se chamar "Produção Multimidiada".

"Eles têm um departamento disso?"

---

[106] A coisa mais desconcertante a respeito dos passageiros jovens e descolados do *Nadir* é o amor aparentemente genuíno pela mesma *disco music* cafona que nós, jovens descolados do final dos anos 1970, abominávamos e da qual fazíamos piada, boicotando festas do colégio quando "MacArthur Park" de Donna Summer era escolhida como Música-Tema Oficial etc.

"É um negócio interdisciplinário. Vai ser *o bicho*, mano. Tá ligado? CD-ROM, essas porra. Chips inteligentes. Filme digital, essas porra."

Estou vencendo por 18-12. "Esporte do futuro."

Winston concorda. "Tudo vai ter a ver com isso. A Rede Mundial. TV interativa, essas porra. Realidade Virtual. Realidade Virtual *Interativa*."

"Entendo", respondo. A partida está quase no fim. "O Cruzeiro do Futuro. O *Cruzeiro em Casa*. Um Cruzeiro de Luxo pelo Caribe sem precisar sair de casa. Basta colocar os óculos e os eletrodos e pronto."

"É isso aí."

"Nada de passaportes. Nada de enjoo. Nada de vento nem queimaduras de sol nem funcionários insípidos.[107] Mimos Simulados Domésticos Mediante Realidade Virtual em Imobilidade Completa."

"Isso aí."

11H05: Palestra Sobre Navegação — Junte-se ao Capitão Nico e aprenda tudo sobre a Sala de Motores, o Passadiço e a "rebimboca da parafuseta" da operação do navio!

A e.m. *Nadir* pode carregar 1 742 000 litros de óleo diesel náutico. Queima entre 40 e 70 toneladas desse combustível por dia, dependendo da velocidade empreendida. O navio possui dois motores a turbina de cada lado, sendo o maior "Papai" e o

---

[107] Interagir com Winston podia ser meio deprimente na medida em que o impulso de tirar um sarro da cara dele era sempre irresistível, e ele nunca parecia se ofender ou nem ao menos indicar que sabia que eu estava tirando um sarro da cara dele, e depois eu ia embora me sentindo como se tivesse acabado de roubar moedas de um mendigo cego ou algo assim.

(comparativamente) menor, "Filho".[108] Cada motor tem uma hélice com 5 metros de diâmetro e é ajustável num eixo horizontal de 23,5° para obter torque máximo. O *Nadir* precisa de 0,9 milhas náuticas para parar completamente estando em sua velocidade padrão de 18 nós. O navio pode avançar um pouco mais rápido em certos tipos de mar bravio do que em mares calmos — isso se deve a razões técnicas que não caberiam no guardanapo onde estou fazendo estas anotações. O navio tem um leme, e o leme tem dois complexos "*flaps*" de liga metálica que interagem de maneira a permitir uma volta de 90°. O Capitão Nico[109] não venceria nenhuma medalha de oratória com seu inglês, mas fornece um genuíno festival de dados concretos. Ele tem mais ou menos a minha idade e altura, mas é tão bonito que chega a ser ridículo,[110] uma espécie de Paul Auster extremamente malhado e bronzeado. Estamos no Bar Fleet do Convés 11,[111] todo azul e branco com detalhes em inox, e fenestrado com tamanha abundância que a luz

---

[108] Escolhendo entre 2^4 opções, eles podem colocar todos os quatro para funcionar, ou um Papai e um Filho, ou dois Filhos etc. Minha impressão é que navegar usando Filhos ao invés de Papais é meio como trocar de dobra espacial para motores de impulso.
[109] O *Nadir* tem um Capitão, um Segundo-Capitão e quatro Oficiais-Chefes. O Capitão Nico é um desses Oficiais-Chefes; não sei por que ele é chamado de Capitão Nico.
[110] Outra coisa que aprendi neste Cruzeiro de Luxo é que nenhum homem pode ter melhor aparência do que a obtida num uniforme branco de gala de oficial naval. Mulheres de todas as idades e níveis de estrogênio desmaiavam, suspiravam, estremeciam, piscavam, grunhiam e vibravam durante a passagem de um desses oficiais gregos resplandecentes, um fenômeno que, imagino, não ajudava nem um pouco os gregos a serem humildes.
[111] O Bar Fleet foi também o local do **Chá Elegante** mais tarde naquele mesmo dia, onde passageiras idosas usavam luvas longas e brancas de stripper e mindinhos se projetavam de xícaras, e onde dentre minhas quebras de etiqueta de **Chá Elegante** ao que parece estavam: (a) imaginar que as pessoas se divertiriam com a camiseta com estampa de smoking que usei porque não tinha levado a sério a recomendação da brochura da Celebrity sobre levar um

do sol faz os *slides* ilustrativos do Capitão Nico parecerem gastos e fantasmagóricos. O Capitão Nico usa Ray-Bans, mas s/ cordão fluorescente. Quinta-feira, 16 de março, é também o dia em que minha paranoia sobre os planos do sr. Dermatite de me expelir do *Nadir* através da privada a vácuo da Cabine 1009 está em seu zênite emocional, e decidi de antemão que manteria o máximo de discrição jornalística neste evento. No total, faço somente uma perguntinha inócua, bem no começo, e o Capitão Nico responde com um gracejo —

"Como damos a partida nos motores? Não é com a chave da ignição, isso eu garanto!"

---

smoking de verdade para o cruzeiro; (b) imaginar que as senhoras idosas na minha mesa ficariam encantadas com as piadas de mau gosto sobre padrões Rorschach que fiz sobre as formas bem obscenas nas quais os guardanapos de linho estavam dobrados; (c) imaginar que essas mesmas senhoras estariam interessadas em aprender os tipos de coisas que são feitas com gansos ao longo de suas vidas de modo a produzir fígados dignos de virar patê; (d) colocar uma massa de 80 gramas de algo que parecia chumbinho negro brilhante sobre uma bolacha enorme e depois enfiar a bolacha inteira na boca; (e) assumir um segundo mais tarde uma expressão facial que me disseram ser, na interpretação mais benevolente, inelegante; (f) tentar responder de boca cheia quando uma senhora idosa do outro lado da mesa usando um pincenê e luvas cor da pele e batom no incisivo direito me informou que aquilo era caviar de beluga, resultando em (f(1)) expulsão de diversas migalhas e algo que parecia uma enorme bolha negra e (f(2)) produção distorcida de uma palavra que, ao que me contaram, soou para a mesa inteira como uma imprecação genital; (g) tentar cuspir toda aquela gosma nauseante e indescritível num delicado guardanapo de *papel* ao invés de usar algum dos abundantes e mais resistentes guardanapos de *linho*, com resultados que prefiro me limitar a descrever como *infelizes*; e (h) concordar com o garotinho (de gravata-borboleta e [sem brincadeira] bermudas de smoking) sentado ao meu lado que declarou que caviar de beluga era "gosmoso" com uma expressão espontânea e irrefletida que representava, sem dúvida alguma, uma imprecação genital.

Fechemos uma cortina caridosa sobre o resto deste pequeno exemplar de Diversão Gerenciada. De qualquer maneira, isso irá explicar a lacuna de 16h00-17h00 nos registros de hoje do meu diário pessoal.

— que inspira uma gargalhada sonora e meio rude por parte da plateia.

O longo mistério sobre as iniciais "e.m." em "e.m. *Nadir*" finalmente se dissipa: significa "embarcação motorizada". A construção da e.m. *Nadir* custou 250 310 000 dólares. Foi batizada em Papenburg, RFA, em 10/92 com uma garrafa de uzo em vez de champanhe. Os três geradores a bordo do *Nadir* produzem 9,9 megawatts de energia. Ficamos sabendo que o Passadiço do navio é o que fica atrás da intrigante antepara com três trancas próxima ao carrinho de toalhas mais à popa no Convés 11. O Passadiço é "onde ficam os equipamentos — radares, indicações de tempo e todas essas coisas".

Dois anos de aplicados estudos de pós-graduação são exigidos de aspirantes a oficiais para que compreendam a matemática envolvida na navegação; "também ocorre muito aprendizado para os computadores".

Dos cerca de 40 *Nadir*itas presentes à palestra, o número total de mulheres é: 0. Capitão Vídeo está aqui, é claro, Celebrando o Momento agachado com sua câmera sobre o balcão de aço do bar; está usando um abrigo esportivo em nylon marrom-fluorescente com roxo que o deixa parecido com uma imensa arara, e seus joelhos estalam sempre que ele muda de posição e volta a se acocorar. Estou realmente de saco cheio do Capitão Vídeo a essa altura.

Ao meu lado um homem com um bronzeado incrível toma notas com uma caneta Mont Blanc num caderno de capa de couro onde se lê a palavra ENGLER.[112] Um mínimo de planejamento

---

[112] Durante a semana inteira os Engleritas representaram um estudo subcultural fascinante — andando apenas em bando e tendo suas próprias Excursões Organizadas e constantemente reservando salões de festas com cordas de veludilho e sujeitos corpulentos de braços cruzados na entrada, conferindo credenciais — mas não houve espaço neste ensaio para me dedicar a uma englerologia de respeito.

no trajeto do Pingue-Pongue até o Bar Fleet teria me poupado de ficar sentado tentando tomar notas em guardanapos de papel usando um marcador fluorescente com ponta de feltro. Ficamos sabendo que os oficiais do *Nadir* contam com seus próprios alojamentos, refeitório e bar privativo no Convés 3. "No Passadiço temos também muitos tipos de bússola para ver aonde vamos." As quatro turbinas patrifiliais do navio não podem ser desligadas, exceto em doca seca. Para desativar um motor, eles simplesmente desengatam a hélice. Parece que fazer baliza com uma caminhonete sob efeito de LSD não chega nem perto da experiência do Capitão G. Panagiotakis ao atracar a e.m. *Nadir*. O cara da Engler ao meu lado está tomando um Slippery Nipple de 5 dólares e meio, servido com duas sombrinhas de papel em vez de uma só. Os alojamentos restantes da tripulação do *Nadir* ficam no Convés 2, que também abriga a lavanderia do navio e "as áreas de processamento de lixo e dejetos". Como todos os megacruzeiros, o *Nadir* não precisa de rebocador no porto; isso ocorre porque ele "conta com propulsores de popa e propulsores de proa abrigados em suas entranhas".[113]

A plateia da palestra consiste de homens calvos e corpulentos, com punhos grossos e mais de 50 anos, e todos parecem o tipo de sujeito que chega a CEO de uma empresa vindo do departamento de engenharia da empresa e não de algum programa de MBA metido a besta.[114] Vários são nitidamente veteranos da Marinha, iatistas ou coisa parecida. Formam uma plateia muito versada no assunto, fazem perguntas sobre o calibre e o tempo dos

---

[113] (ele não precisava ter mencionado "entranhas")
[114] Em outras palavras, o *self-made man* americano maduro que tem colhões de aço e não leva desaforo pra casa, um tipo que você odiaria descobrir que se trata do pai da garota em cuja casa você acaba de entrar para levá-la ao cinema ou algo do tipo, cheio de intenções pouco respeitáveis fervilhando na cabeça — uma figura primal de autoridade.

motores, o gerenciamento do torque multirradial, as distinções precisas entre um Capitão de Classe C e um Capitão de Classe B. Minhas tentativas de anotações técnicas são absorvidas pelo papel dos guardanapos até as letras amarelas ficarem inchadas e cartunescas como grafitagens de metrô. Todos os passageiros masculinos do 7NC querem saber coisas a respeito da hidrodinâmica dos estabilizadores de meia-nau. São o tipo de homem que parece estar fumando charutos mesmo quando não está fumando charutos. Todos exibem uma tez febril devido ao sol, à água salgada e à abundância de Slippery Nipples. 21,4 nós é a máxima velocidade de cruzeiro possível para um Meganavio 7NC. Eu nunca levantaria a mão no meio desse pessoal para perguntar o que é um nó.

 Várias perguntas irreproduzíveis dizem respeito ao sistema de navegação por satélite do navio. O Capitão Nico explica que o *Nadir* utiliza algo chamado GPS: "Este sistema de posicionamento global usa os satélites lá de cima para identificar nossa posição a qualquer momento e passa esses dados para o computador". Vem à tona que, quando não estamos lidando com atracações, uma espécie de Capitão Automático pilota o navio.[115] Sinto que não existem mais "lemes" ou "malaguetas"; e certamente nada parecido com os timões de madeira de eixos protuberantes que forram as paredes do garboso Bar Fleet, cada um trazendo no centro toletes dos quais pende uma delicada e verdejante samambaia.

---

[115] Isso ajuda a explicar por que o Capitão G. Panagiotakis costuma parecer tão fenomenalmente inocupado, por que seu verdadeiro trabalho parece ser ficar postado em diversas partes do *Nadir* tentando parecer vagamente presidencial, o que ele conseguiria (parecer presidencial) se não fosse essa história de usar óculos escuros em ambientes fechados,[115a] o que acaba fazendo com que ele se pareça mais com um ditador terceiro-mundista.

[115a] Todos os oficiais do navio usam óculos escuros em ambientes fechados, ao que parece, e sempre ficam postados ao lado de tudo com as mãos nas costas, geralmente em grupos de três, debatendo hieraticamente em grego técnico.

11H50: Não existe a menor chance de alguém sentir fome física num Cruzeiro de Luxo, mas quando você se acostuma a comer sete ou oito vezes por dia um certo vazio espumoso nas tripas garante que você saiba que chegou a hora de comer novamente.

Entre os *Nadir*itas, apenas os radicalmente idosos e formalfílicos comparecem ao Almoço Leve no R5*C, onde não é permitido usar calção de banho nem chapéus informais. O almoço mais badalado é no bufê do Café Windsurf, ao lado das piscinas e da gruta de plasticina do Convés 11. Logo após as duas portas automáticas do Windsurf, em duas arcas imensas com laterais decoradas para se parecerem com cascas de coco, é oferecida uma cornucópia de frutas frescas[116] flanqueadas pelas esculturas em gelo de uma Virgem Maria e uma baleia. O fluxo da multidão é habilmente manejado ao longo de diversos vetores diferentes de modo a minimizar qualquer demora, e a experiência de esperar para comer no Café Windsurf não é tão bovina como muitas das outras experiências 7NC.

Almoçar no Café Windsurf, onde as coisas ficam à vista ao invés de serem trazidas de algum lugar misterioso através de portas de vaivém, deixa ainda mais claro que todo o material comestível a bordo do *Nadir* é projetado para ser inteiramente de primeira linha: o chá não é Lipton, mas *Sir Thomas Lipton,* e vem num pacotinho individual elegante e fechado a vácuo, feito de papel laminado amarelo-claro; os frios são de excelente qualidade, livres de gordura e cartilagem, do tipo que geralmente os gentios só obtêm após invadirem delicatessens *kosher;* a mostarda é alguma coisa de sabor ainda mais requintado que Grey Poupon, mas vivo me esquecendo de anotar a marca. E o café do Café Windsurf — que borbulha alegre de torneiras em imensas cafeteiras de aço

---

[116] Deus é testemunha de que nunca mais vou comer frutas enquanto viver.

escovado — o café é simplesmente o tipo de café que faria você se casar com alguém capaz de prepará-lo. Em geral eu tenho um limite firme e neurologicamente imperativo de uma xícara de café, mas o café do Windsurf é tão bom[117] e o trabalho de decifrar as imensas manchas rorschachianas das minhas anotações da Palestra Sobre Navegação é tão exaustivo que nesse dia acabo excedendo o limite, e excedendo muito, o que pode ajudar a explicar por que as horas seguintes deste registro estão meio caleidoscópicas e dispersas.

12H40: Pareço estar ao ar livre no 9-Popa lançando bolas de golfe de um quadrado de grama sintética até uma densa rede de náilon que incha de maneira impressionante na direção do mar quando é atingida por uma bola de golfe. A estibordo, o *shuffleboard* tanatoide prossegue; não há sinal algum do 3P ou de jogadores de Pingue-Pongue nem de raquetes deixadas para trás; furinhos sinistros no convés, nas anteparas, nas balaustradas e até mesmo no quadrado de grama sintética atestam minha sabedoria ao resolver ficar longe do Torneio de Dardos matinal.

13H14: Estou sentado novamente no Salão Rainbow do Convés 8 assistindo a "Ernst", o misterioso e onipresente Leiloeiro de Arte[118] do *Nadir*, mediar lances animados por uma reprodução

---

[117] E é apenas café e nada mais — nada de Café Descafeinado Montanha Azul com Avelã ou Café Sudanês com Baunilha e Enzimas Especiais de Chicória nem qualquer dessas babaquices. No *Nadir* se trata de uma abordagem sensata do café que só posso aplaudir.
[118] Um dos pouquíssimos seres humanos que conheci que é ao mesmo tempo loiro e de aparência murídea, hoje Ernst está usando mocassins brancos, calças verdes e uma jaqueta esporte cujo rosa eu juro que só pode ser descrito como menstrual.

autografada de um Leroy Neiman. Vou repetir. Os lances estão animados e alcançando quatro casas, e tudo por uma reprodução autografada de um Leroy Neiman — não por um Leroy Neiman assinado, por uma *reprodução* autografada de um Leroy Neiman.

13H30: **Travessuras na Piscina! Junte-se ao Diretor do Cruzeiro, Scott Peterson, e sua equipe para muitas maluquices e o Concurso de Melhores Pernas Masculinas, julgado pelas senhoras e moças presentes!**

Começando a sentir os primeiros sintomas desagradáveis da intoxicação por cafeína, cabelo enfiado numa touca de natação gratuita da Celebrity Cruises por sugestão da equipe, participo de forma integral e ativa das Travessuras supracitadas, que consistem em sua maior parte de um concurso ao estilo de torneio onde as garotas do time das Garotas e os caras do time dos Caras precisam escalar postes telefônicos de plástico lambuzados de vaselina[119] e enfrentar outra/outro garota/cara com golpes de fronhas recheadas com balões tentando fazer com que ela/ele desabe na salmoura nauseante da piscina. Avanço dois *rounds* até ser derrubado por um recém-casado de Milwaukee, gigantesco e com ombros peludos, que *me dá um soco* — algo que pode acontecer quando as pessoas começam a perder o equilíbrio e se inclinam bem para a frente[120] para compensar — praticamente arrancando minha touca de natação e me derrubando com tudo numa piscina cujo conteúdo não apenas é rico em Na como também está

---

[119] (os postes)
[120] Foi o que eu fiz: me inclinei demais para a frente e atingi o punho fechado do cara, que agarrava a bainha da fronha, e foi por isso que não gritei Falta, embora a visão no meu olho direito ainda entre e saia de foco a todo momento mesmo uma semana mais tarde, aqui na terra firme.

coberto por uma escuma reluzente e multicolorida de vaselina, e venho à tona tão viscoso, injuriado e vesgo por conta do cruzado de direita do cara que arruíno o que teria sido uma oportunidade muito concreta de conquistar a vitória no Concurso de Melhores Pernas Masculinas, no qual acabo ficando em terceiro lugar, mas me revelam mais tarde que eu teria vencido se não fossem a carranca, o olho esquerdo inchado e estrábico e a touca de natação toda torta, elementos que reunidos compunham um quadro inegável de patetice e impediram que as curvas das minhas pernocas comovessem as juízas com força total.

14H10: Parece que agora estou no seminário de Artesanato que acontece todo dia numa espécie de salinha dos fundos do Café Windsurf, e exceto por notar que pareço ser o único homem presente com menos de 70 anos e que o projeto sendo construído sobre a mesa à minha frente envolve palitos de picolé, papel-crepom e um tipo de cola líquida e instantaneamente adesiva demais para eu me atrever a aproximar dela minhas mãos trêmulas e hipercafeinadas, não faço a mínima ideia de que porra está acontecendo. 14h15: No banheiro público ao lado dos elevadores no Convés 11-Proa, que conta com quatro mictórios e três privadas, todas dotadas de Sucção A Vácuo e que se acionadas uma após a outra em rápida sucessão produzem um som cumulativo exatamente igual ao melisma apoteótico D^b-$G^\#$ que encerra a gravação seminal feita em 1985 pelos Meninos Cantores de Viena da medievalmente lúgubre *Tenebrae Factae Sunt*. 14h20: E agora estou na Academia Olympic do Convés 12, nos fundos, a parte que pertence à Steiner of London,[121] onde ficam as mesmas mulheres de faces cremosas que cuidaram da multidão em 11/3 no Píer 21, e

---

[121] (também conhecida no *ND* como Salões e Spas Marítimos Steiner)

estou pedindo que me permitam assistir a um dos "Tratamentos Combinados de Fitômetro/Ionitermia para Redução de Centímetros e Desintoxicação"[122] a respeito dos quais algumas passageiras mais robustas fizeram elogios sem fim, e estou sendo informado de que na verdade não se trata de uma coisa de plateia, que tem nudez envolvida, e que se eu quiser mesmo assistir a um T.C.F./I.p.R.d.C.eD. terá de ser como objeto de um deles; e entre o preço informado do tratamento e a memória sensorial dos pelos queimados do meu nariz na aula de química em 1983, opto por me abster deste quinhão de mimos gerenciados. Quando você desiste de algo realmente grande, as moças cremosas tentam vender uma limpeza facial, mimo que segundo elas foi contratado por "um número muito enorme" de *Nadir*itas do sexo masculino ao longo desta semana, mas também recuso a limpeza facial, imaginando que a esta altura da semana, no meu caso, o procedimento consistiria quase inteiramente na esfoliação de pele semidescascada. 14h25: Agora estou no pequeno banheiro público da Academia

---

[122] Para que se compreenda por que ninguém provido de um sistema nervoso resistiria à vontade de assistir a um negócio desses, algumas informações concretas retiradas da brochura da Steiner:

IONITERMIA — COMO FUNCIONA? Primeiro você será medida em regiões selecionadas. A pele é marcada e as medidas são registradas no programa. Diversos cremes, géis e ampolas são aplicados. Eles contêm extratos eficazes em dissolver e emulsionar gordura. Eletrodos que utilizam faradização e galvanismo são posicionados e uma argila morna e azulada cobre a região inteira. Seu tratamento está pronto para começar. O galvanismo acelera a absorção dos produtos pela pele, e a faradização exercita os músculos.[122a] A celulite, ou "casca de laranja", tão comum entre as mulheres, é emulsionada pelo tratamento, o que facilita a drenagem e a dispersão das toxinas do corpo, conferindo à pele uma aparência mais lisa.

[122a] E como alguém que certa vez roçou sem querer numa bobina de indução elétrica num laboratório de química da faculdade e em seguida precisou ser separado à força do negócio com a ajuda de um cabo de vassoura de madeira, posso confirmar pessoalmente os benefícios dos exercícios convulsivos induzidos por uma corrente farádica.

Olympic, um lavabo solitário que se destaca apenas porque "Let's Get Physical" de O. Newton-John escapa num *loop* ao que tudo indica infinito do alto-falante no teto. Aproveito para admitir que nesta semana, entre bombardeios de raios UV, vim algumas vezes para a Academia Olympic do *Nadir* e puxei um pouco de ferro. Mas no caso da A. O. seria mais apropriado dizer que puxei liga de titânio ultrarrefinada; todos os pesos são de aço inoxidável polido e o lugar é uma dessas academias com espelhos nas quatro paredes onde você acaba obrigado a realizar exibições públicas de autoanálise física tão torturantes quanto irresistíveis, e há também máquinas imensas que lembram insetos e imitam as exigências aeróbicas de escadarias, barcos a remo, bicicletas de corrida e esquis de *cross-country* mal regulados etc., contando inclusive com eletrodos para monitoramento cardíaco e fones de ouvido sem fio; e nessas máquinas há pessoas usando elastano que me inspiram uma vontade enorme de levar para um cantinho e recomendar da forma mais diplomática e amorosa possível que nunca usem elastano.

14H30: Voltamos ao bom e velho Salão Rainbow para **Nos Bastidores — Encontre Scott Peterson, seu Diretor de Cruzeiro, e descubra a verdade sobre como é trabalhar em um Navio de Cruzeiro!**

Scott Peterson é um homem de 39 anos profundamente bronzeado com cabelo alto e rígido, sorriso esfuziante contínuo, bigode de escargot e um Rolex cintilante — em resumo, o tipo de sujeito que parece muito à vontade usando mocassins brancos sem meias e uma camisa polo Lacoste verde-menta. É também um dos funcionários da Celebrity Cruises que menos me inspira simpatia, embora com Scott Peterson seja antes um caso de incômodo levemente agradável, não a repugnância apavorada que sinto pelo sr. Dermatite.

A melhor maneira de descrever a conduta de Scott Peterson é dizer que ele parece estar posando o tempo inteiro para uma fotografia que ninguém está tirando.[123] Ele sobe no estrado metálico do Salão Rainbow, gira a cadeira, senta como se fosse um cantor de cabaré e começa. Há talvez 50 pessoas na plateia e preciso admitir que algumas delas parecem gostar bastante de Scott Peterson e apreciar de verdade sua palestra, uma palestra que, de modo nada surpreendente, acaba sendo mais sobre como é ser Scott Peterson do que sobre como é trabalhar no bom e velho *Nadir*. Alguns dos assuntos mencionados incluem onde e sob quais circunstâncias Scott Peterson se interessou por navios de cruzeiro, como Scott Peterson e um colega de faculdade conseguiram juntos seus primeiros empregos num navio de cruzeiro, algumas bobagens hilárias cometidas por Scott Peterson nos primeiros meses de trabalho, todas as celebridades que Scott Peterson conheceu pessoalmente e cujas mãos apertou, o quanto Scott Peterson ama as pessoas que conhece por trabalhar num navio de cruzeiro, o quanto Scott Peterson ama simplesmente trabalhar num navio de cruzeiro, como Scott Peterson conheceu a futura sra. Scott Peterson trabalhando num navio de cruzeiro, e como a sra. Scott Peterson agora trabalha em outro navio de cruzeiro e o quanto é desafiador manter uma relação íntima tão calorosa e sensacional em todos os sentidos quanto a do sr. e da sra. Scott Peterson quando vocês (isto é, o sr. e a sra. Scott Peterson) traba-

---

[123] Ele também lembra um pouco aqueles políticos e chefes de polícia de cidades pequenas que vão a extremos vergonhosos para serem mencionados no jornal local. O nome de Scott Peterson aparece pelo menos uma dúzia de vezes todos os dias no *Nadir Diário*: "**Torneio de Gamão com Scott Peterson, seu Diretor de Cruzeiro**"; "'**O Mundo Dá Voltas', com Jane McDonald, Michael Mullane e as Matrix Dancers, apresentados por Scott Peterson, seu Diretor de Cruzeiro**"; "**Palestra Sobre o Desembarque em Ft. Lauderdale — Scott Peterson, seu Diretor de Cruzeiro, explica tudo que você precisa saber a respeito de sua transferência do navio em Ft. Lauderdale**"; *et cetera ad nauseam*.

lham em navios de cruzeiro diferentes e só se encontram mais ou menos uma vez a cada seis semanas, exceto que hoje Scott Peterson está feliz em anunciar que a sra. Scott Peterson está gozando de merecidas férias e que como um raro presente se encontra nesta semana a bordo da e.m. *Nadir* com ele, Scott Peterson, e para falar a verdade está bem aqui conosco na plateia, e que tal a sra. Scott Peterson se levantar e cumprimentar o pessoal.

    Juro que não estou exagerando: é uma situação de arrancar os cabelos com as duas mãos, fenomenal de tão repulsiva. Mas agora, bem quando começo a ir embora para não chegar atrasado no tão esperado tiro ao prato das 15h00, Scott Peterson começa a relatar um caso que engloba diversos dos meus pavores e fascínios a bordo, a ponto de me convencer a ficar por aqui e tentar anotar tudo. Scott Peterson nos conta como sua esposa, a sra. Scott Peterson, estava no chuveiro da Suíte do sr. e da sra. Scott Peterson no Convés 3 do *Nadir* uma noite dessas quando — uma das mãos se eleva, como se ele buscasse o exato termo delicado — quando soou o chamado da natureza. Então, ao que parece, a sra. Scott Peterson sai do chuveiro ainda molhada e se senta no vaso sanitário do banheiro da cabine de Scott Peterson. Num comentário paralelo à narrativa, Scott Peterson diz que talvez tenhamos percebido que os vasos sanitários a bordo da e.m. *Nadir* estão conectados a um Sistema de Esgotos a Vácuo de última linha, cuja descarga possui um efeito de sucção nada fraco ou desconsiderável. Outros *Nadir*itas além de mim devem temer as privadas, porque o comentário inspira algumas risadas mal disfarçadas e tensas. A sra. Scott Peterson[124] está afundando cada vez mais em sua cadeira salmão. Scott Peterson diz que mas aí a sra. Scott Pe-

---

[124] A sra. S. P. é britânica, ectomorfa, dona de uma pele meio parecida com couro e usa um sombrero de abas muito largas, sombrero que agora a vejo tirar e guardar sob a mesinha de metal enquanto vai perdendo altitude na cadeira.

terson senta no vaso sanitário, ainda nua e molhada do chuveiro, e atende ao chamado da natureza, e quando termina estende a mão para acionar o mecanismo de Descarga do vaso sanitário, e Scott Peterson relata que, na condição molhada e escorregadia da sra. Scott Peterson, a incrível sucção do S.E.V. de última linha do *Nadir* começa a *sugá-la pelo orifício central do assento*,[125] e ao que parece a sra. Scott Peterson é um pouco larga demais pelo través para ser sugada inteiramente e lançada em algum vácuo excremental abstrato, mas ela fica *presa*, entalada até a metade no buraco do assento, e não consegue sair, e está naturalmente nua em pelo, e começa a se esgoelar pedindo ajuda (a esta altura, a sra. Scott Peterson em carne e osso parece muito interessada em alguma coisa que acontece debaixo do assento da cadeira, e praticamente apenas seu ombro esquerdo — marrom como couro e pontilhado de sardas — permanece visível de onde estou sentado); e Scott Peterson nos conta que ele, Scott Peterson, escuta os gritos e entra correndo no banheiro deixando a cabine onde até então praticava o Sorriso Profissional no enorme espelho ao lado do criado-mudo,[126] entra correndo e vê o que aconteceu com a sra. Scott Peterson e tenta puxá-la para fora dali — os pés dela dão chutes patéticos enquanto nádegas e poplíteos vão arroxeando por conta da pressão adesiva do assento — mas não consegue, ela ficou entalada demais por conta da assustadora sucção do S.E.V., e então graças a um raciocínio rápido Scott Peterson pega

---

[125] Nessa altura da anedota estou absolutamente rígido de interesse e terror empático, o que ajudará a explicar por que fico tão decepcionado quando a história inteira se revela como nada mais que uma piada vagabunda e sem graça, que claramente tem sido contada semanalmente desde o início dos tempos por Scott Peterson (embora talvez não com a presença da pobre sra. Scott Peterson na plateia, e cheio de otimismo me ponho a imaginar toda espécie de vingança nupcial sendo descarregada sobre Scott Peterson por constranger a sra. Scott Peterson daquela forma), que é um imbecil.

[126] [postulado autoral]

o telefone e convoca um dos Encanadores de Bordo do *Nadir*, e o Encanador de Bordo responde Sim, sr. Scott Peterson, estou a caminho, senhor, e Scott Peterson volta correndo para o banheiro e informa à sra. Scott Peterson que a ajuda profissional está a caminho, mas só a essa altura a sra. Scott Peterson se dá conta de que está peladona, e que não apenas está com os seios ectomórficos completamente expostos à luz eurofluorescente mas que uma porção considerável de suas partes pudendas está claramente visível acima da borda do assento oclusivo que a mantém presa,[127] ao que se esgoela britanicamente ordenando que Scott Peterson faça alguma coisa pelo amor de Jesus Cristo para cobrir suas partes baixas de modo a protegê-las do olhar moreno e proletário do Encanador de Bordo cuja chegada é iminente, e então Scott Peterson deixa o banheiro e apanha o chapéu de sol favorito da sra. Scott Peterson, um imenso sombrero, na verdade o mesmo sombrero enorme que a amada esposa de Scott Peterson está usando agora... hã, estava usando até alguns segundos atrás neste mesmo Salão Rainbow; mas e aí por obra e graça do raciocínio engenhoso e rápido de Scott Peterson o sombrero é levado da cabine para o banheiro e depositado sobre o torso desnudo, curvado e côncavo da sra. Scott Peterson de modo a cobrir suas vergonhas. E o Encanador de Bordo bate na porta e entra, todo imenso e cheirando a óleo de máquina, c/ cinto de ferramentas balouçante, e entra no banheiro, analisa a situação, realiza algumas medições complexas, efetua alguns cálculos e enfim revela ao sr. Scott Peterson que ele (o Encanador de Bordo) se julga capaz de extrair a sra. Scott Peterson do assento da privada mas que retirar aquele mexicano entalado com a sra. S. P. vai ser outra história.

[127] [Outro postulado autoral, mas é a única forma de compreender o remédio ao qual ela está prestes a apelar (a essa altura eu ainda não sei que tudo não passa de uma piada cafona — e estou rígido e com os olhos esbugalhados de pavor empático pelas duas sras. S. P., tanto a intra quanto a extranarrativa).]

13h05: Passei voando por um segundo no Celebrity Show Lounge do Convés 7 com a intenção de pegar alguns dos ensaios para o apoteótico Show de Talentos a Bordo marcado para a noite de amanhã. Dois caras da U. Texas, com corte de cabelo militar e bastante queimados, treinam uma apresentação de dança com coreografia mínima ao som de "Shake Your Groove Thing". O Diretor-Assistente do Cruzeiro, "Dave, o Rapaz do Bingo", coordena as atividades sentado numa cadeira-diretor de lona à esquerda do palco. Um septuagenário de Halifax, VA, conta quatro piadas étnicas e canta "One Day at a Time (Sweet Jesus)". Um corretor de imóveis aposentado de Idaho faz um longo solo de bateria ao som de "Caravan". O apoteótico Show de Talentos a Bordo parece ser uma tradição 7NC, como a Festa à Fantasia Especial da noite de terça-feira.[128] Alguns dos *Nadir*itas levam esse troço muito a sério e trouxeram as próprias fantasias, músicas e apetrechos. Um casal de canadenses esbeltos ensaia uma apresentação de tango completa, c/ sapatos pretos de bico fino e rosa interdental. E ao que parece, o fechamento do S.T.B. ficará por conta de quatro apresentações de comédia *stand-up* estreladas por homens muito idosos. Cambaleiam pelo palco, um após o outro. Um carrega uma daquelas bengalas com pé triplo, outro usa uma gravata que lembra demais um omelete recheado e o outro é gago de dar pena. Seguem quatro apresentações sucessivas e intercambiáveis onde o clima e o humor sugerem cápsulas temporais exumadas dos anos 1950: piadas sobre como é impossível entender as mulheres, sobre como os homens adoram jogar golfe e suas esposas tentam impedir que joguem golfe etc. As apresentações exibem

---

[128] Era esse tipo de coisa, combinado à microgestão de atividades, que tornava o *Nadir* estranhamente recordatório da colônia de férias de verão que frequentei por três julhos seguidos na primeira infância, outro local onde a comida era ótima, todos estavam queimados de sol e eu passava o máximo de tempo possível na minha cabine, evitando atividades microgerenciadas.

o mesmo tipo de anacronismo exuberante que torna meus avós objetos simultâneos de minha piedade, minha reverência e meu constrangimento. Um dos membros do quarteto senescente se refere à apresentação como "número". O dono da bengala tridental para de repente no meio de uma longa piada sobre faltar ao funeral da esposa para jogar golfe e, apontando as pontas da bengala para Dave, o Rapaz do Bingo, exige uma estimativa imediata e precisa do número de pessoas que formará a plateia do Show de Talentos a Bordo amanhã à noite. Dave, o Rapaz do Bingo, meio que dá de ombros, confere a lixa de unhas e declara que é difícil prever, que isso varia a cada semana, ao que o velho meio que sacode a bengala e responde que acha bom que se trate de um número considerável, porque *abomina* se apresentar em casas vazias.

13H20: O *ND* esquece de mencionar que o tiro ao prato é uma Atividade Organizada *competitiva*. Cobram 1 dólar por tiro, mas é preciso comprar em conjuntos de 10, e uma placa imensa cuja forma lembra vagamente uma arma indica os melhores resultados em X/10. Chego atrasado no 8-Popa; um *Nadir*ita já está alvejando pratos e vários outros homens formaram uma fila e aguardam a vez de atirar. O rastro do *Nadir* é um grande V espumante bem abaixo da balaustrada de popa. Dois taciturnos suboficiais gregos dirigem o espetáculo e entre o inglês problemático, os protetores de ouvido e o ruído de fundo das espingardas — além do fato de eu nunca ter encostado numa arma na vida e ter apenas uma vaguíssima ideia até mesmo do lado que devo apontar — as negociações a respeito de minha entrada tardia no evento e o envio da conta para a *Harper's* se tornam prolongadas e complexas.

Sou o sétimo, o último da fila. Os outros concorrentes se referem aos pratos como "ratoeiras" ou "pombos", mas na verdade eles se parecem com disquinhos pintados na cor laranja fluorescente de roupas de caça muito caras. Acredito que esse laranja sirva para facilitar o rastreio visual, e a cor deve mesmo ajudar porque o cara de barba aparada e óculos de aviador que atira neste momento está cometendo um pratocídio sem limites no espaço sobre nossas cabeças.

Graças aos filmes e à televisão, imagino que todos conheçam os fundamentos do tiro ao prato: o sujeito encarregado da maquininha esquisita que lembra uma catapulta, a preparação, a mira e a ordem para chamar o alvo, a combinação entre *tump* e *catchang* da catapulta, o estrépito vivo da arma, e a desintegração do prato desventurado em pleno ar. Todos que estão na fila comigo são homens, embora haja algumas mulheres no público que assiste à competição a partir da varanda do 9-Popa, acima e atrás de nós.

Observando da fila, três coisas chamam a atenção: (a) o que na televisão é um estrépito vivo aqui é um rugido estrondoso que parece ser o verdadeiro som de uma espingarda; (b) atirar em pratos parece mais fácil, porque agora o cara mais velho e atarracado que entrou no lugar do cara de barba aparada também estoura um prato após o outro, de modo que uma chuva constante de sujeira laranja pedaçuda cai sobre o rastro do *Nadir*; (c) um prato voador,[129] ao ser alvejado, realiza uma peripécia assustadoramente familiar em pleno voo — explosão de material, mudança de vetor e queda até o mar numa espiral de saca-rolhas, tudo sinistramente evocando as cenas do desastre com a *Challenger* em 1986.

Das coisas que chamam a atenção, (b) se revela uma ilusão, mais ou menos como a ilusão que eu tive acerca da comparativa

---

[129] (postulo que esse pratos são feitos com algum tipo de argila extrafrágil, proporcionando o máximo de fragmentação)

facilidade do golfe ao assistir golfe na televisão antes de tentar de fato jogar golfe. Todos os atiradores que me precedem trazem no rosto uma expressão de desdenho casual, e todos conseguem 8/10 ou mais. Mas no fim das contas três desses seis caras receberam treinamento militar, dois são um par de irmãos retro-yuppies insuportáveis da Costa Leste que passam várias semanas todo ano caçando diversas espécies de voo veloz com seu "Pa*pa*" no sul do Canadá e o último não apenas trouxe os próprios protetores de ouvido, além de uma espingarda num estojo especial com forro de veludo molhado, como possui seu próprio campo de tiro ao prato no quintal de casa[130] na Carolina do Norte. Quando enfim chega a minha vez, recebo protetores de ouvido cheios de cera de outra pessoa, e eles não encaixam na minha cabeça. A arma em si é bem pesada e fede a algo que me dizem ser cordite, da qual pequenas espirais púbicas ainda escapam do cano da espingarda do veterano da Coreia que atirou antes de mim e está empatado em primeiro lugar, com 10/10. Os dois irmãos yuppies são os únicos participantes com mais ou menos a minha idade; ambos conseguem 9/10 e agora me analisam friamente em posição idêntica, apoiados como alunos de escolas de elite na balaustrada de estibordo. Os oficiais subalternos gregos parecem imensamente entediados. Recebo a arma pesada e o conselho de "apoiar o quadril" na balaustrada às minhas costas e depois colocar a coronha da arma contra não, *não* o ombro do braço que segura a arma, mas o braço com a mão que apertará o gatilho — meu erro inicial neste último quesito resultou numa mira severamente distorcida que fez o grego da catapulta se atirar no chão e rolar de um jeito até bem legal.

Tá, melhor não perder muito tempo me alongando sobre este incidente. Vou simplesmente informar que sim, meu placar

---

[130] !

no tiro ao prato foi nitidamente mais baixo que os placares dos outros concorrentes, e simplesmente fazer alguns comentários imparciais para o proveito de qualquer novato que esteja pensando em praticar tiro ao prato na parte externa de um meganavio 7NC, e depois seguiremos em frente: (1) Demonstrar certo nível de inépcia com uma arma de fogo fará com que todos ao seu redor que possuam algum conhecimento sobre armas de fogo se aproximem de você ao mesmo tempo para transmitir advertências e conselhos e dicas úteis que vieram de *Papa*. (2) Muitas das orientações em (1) se resumem ao conselho de "guiar" o disco quando é atirado, mas ninguém explica se isso significa que o cano da arma deve se mover pelo céu com o prato ou ao invés disso permanecer apontado numa espécie de emboscada estática para algum ponto do trajeto planejado do prato. (3) O tiro ao prato televisionado não é totalmente desprovido de realismo, na medida em que de fato se espera que você diga "Lance!" e o negocinho esquisito que parece uma catapulta de fato produz um *catchang*. (4) Seja lá o que for um "gatilho de resposta imediata", não faz parte de uma espingarda. (5) Se você nunca atirou com uma arma, o impulso de fechar os olhos no instante preciso da concussão é, para todos os fins práticos, irresistível. (6) O conhecido "coice" de um tiro tem um nome bastante apropriado: você se sente mesmo sendo escoiceado, e isso dói, e faz você recuar vários passos com os braços girando loucamente para manter o equilíbrio, e quando você está empunhando uma arma isso resulta em gritaria e corpos abaixados na multidão, e no tiro seguinte numa diminuição visível do número de pessoas na galeria de 9-Popa acima.

Por fim, (7), saiba que o movimento de um prato não alvejado pela vasta abóbada lápis-lazúli do céu do mar aberto é como o sol — isto é, alaranjado e parabólico e da direita para a esquerda — e que seu desaparecimento no mar começa pela beirada e não faz ruído algum e é triste.

16H00-17H00: Lacuna.

17H00-18H15: Ducha, higiene pessoal, assistir pela terceira vez ao comovente último ato de *André — uma foca em minha casa*, tentativa de reabilitar a aparência de meias de lã e casaco funerário com o vapor do chuveiro para a ceia desta noite no R5*C, que segundo informa o *ND* exige traje "Formal".[131]

---

[131] Olha, não vou desperdiçar muito do seu tempo ou da minha energia emocional para falar sobre isso, mas se você pertence ao sexo masculino e algum dia resolver participar de um Cruzeiro de Luxo 7NC, seja esperto e aceite um conselho ao qual não dei atenção: *leve trajes formais*. E não estou falando apenas de paletó e gravata. Paletó e gravata são adequados para os dois jantares "informais" (termo que parece corresponder a uma categoria-purgatório entre "esporte" e "formal") do 7NC, mas para o jantar Formal se espera que você use smoking ou algo chamado *black-tie*, que até onde percebi é basicamente a mesma coisa que um smoking. Como sou um idiota, decidi de antemão que a ideia de usar um traje formal durante férias tropicais era absurda e me recusei terminantemente a comprar ou alugar um smoking e passar pelo suplício de tentar descobrir como colocar aquele negócio na bagagem. Eu estava ao mesmo tempo certo e errado: sim, esse negócio de traje formal é absurdo, mas como todos os *Nadir*itas exceto eu entraram no jogo e vestiram trajes formais absurdos nas noites formais, *eu* — que, ironicamente, refuguei um smoking precisamente por temer uma situação absurda — acabei sendo o único a parecer absurdo nos jantares Formais do R5*C — dolorosamente absurdo com a camiseta com estampa de smoking que usei na primeira noite Formal, e em seguida ainda mais dolorosamente absurdo na quinta-feira, usando minha jaqueta esporte de coveiro e as calças que tinha deixado totalmente suadas e amassadas no avião e no Píer 21. Ninguém na Mesa 64 fez comentário algum sobre a informalidade absurda do meu traje de jantar Formal, mas era o tipo de ausência de comentário profundamente tensa que se abate exclusivamente sobre as infrações mais grosseiras e absurdas de convenções sociais, e que após o desastre do Chá Elegante me levou ao limiar do impulso de saltar do navio.

Por favor, permita que minha idiotice e minha humilhação tenham servido a algum propósito: aceite meu conselho e *leve trajes formais* se você for, não importa o quanto isso pareça absurdo.

18h15: Já tratei do elenco e da atmosfera geral da M64 do R5*C. A ceia desta noite é excepcional apenas na tensão. Lembrem que a odiosa Mona resolveu enganar Tibor e o *maître* dizendo que hoje é seu aniversário, o que resulta numa decoração especial e um bolo de dois andares e uma cadeira repleta de balões, e em Wojtek liderando um esquadrão de ajudantes eslávicos numa mazurca cerimonial de feliz aniversário ao redor da Mesa 64, e num presunçoso arrebatamento de satisfação por parte de Mona (quando *Tibster* coloca o bolo diante dela, ela bate palmas uma única vez em frente ao rosto, como uma criancinha depravada) e numa expressão de tolerância inexpressiva por parte dos avós de Mona que é impossível de analisar ou compreender.

Além disso a filha de Trudy, Alice — cujo aniversário, lembrem, é *mesmo* hoje — em protesto silencioso contra a fraude de Mona passou a semana inteira sem dizer nada a Tibor sobre isso — isto é, seu próprio aniversário — e fica sentada diante de Mona do outro lado da mesa fazendo o tipo de cara que se espera de uma criança privilegiada assistindo a outra criança privilegiada receber agrados e atenções natalícias que por todos os direitos seriam seus.

Como resultado de tudo isso, esta noite eu[132] e uma Alice de expressão marmórea estabelecemos uma conexão profunda e de alta voltagem na mesa, unidos por nosso ódio e reprovação completos de Mona, e acabamos envolvidos num genuíno balé de pequenas pantomimas em código, divertindo um ao outro com gestinhos de facadas, estrangulamentos e tapas, e posso dizer que para mim isso é uma válvula de escape terapêutica e divertida após os tormentos do dia.

[132] (um eu que, lembre-se, ainda estou me recuperando de um golpe triplo, em primeiro lugar a humilhação balística, depois a desgraça do Chá Elegante, e agora a experiência de ser o único presente a usar uma jaqueta esporte de lã com crosta de suor em vez de um smoking brilhante, e estou tendo que pedir e tomar três Dr. Peppers de uma só vez para obliterar da minha boca o retrogosto intransigente do caviar de beluga)

Mas o evento mais tenso do jantar ocorreu quando a mãe de Alice, e também minha nova amiga, Trudy — cuja salada de beldroega-e-endívias, arroz pilau e Medalhões Tenros de Vitela Refogada estão simplesmente perfeitos demais esta noite para merecerem atenção crítica e que, devo mencionar, passou a semana inteira mal conseguindo esconder que não é muito chegada em Patrick, o Namorado Sério de Alice, nem no Relacionamento Sério[133] que ele tem com Alice — quando Trudy percebe e interpreta mal os gestos em código e risadinhas contidas por parte de mim e Alice como sinais de alguma espécie de conexão romântica florescente entre nós, e Trudy recomeça a extrair da bolsa e espalhar sobre a mesa as fotografias de Alice, e a contar historinhas da infância de Alice criadas para fazer Alice parecer adorável, e a falar mal de Patrick e em geral, preciso admitir, a parecer uma alcoviteira... e em termos de tensão isso já seria ruim o suficiente (especialmente quando Esther entra em cena), mas agora a pobre Alice — que, ainda que esteja profundamente abalada com a abstinência de aniversário e o ódio a Mona, não é de modo algum limitada ou insensível — se dá conta rapidinho do que Trudy está fazendo e, parecendo apavorada com a ideia de que eu talvez compartilhe das percepções errôneas da mãe a respeito de minha conexão com ela, como se fosse algo mais que uma aliança anti-Mona, começa a lançar em minha direção um monólogo ofeliano amalucado cheio de referências desconexas a Patrick e anedotas sobre Patrick, que por sua vez fazem Trudy assumir sua estranha careta dentalmente assimétrica enquanto começa a cortar os Medalhões Tenros de Vitela Refogada com tanta força que o ruído da faca contra a porcelana de osso do R5*C chega a dar arrepio em todos na mesa; e a tensão crescente faz com que novas manchas de suor apareçam nos sovacos do meu casaco funerário

---

[133] (R.S. que parece incluir morar junto com o $$ de Alice e "partilhar a propriedade" do Saab 1992 de Alice)

e se espalhem quase até o perímetro dos restos salgados e desbotados das manchas de suor originais do Píer 21; e quando Tibor faz seu costumeiro circuito pós-entrada ao redor da mesa e pergunta Como Está Tudo, pela primeira vez desde a educativa segunda noite sou incapaz de dizer qualquer coisa além de: Ótimo.

20H45:

CELEBRITY SHOWTIME
Celebrity Cruises Orgulhosamente Apresenta
NIGEL ELLERY
HIPNOTIZADOR
Recepcionado por seu Diretor de Cruzeiro, Scott Peterson

ATENÇÃO: *Por favor, é estritamente proibido gravar vídeo ou áudio do espetáculo. Crianças devem permanecer sentadas com os pais durante o espetáculo. Não se permitem crianças na primeira fila.*

CELEBRITY SHOW LOUNGE

Outras atrações principais do Celebrity Showtime nesta semana incluíram um comediante vietnamita que faz malabarismo com serras, um casal especializado em *pot-pourris* de canções de amor da Broadway e, acima de tudo, um *singing impressionist* chamado Paul Tanner, que simplesmente causou grande impressão em Trudy e Esther da Mesa 64 e cujas imitações de Engelbert Humperdinck, Tom Jones e, em especial, Perry Como parecem ter sido tão arrebatadoras que uma Reapresentação Especial A Pedido do Público foi marcada às pressas para fechar o apoteótico Show de Talentos a Bordo[134] da noite de amanhã.

---

[134] Acho que pelo menos garantindo uma casa cheia para o velho comediante *Nadir*ita c/ bengala.

O hipnotizador Nigel Ellery é inglês[135] e tem uma semelhança assustadora com o vilão de filmes B dos anos 1950 Kevin McCarthy. Ao apresentá-lo, o Diretor de Cruzeiro Scott Peterson nos informa que Nigel Ellery "teve a honra de hipnotizar tanto a rainha Elizabeth II quanto o Dalai Lama".[136] O espetáculo de Nigel Ellery combina façanhas de hipnotismo com historinhas bem corriqueiras do *Borscht Belt* e sacanagem com a plateia. E acaba sendo um microcosmo simbólico tão ridiculamente adequado de toda a experiência de Cruzeiro de Luxo 7NC desta semana que parece até uma armação, uma forma esquisita de mimar jornalistas.

Para começar, aprendemos que nem todo mundo é suscetível à hipnose — Nigel Ellery faz o público inteiro de 300+ pessoas no C.S.L. passar por testes simples, que podem ser efetuados sem deixar o assento,[137] para determinar quem na plateia é "sugestio-

---

[135] O sotaque aponta para o East End londrino como sua origem.

[136] (Não, presume-se, ao mesmo tempo)

[137] Um deles: entrelace os dedos, coloque-os diante do rosto, desentrelace somente os indicadores, faça com que meio se encarem e então imagine uma força magnética irresistível atraindo um ao outro, vendo se os dois dedos de fato começam a se mover lenta e inexoravelmente, como que por magia, até ficarem encostados. Graças a uma experiência realmente assustadora e desagradável na sétima série,[137a] já sei que sou excessivamente sugestionável e ignoro todos os testezinhos, até porque força alguma sobre a Terra seria capaz de me transportar até o palco de um hipnotizador diante de mais de 300 desconhecidos sedentos por entretenimento.

[137a] (a saber: quando um psicólogo local supostamente colocou todos os alunos presentes a uma assembleia escolar num estado leve de hipnose para promover um pouco de "Visualização Criativa", e dez minutos mais tarde o auditório inteiro saiu do estado hipnótico exceto, infelizmente, este seu criado, e acabei passando umas irreversivelmente transidas quatro horas de pupilas dilatadas, na enfermaria do colégio, com o psicólogo cada vez mais em pânico tentando todo tipo de medida drástica para me tirar daquele estado, e meus pais chegaram muito perto de entrar na Justiça por conta de todo o episódio, e depois disso eu calma e sensatamente decidi ficar bem longe de qualquer tipo de hipnose)

navelmente talentoso" em nível suficiente para participar da "diversão" vindoura.

Em seguida, quando os seis voluntários mais adequados — ainda travados nas contorções intrincadas dos testes sem-sair-do-assento — são reunidos no palco, Nigel Ellery passa um tempo considerável garantindo a eles e a nós que não acontecerá absolutamente nada que eles não queiram que aconteça e a que eles não se submetam de forma voluntária. Então ele convence uma moça de Akron que uma voz alta, masculina e hispânica está escapando do bojo esquerdo do seu sutiã. Outra moça é induzida a farejar um odor horrendo que sai do homem sentado na cadeira ao seu lado, um homem que por sua vez acredita que o assento de sua cadeira esquenta de tempos em tempos até atingir 100º. Quanto aos outros três voluntários, o primeiro dança flamenco, o segundo acredita que não apenas está nu mas é constrangedoramente mal dotado e o último grita "Mamãe, quero fazer xixi!" toda vez que Nigel Ellery pronuncia determinada palavra. O público cai na gargalhada em todos os momentos certos. E existe algo de genuinamente engraçado (além de simbolicamente microcósmico) em assistir a todos esses cruzeiristas adultos e bem vestidos se comportando de maneira estranha por motivos que não compreendem. É como se a hipnose permitisse a eles construir fantasias tão vívidas que as vítimas nem sabem que se trata de fantasias. Como se suas cabeças não pertencessem mais a eles. O que é engraçado, claro.

Mas talvez o símbolo mais abrangente e impressionante do 7NC seja o próprio Nigel Ellery. O tédio e a hostilidade do hipnotizador não são apenas francos, eles estão incorporados de maneira até engenhosa no próprio espetáculo: o tédio de Ellery concede a ele o mesmo ar de perícia enfastiada que nos faz confiar em médicos e policiais, e sua hostilidade — creio que mediante o mesmo fenômeno que faz de Don Rickles um grande astro em Las Vegas

— é o que suscita as gargalhadas mais sonoras do público. Sua persona de palco é extremamente hostil e maligna. Ele faz imitações maldosas de sotaques americanos. Ele ridiculariza perguntas dos voluntários e da plateia. Com olhos ferventes de Rasputin, diz às pessoas que elas vão molhar a cama precisamente às 3 da manhã ou baixar as calças no trabalho em exatamente duas semanas. Os espectadores — a maioria de meia-idade, ao que parece — chegam a se balançar de hilaridade e dar tapas nos joelhos e secar os olhos com lenços. Cada momento de nua malevolência de Ellery é seguido por uma intensa contração perioral e uma confortadora garantia de que é tudo apenas uma brincadeira e que ele nos ama e que somos um grupo simplesmente maravilhoso de seres humanos que estão claramente se divertindo a valer.

Para mim, ao final de um dia inteiro de Diversão Gerenciada, o espetáculo de Nigel Ellery não é particularmente espantoso ou hilariante ou divertido — mas também não é deprimente nem ofensivo nem repleto de desespero. O que ele é, mesmo, é esquisito. É o mesmo sentimento esquisito evocado quando temos uma palavra na ponta da língua mas ela insiste em nos escapar. Aqui fica evidente uma chave, algo crucial sobre os Cruzeiros de Luxo: ser entretido por alguém que claramente não gosta de você e sentir que você merece esse desprezo, ao mesmo tempo que se ressente disso. Agora os seis voluntários estão alinhados e levantando as pernas como se fossem Rockettes e o espetáculo está chegando ao ápice, Nigel Ellery ao microfone nos prepara para algo que parece envolver braços se sacudindo com fúria e a impressionante ilusão mesmérica de voar. Como minha perigosa suscetibilidade pessoal me obriga a não seguir com muito afinco as sugestões hipnóticas de Ellery nem me envolver com muita profundidade, eu me flagro, no conforto da cadeira azul-marinho, indo cada vez mais longe dentro da minha própria cabeça, meio que Visualizando Criativamente uma espécie de momento epifânico Frank Conroy, recuando mentalmente, enxergando o hipnotizador e os voluntários e o público e o Celebrity Show Lounge e o convés e em seguida a própria embarcação motorizada com os olhos de alguém que não está a bordo, visualizando a e.m. *Nadir* à noite, neste exato momento, avançando para o norte a 21,4 nós, com um vento oeste forte e quente puxando a lua para trás em meio a uma meada de nuvens, ouvindo risos abafados e música e o pulso dos Papais e o chiado do rastro que recua, e enxergando, da perspectiva desse mar noturno, o bom e velho *Nadir* barrocamente aceso, angelicamente branco, iluminado por dentro, festivo, imperial, palaciano... sim, isso: como um palácio: pareceria uma espécie de palácio flutuante, majestoso e terrível, a qualquer pobre alma perdida no oceano à noite, sozinha num bote, ou nem mesmo num bote mas apenas e terrivelmente flutuando, um homem caído ao mar, pisando sobre água, longe de qualquer terra. Este transe visual profundo e criativo — uma dádiva genuína e acidental de N. Ellery para mim — perdurou pelo dia e noite seguintes, período que passei inteiramente no interior da Cabine 1009, na cama, quase o tempo inteiro olhando pela vigia imaculada, com bandejas e cascas variadas ao meu redor, me sentindo talvez um pouco vidrado mas em geral muito bem — bem por estar a bordo do *Nadir* e bem por estar prestes a desembarcar, bem por ter sobrevivido (de certo modo) a ser mimado até a morte (de certo modo) — e assim fiquei na cama. E muito embora o estase hipnótico tenha me feito perder o apoteótico S.T.A.B. da última noite e o Bufê de Despedida e então o atracamento do sábado e a chance de obter meu retrato "Depois" ao lado do capitão G. Panagiotakis, o reingresso subsequente nas exigências adultas da vida real em terra firme não foi nem um pouco tão ruim quanto uma semana inteira de Absolutamente Nada tinha me levado a temer.

[1995]

3. Alguns comentários sobre a graça de Kafka dos quais provavelmente não se omitiu o bastante

Um dos motivos de minha disposição para falar em público sobre um assunto a respeito do qual sou terrivelmente pouco qualificado é que isso me proporciona uma oportunidade de declamar para vocês um conto do Kafka que desisti de ensinar nas aulas de Literatura e sinto falta de ler em voz alta. Seu título em inglês é "A Little Fable" [Uma pequena fábula]:

> "Puxa", disse o rato, "o mundo fica menor a cada dia. No início era tão grande que me dava medo, eu vivia correndo sem parar, e fiquei contente quando consegui avistar muros distantes à esquerda e à direita, mas esses muros compridos se estreitaram tão rápido que já estou na última sala, e ali no canto está a ratoeira na qual acabarei pisando." "É só você mudar de direção", disse o gato antes de comê-lo.

Para mim, uma frustração marcante de tentar ler Kafka com universitários é ser quase impossível fazer com que percebam que Kafka é engraçado. Ou entendam como a graça está indissociavelmente ligada à força de seus contos. Porque os bons contos e as boas piadas têm obviamente muita coisa em comum. Ambos dependem de algo que os teóricos da comunicação às vezes chamam de *exformação*, que é uma certa quantidade de informação imprescindível omitida porém evocada na comunicação de modo a provocar uma espécie de explosão de conexões associativas no receptor.[1] Deve ser por isso que o efeito tanto dos contos quanto das piadas muitas vezes parece repentino e percussivo, como a abertura de uma válvula emperrada há muito tempo. Não foi de graça que Kafka se referiu à literatura como "uma machadinha com a qual rachamos os mares congelados dentro de nós". Tampouco é acidente que o êxito técnico de um grande conto seja muitas vezes chamado de *compressão* — pois tanto a pressão quanto a liberação já se encontram dentro do leitor. O que Kafka parece ser capaz de fazer melhor do que praticamente qualquer outro é orquestrar o aumento dessa pressão de modo que ela se torne intolerável no instante preciso em que é liberada.

A psicologia das piadas ajuda a esclarecer parte do problema de ensinar Kafka. Todos sabemos que não há maneira mais rápida de esvaziar uma piada de sua magia peculiar que tentar explicá-la — ressaltando, por exemplo, que Lou Costello está confundindo o nome próprio *Quem* com o pronome interrogativo *quem*, e por aí vai. E todos conhecemos a estranha antipatia que essas explicações despertam em nós, um sentimento nem tanto de aborre-

---

[1] Nesse aspecto, compare por ex. toda a interlocução "O que causou o desespero do velho?" — "Nada" nas páginas de abertura de "Um lugar limpo e bem iluminado" de Hemingway com conversinhas fiadas do tipo "A grande diferença entre uma estagiária da Casa Branca e um Cadillac é que nem todo mundo já entrou num Cadillac". Ou analise a única palavra "Adeus" no fim de "Relatório sobre o Efeito Barnhouse" de Vonnegut *versus* a função de "O peixe!" como resposta a "Quantos surrealistas são necessários para trocar uma lâmpada?".

cimento mas de ofensa, como se algo tivesse sido profanado. Isso é muito parecido com a sensação que o professor tem ao moer um conto de Kafka nas engrenagens da rotina da análise crítica da graduação — trama a ser mapeada, símbolos a serem decodificados, temas a serem exfoliados etc. Kafka, é claro, estaria numa posição singular para apreciar a ironia de submeter seus contos a esse tipo de máquina crítica de alta eficiência, o equivalente literário de arrancar e moer as pétalas de uma rosa e depois passar a gosma num espectrômetro para explicar por que ela cheira tão bem. Franz Kafka, afinal, é o contista cujo "Poseidon" imagina um deus do mar tão sobrecarregado de papelada administrativa que nunca tem tempo para velejar ou nadar, e cujo "Na colônia penal" apresenta a descrição como castigo, a tortura como edificação e o crítico definitivo como um rastelo dotado de agulhas, cujo golpe de misericórdia é um estilete de ferro atravessando a testa.

Outro empecilho, mesmo para alunos talentosos, é que — diferentemente das associações de, digamos, Joyce ou Pound — as associações exformativas criadas pela obra de Kafka não são intertextuais tampouco históricas. Em vez disso, as evocações de Kafka são inconscientes e de certo modo quase subarquetípicas, aquela coisa de criança, primordial, da qual derivam os mitos; é por isso que tendemos a chamar até mesmo os seus contos mais estranhos de *pesadelescos* em vez de *surreais*. As associações exformativas em Kafka são também ao mesmo tempo simples e extremamente fecundas, muitas vezes quase impossíveis de serem abordadas de maneira discursiva: imagine, por exemplo, pedir a um aluno que desfaça e organize as diversas redes de significado por trás de *rato, mundo, correr, muros, estreitamento, sala, ratoeira, gato* e *gato come rato*.

Isso sem mencionar que o tipo específico de humor empregado por Kafka é profundamente alheio a estudantes com ressonâncias neurais americanas.[2] O fato é que o humor de Kafka não possui quase nenhum dos formatos e códigos típicos do divertimento contemporâneo dos Estados Unidos. Não há jogos de palavras recorrentes nem acrobacias aéreas verbais, e pouco no que se refere a tiradinhas jocosas e sátiras mordazes. Não há humor baseado em funções corporais em Kafka, nem insinuações sexuais, nem tentativas estilizadas de se rebelar transgredindo as convenções. Nem comédia pastelão pynchonesca com cascas de banana ou adenoides fora de controle. Nem priapismo rothiano, metaparódia barthiana ou lamúrias à moda de Woody Allen. Não há sinal algum das viradas tum-tum-pá dos seriados cômicos modernos; tampouco crianças precoces, avós desbocados ou colegas de trabalho cinicamente insurgentes. Talvez o mais discrepante de tudo sejam as figuras de autoridade de Kafka, jamais meros bufões vazios prontos para serem ridicularizados, mas sempre ao mesmo tempo absurdas, assustadoras e tristes, como o Tenente de "Na colônia penal".

Não estou querendo dizer que a dimensão espirituosa de Kafka é sutil demais para os alunos americanos. Na verdade, a única estratégia mais ou menos eficiente que encontrei para explorar a graça de Kafka em sala de aula envolve indicar aos alunos que no fim das contas boa parte do seu humor é meio carente de sutileza — ou até mesmo antissutil. Meu argumento é que a graça de

---

[2] Aqui não me refiro a problemas de tradução. Não obstante o motivo de estarmos reunidos nesta noite,[2a] devo confessar que meu alemão é capenga e que o Kafka que ensino é o Kafka do sr. e da sra. Muir, e embora só Deus saiba o quanto mais estou perdendo, o humor a respeito do qual estou falando é um humor presente ali mesmo na boa e velha tradução dos Muir para o inglês.

[2a] [= um evento do PEN American Center por ocasião de uma nova e importante tradução de *O castelo* feita por um cara de Princeton, se não me engano. Caso não tenha ficado óbvio, este documento inteiro é exatamente isso — o texto de um brevíssimo discurso.]

Kafka depende de uma espécie de literalização radical de verdades que tendemos a tratar como metafóricas. Proponho que algumas de nossas intuições coletivas mais profundas parecem ser exprimíveis somente como figuras de linguagem, e é por isso que chamamos essas figuras de linguagem de *expressões*. Assim, ao abordar "A metamorfose", posso convidar os alunos a refletirem sobre o que realmente está sendo expresso quando nos referimos a uma pessoa como *rastejante* ou *nojenta* ou dizemos que ela é obrigada a *aguentar muita merda* por causa do emprego. Ou reler "Na colônia penal" à luz de expressões como *tirar o couro*, *cagar a pau* ou a aforística "Na meia-idade todo mundo já tem a cara que merece". Ou abordar "Um artista da fome" a partir de tropos como *fome de atenção* e *faminto de amor*, ou do sentido duplo em *autonegação*, ou mesmo de uma curiosidade inocente como a raiz etimológica de *anorexia*, que vem a ser a palavra grega para anseio.

Em geral é nesse momento que os alunos acabam se interessando, o que é ótimo; mas o professor ainda meio que se contorce de culpa porque a tática da comédia-como-literalização-da-metáfora mal dá conta da alquimia mais profunda por intermédio da qual a comédia em Kafka também é sempre tragédia, e essa tragédia também é sempre uma imensa e reverente alegria. Isso costuma desembocar numa hora lancinante de recuos e evasivas de minha parte, e aviso aos alunos que apesar de toda a sua espirituosidade e voltagem exformativa os contos de Kafka *não* são fundamentalmente piadas, e que o humor negro bastante simples e lúgubre que marca tantas de suas declarações pessoais — coisas como "Há esperança, mas não para nós" — não é o que está rolando de verdade nos seus contos.

O que os contos de Kafka têm na verdade é uma complexidade grotesca, grandiosa e profundamente moderna, uma ambivalência que desemboca na lógica multivalente Tanto/Quanto do, abre aspas, "inconsciente", que na minha opinião é só um termo metido a besta para alma. O humor de Kafka — que não apenas nada tem de neurótico, mas é *anti*neurótico, heroicamente sadio — é, finalmente, um humor religioso, mas religioso à maneira de Kierkegaard, Rilke e os Salmos, uma espiritualidade excruciante diante da qual até mesmo a graça sangrenta da srta. O'Connor parece um pouco fácil, envolvendo almas pré-fabricadas.

E é isso, acredito, que torna a espirituosidade de Kafka inacessível a jovens que nossa cultura treinou para ver piadas como entretenimento e entretenimento como conforto.[3] Não é que

---

[3] Deve haver livros inteiros a serem escritos e publicados pela Johns Hopkins University Press sobre o papel do humor na tendência à lalação verificada na psique dos Estados Unidos nos dias de hoje. Uma forma grosseira de definir o problema é dizer que nossa cultura atual, de um ponto de vista histórico e de desenvolvimento, é adolescente. E como a adolescência é reconhecida como o período mais estressante e assustador do desenvolvimento humano — o estágio em que a maturidade que alegamos almejar começa a se apresentar como um sistema real e opressor de responsabilidades e limitações (impostos, morte), e durante o qual ansiamos intimamente por um retorno ao próprio oblívio infantil que fingimos desdenhar[3a] — não fica difícil entender por que nós, como cultura, somos tão suscetíveis à arte e ao entretenimento cuja função primordial é *escapar*, isto é, a fantasia, a adrenalina, o espetáculo, o romance etc. Piadas são um tipo de arte, e como hoje em dia nós, americanos, nos aproximamos da arte essencialmente para escaparmos de nós mesmos — para fingir por um momento que não somos ratos, que os muros são paralelos e que o gato pode ser deixado para trás — é compreensível que a maioria de nós considere "Uma pequena fábula" algo sem a menor graça, ou talvez até mesmo uma manifestação repulsiva da exata variedade desanimadora de realidade morte-e-impostos para a qual o "verdadeiro" humor serve como alívio.

[3a] (Você acha que é coincidência que a faculdade seja o período em que muitos americanos se dedicam com maior seriedade a foder, beber até cair e buscar toda espécie de folia extática e dionisíaca? Não é. Estudantes universitários são adolescentes, e estão apavorados, e lidam com esse terror de uma forma distintamente americana. Aqueles rapazes nus pendurados de cabeça para baixo nas janelas das fraternidades numa sexta-feira à noite estão simplesmente tentando comprar algumas horas de folga de todas as coisas adultas e severas nas quais foram forçados a pensar durante a semana inteira por qualquer faculdade decente.)

os alunos sejam incapazes de "sacar" o humor de Kafka, mas é que nós os ensinamos a entender o humor como algo que a gente *saca* — do mesmo modo que lhes ensinamos que um *self* é algo que simplesmente *temos*. Não admira que eles sejam incapazes de compreender a verdadeira piada fundamental em Kafka: a de que o esforço terrível de estabelecer um *self* humano resulta num *self* cuja humanidade é indissociável desse esforço terrível. De que a jornada interminável e impossível rumo ao nosso lar é, na verdade, o nosso lar. É difícil colocar isso em palavras quando você está parado diante do quadro-negro, acreditem. Você pode dizer a eles que talvez seja bom que eles não "saquem" Kafka. Pode pedir para imaginarem que todos os seus contos tratam de uma espécie de porta. Para se visualizarem chegando perto dessa porta e batendo nela com cada vez mais força, batendo e batendo, não apenas querendo entrar, mas precisando disso; não sabemos o que é, mas conseguimos sentir esse desespero total por entrar, batendo, esmurrando e chutando. Que enfim a porta se abre... e ela abre *para fora* — estávamos o tempo todo dentro daquilo que queríamos. Das ist komisch.

[1999]

4. Pense na lagosta

O enorme, pungente e muitíssimo bem divulgado Festival da Lagosta do Maine ocorre a cada final de julho na região costeira central do estado, isto é, o lado ocidental da baía de Penobscot, tronco nervoso da indústria da lagosta do Maine. A chamada região costeira central vai de Owl's Head e Thomaston, ao sul, até Belfast, ao norte. (Na verdade poderia se estender até Bucksport, mas nunca conseguimos passar de Belfast seguindo rumo ao norte pela Route 1, cujo tráfego no verão é, como se pode imaginar, inimaginável.) As duas principais comunidades da região são Camden, com suas famílias ricas tradicionais, marina, restaurantes cinco estrelas e pousadas maravilhosas, e Rockland, um vilarejo de pescadores muito antigo que a cada verão abriga o festival no histórico Harbor Park, bem ao lado da água.[1]

O turismo e as lagostas são os principais setores de atividade da região costeira central, dois ramos associados ao clima quente,

---

[1] Como bem resume um apotegma local: "Camden ficou com o mar, Rockland ficou com o cheiro".

e o Festival da Lagosta do Maine, mais que uma intersecção dessas indústrias, representa uma colisão proposital, alegre, lucrativa e barulhenta. O assunto escolhido para este artigo da revista *Gourmet* é o 56º FLM, promovido de 30 de julho a 3 de agosto de 2003, neste ano com o tema oficial de "Faróis, Risadas e Lagostas". O público pagante total superou as 100 mil pessoas, em parte graças a um anúncio veiculado nacionalmente na CNN em junho, no qual a editora-sênior da revista *Food & Wine* saudava o FLM como uma das melhores festividades gastronômicas do mundo. Pontos altos do festival em 2003: as apresentações de Lee Ann Womack e Orleans, o concurso de beleza anual da Deusa do Mar do Maine, o grande desfile do sábado, a Corrida Sobre Gaiolas de Lagosta em Memória a William G. Atwood no domingo, a Competição Anual de Culinária Amadora, os brinquedos e estandes do parque de diversões, as barraquinhas de comida e a Tenda de Alimentação Principal da FLM, onde cerca de 12 mil quilos de lagostas do Maine fresquinhas são consumidas após serem preparadas na Maior Panela Para Lagostas do Mundo, perto do acesso norte do festival. Também são oferecidos sanduíches de lagosta, folhados de lagosta, lagosta salteada, salada de lagosta Down East, sopa creme de lagosta, ravióli de lagosta e bolinhos fritos de lagosta. É possível obter lagosta ao thermidor em um restaurante tradicional chamado Black Pearl, no cais noroeste do Harbor Park. Um amplo estande de madeira de pinho patrocinado pela Associação de Fomento à Lagosta do Maine distribui panfletos gratuitos com receitas, dicas de consumo e Curiosidades Sobre Lagostas. O vencedor da Competição de Culinária Amadora da sexta-feira preparou Potinhos de Lagosta com Açafrão, receita que agora se encontra disponível ao público para download em <www.mainelobsterfestival.com>. Há camisetas de lagostas, bonecos articulados de lagostas, lagostas infláveis para piscinas e chapéus acopláveis de lagosta com enormes garras escarlates que chacoalham em molas. Este correspondente viu tudo isso, acompanhado por uma namorada e ambos os pais — um dos quais, a propósito, é nascido e criado no Maine, ainda que no interior da região mais ao norte, uma terra de batatas a um mundo de distância do turismo da região costeira central.[2]

Para fins práticos, todo mundo sabe o que é uma lagosta. Como de costume, todavia, existe muito mais para saber do que a maioria de nós se importa em descobrir — é tudo uma questão de interesses pessoais. Em termos taxonômicos, uma lagosta é um crustáceo marinho da família dos homarídeos, caracterizado por cinco pares de patas articuladas dos quais o primeiro termina em grandes garras semelhantes a pinças, utilizadas para subjugar presas. Como muitas outras espécies de carnívoros bentônicos, as lagostas são ao mesmo tempo caçadoras e saprófagas. Possuem antenas, olhos pedunculares e guelras nas patas. Há mais ou menos uma dúzia de tipos diferentes de lagostas ao redor do mundo, mas a espécie aqui relevante é a *Homarus americanus*, conhecida como lagosta do Maine ou lagosta-americana. A palavra inglesa *lobster* vem do inglês antigo *loppestre*, supostamente uma corruptela de *lacusta*, a palavra latina para gafanhoto que também é a raiz de "lagosta", combinada com o inglês antigo *loppe*, que significa aranha.

Além disso, um crustáceo é um artrópode aquático da classe Crustacea, que inclui caranguejos, camarões, cracas, lagostas e lagostins de água-doce. Tudo isso está bem ali, na enciclopédia. E os artrópodes são membros do filo Arthropoda, que abrange insetos, aranhas, crustáceos e quilópodes/diplópodes, que possuem

---

[2] N.B. Todas as partes pessoalmente associadas a mim deixaram claro desde o início que não queriam ser mencionadas neste artigo.

como principal traço comum, além da ausência de uma estrutura centralizada cérebro-espinal, um exoesqueleto quitinoso composto por segmentos ao qual se articulam pares de apêndices.

A questão é que lagostas são basicamente insetos marinhos gigantes.[3] Como a maioria dos artrópodes, remontam ao período jurássico, biologicamente tão anteriores aos mamíferos que bem que poderiam ser de outro planeta. E — particularmente em seu estado natural marrom-esverdeado, brandindo as garras como se fossem armas e agitando as grossas antenas — não são bonitas de se ver. E é verdade que se trata de lixeiras do mar, comedoras de coisas mortas,[4] embora também comam um pouco de moluscos vivos, certos tipos de peixes machucados e por vezes umas às outras.

Mas também são boas de comer. Ou pelo menos é o que achamos agora. Até certa altura do século XIX, todavia, a lagosta era literalmente um alimento de classe baixa, consumido apenas pelos pobres e encarcerados. Até mesmo no rude ambiente penal dos primórdios da história americana algumas das colônias tinham leis limitando o uso de lagostas na alimentação dos detentos a uma única vez por semana, porque isso era julgado cruel e incomum, semelhante a obrigar pessoas a comerem ratos. Uma das razões para esse baixo prestígio era a fartura de lagostas na Nova Inglaterra de então. "Abundância inacreditável" são as palavras com que uma fonte descreve a situação, inclusive com relatos de peregrinos de Plymouth vadeando e capturando lagostas à vontade com as mãos nuas e do antigo litoral de Boston coberto de lagostas após uma série de tempestades — estas foram conside-

---

[3] Aliás, o termo usado pelos nativos da região costeira central para falar de lagostas é "inseto". Por ex.: "Aparece lá em casa no sábado, vamos cozinhar uns insetos".

[4] Cultura inútil: armadilhas para lagostas geralmente usam como isca arenques mortos.

radas um incômodo fedorento e moídas para serem usadas como adubo. Também é preciso levar em conta que as lagostas pré-modernas eram cozidas mortas e em seguida postas em conserva, geralmente em sal ou embalagens herméticas primitivas. A indústria da lagosta no Maine teve início com uma dúzia dessas fábricas de conserva nos anos 1840, de onde as lagostas eram enviadas a lugares tão distantes quanto a Califórnia, e a demanda existia somente por serem baratas e possuírem um alto teor de proteína, basicamente um combustível mastigável.

Hoje em dia, é claro, a lagosta é chique, uma iguaria, poucos graus abaixo do caviar. Possui uma carne mais saborosa e substancial que a maioria dos peixes, com um gosto sutil se comparado ao gosto de mar dos mexilhões e dos mariscos. Na imaginação alimentícia popular dos Estados Unidos a lagosta se tornou o análogo marinho do filé, ao lado do qual é tantas vezes servida como *Surf'n'Turf* na parte mais cara dos cardápios de cadeias de restaurantes.

Aliás, um projeto óbvio do FLM e de seu patrocinador onipresente, a Associação de Fomento à Lagosta do Maine, é combater a ideia de que a lagosta é uma comida luxuosa, cara ou prejudicial à saúde, adequada somente a paladares afetados ou como petisco ocasional para escapar da dieta. Palestras e panfletos enfatizam sem descanso que a carne de lagosta tem menos calorias, menos colesterol e menos gordura saturada que a carne de frango.[5] E na Tenda de Alimentação Principal é possível comprar um "quarto" (gíria da indústria para uma lagosta de 600 gramas), um copinho com 120 gramas de manteiga derretida, um saco de batatas fritas

---

[5] É claro que o hábito corriqueiro de mergulhar carne de lagosta em manteiga derretida torpedeia todas essas alegres curiosidades saudáveis sobre gordura, o que nunca é mencionado pelo material promocional da associação, assim como os RPs da indústria da batata nunca mencionam o creme azedo e os cubinhos de bacon.

e um pãozinho c/ manteiga por uns 12 dólares, o que é apenas um tantinho mais caro que jantar no McDonald's.

Saiba, porém, que no Festival da Lagosta do Maine a democratização da lagosta vem acompanhada por toda a inconveniência maciça e a concessão estética da verdadeira democracia. Confira, por exemplo, a supracitada Tenda de Alimentação Principal, para a qual existe uma fila constante digna da Disneylândia, e que consiste em meio quilômetro quadrado de balcões de cafeteria protegidos por um toldo e fileiras de longas mesas institucionais onde amigos e desconhecidos sentam-se coladinhos, quebrando, mastigando e babando. É um lugar quente, onde o teto descaído aprisiona o vapor e os odores, sendo que estes últimos são fortes e apenas parcialmente relacionados a alimentos. É também um lugar barulhento, e uma porcentagem considerável do ruído total é mastigatória. A comida é servida em bandejas de isopor, os refrigerantes não têm gelo nem gás, o café é café de loja de conveniência em mais isopor e os talheres são de plástico (não é possível encontrar nenhum daqueles garfos especiais e compridos que servem para extrair a carne da cauda, ainda que alguns clientes espertos tragam os seus de casa). O número de guardanapos fornecido também não chega nem perto do suficiente, levando-se em consideração que comer lagosta é uma lambuzeira, especialmente quando se está espremido em bancos ao lado de crianças de idades variadas e estágios vastamente diversos de desenvolvimento motor fino — isso sem mencionar as pessoas que de algum jeito conseguiram contrabandear sua própria cerveja em enormes isopores que bloqueiam a passagem, ou aquelas que aparecem de repente com toalhas de plástico que espalham sobre porções consideráveis das mesas numa tentativa de reservá-las (as mesas) aos seus grupinhos. E assim por diante. Isolado, qualquer um desses exemplos naturalmente não passa de um incômodo trivial, mas o fato é que o FLM se mostra cheio desses pequenos aborrecimentos irritantes — por exemplo, quando você descobre que precisa pagar 20 dólares a mais por uma cadeira dobrável se quiser se sentar ao assistir a alguma das grandes atrações do Palco Principal; ou a loucura desenfreada que se instala na Tenda Norte quando começa a distribuição dos copinhos minúsculos, que mais parecem dedais, com bocadinhos das receitas finalistas da Competição de Culinária; ou a aclamadíssima final do concurso de beleza Deusa do Mar do Maine, que se revela excruciantemente longa e consiste sobretudo em infinitos agradecimentos e homenagens a patrocinadores locais. Melhor nem falar sobre a terrível inadequação dos banheiros químicos ou sobre o fato de não haver lugar algum para se lavar as mãos antes ou depois de comer. Na verdade o Festival da Lagosta do Maine é uma feira interiorana de nível médio com gancho culinário, e nesse respeito não difere muito dos festivais de caranguejos de Tidewater, dos festivais do milho do Meio-Oeste, dos festivais de chili do Texas etc., e compartilha com estes acontecimentos o paradoxo central de todos os apinhados eventos comerciais populares: Não é para todos.[6] Nada contra a eufórica editora-sênior da *Food & Wine*,

---

[6] Na verdade, muitas coisas podem ser ditas a respeito das diferenças entre a população de classe trabalhadora de Rockland e o sabor acentuadamente populista do seu festival *versus* a confortável e elitista Camden com sua paisagem caríssima, suas lojas tomadas inteiramente por suéteres de 200 dólares e fileiras de casas vitorianas transformadas em pousadas de luxo. E também a respeito dessas diferenças como os dois lados da grande moeda que é o turismo nos Estados Unidos. Muito poucas delas serão ditas aqui, exceto para amplificar o paradoxo supramencionado e revelar as preferências pessoais deste correspondente. Confesso que nunca entendi por que a ideia de férias divertidas de tantas pessoas é calçar chinelos e óculos de sol e se arrastar por um tráfego enlouquecedor até locais turísticos quentes e lotados com o intuito de provar um "sabor local" que por definição é arruinado pela presença de turistas. Isso tudo pode (como meus companheiros de festival não se cansam de apontar) ser uma questão de personalidade e gostos inatos: o fato de eu não gostar de locais turísticos significa que nunca vou compreender seu encanto, e assim provavelmente não sou a

mas eu ficaria surpreso se descobrisse que ela realmente já esteve aqui no Harbor Park, entre multidões matando a tapa mosquitos da Zona do Canal enquanto comem *twinkies* fritos e assistem ao Professor Paddywhack aterrorizando as crianças sobre pernas de pau de um metro e oitenta, vestido com um sobretudo de onde saltam em todas as direções lagostas de plástico dependuradas em molas.

A lagosta, em essência, é um alimento de verão. Isso porque agora preferimos lagostas frescas, o que significa que elas precisam ter sido capturadas recentemente, o que por razões tanto táticas quanto econômicas ocorre em profundidades inferiores a

---

pessoa indicada para falar sobre isso (o suposto encanto). Mas como é quase certo que esta nota de rodapé não vai sobreviver ao editor da revista, aqui vai:

Do meu ponto de vista, é provável que ser turista faça mesmo algum bem para a alma, mesmo que apenas de vez em quando. Não que faça bem para a alma de algum modo revigorante ou alentador, todavia, mas de um jeito severo e obstinado de vamos-encarar-os-fatos-com-honestidade-e-tentar-encontrar-um-modo-de-lidar-com-eles. Minha experiência pessoal não é a de que viajar pelo país seja relaxante ou amplie os horizontes, ou de que mudanças radicais de lugar e contexto tenham um efeito salutar, mas sim de que o turismo intranacional é radicalmente constritivo e humilhante da pior forma — hostil à minha fantasia de ser um indivíduo genuíno, de viver de algum modo fora e acima de todo o resto. (Agora vem a parte que meus companheiros julgam especialmente infeliz e repelente, um modo garantido de arruinar qualquer diversão em uma viagem de férias:) Ser um turista massificado, para mim, é se tornar um puro americano contemporâneo: alheio, ignorante, ávido por algo que nunca poderá ter, frustrado de um modo que nunca poderá admitir. É macular, através de pura ontologia, a própria imaculabilidade que se foi experimentar. É se impor sobre lugares que, em todas as formas não econômicas, seriam melhores e mais verdadeiros sem a sua presença. É confrontar, em filas e engarrafamentos, transação após transação, uma dimensão de si mesmo tão inescapável quanto dolorosa: na condição de turista você se torna economicamente significativo mas existencialmente detestável, um inseto sobre uma coisa morta.

25 braças. Lagostas tendem a ficar mais famintas e ativas (isto é, mais fáceis de capturar) quando a temperatura da água fica entre sete e dez graus, como é típico do verão. No outono a maioria das lagostas do Maine migra para águas mais profundas, seja em busca de calor ou para evitar as ondas pesadas que golpeiam o litoral da Nova Inglaterra durante o inverno inteiro. Algumas se enterram no leito marinho. Talvez hibernem; ninguém sabe ao certo. É também no verão que as lagostas trocam de carapaça — mais especificamente, do início à metade de julho. Artrópodes quitinosos crescem trocando de carapaça, mais ou menos da mesma forma que compramos roupas maiores à medida que envelhecemos e ganhamos peso. Como as lagostas podem viver mais de 100 anos, podem também ficar bem grandes, chegando a passar dos 14 quilos — ainda que nos dias de hoje sejam raras as lagostas da terceira idade, pois as águas da Nova Inglaterra estão cheias de armadilhas.[7] Enfim, disso vem a diferença culinária entre lagostas de casca dura e de casca mole. Uma lagosta de casca mole é uma lagosta que acabou de trocar de carapaça. Ambas são oferecidas nos cardápios de verão dos restaurantes da região costeira central, nos quais as lagostas de casca mole são um pouco mais baratas mesmo sendo mais fáceis de destrinchar e donas de uma carne considerada mais suave. O motivo do desconto é que uma lagosta em fase de troca utiliza uma camada de água do mar como isolamento enquanto a nova carapaça endurece, e por conta disso quando se arrebenta uma lagosta de casca mole há um pouquinho menos de carne e um fragrante jorro d'água que se espalha sobre tudo, às vezes espirrando como um limão e atingindo um companheiro de mesa bem no olho. Se é inverno ou se você está comprando lagostas em algum lugar distante da Nova Inglaterra,

---

[7] Dados: em um ano bom a indústria dos EUA produz cerca de 35 mil toneladas de lagostas, e as lagostas do Maine correspondem a mais da metade desse total.

por outro lado, dá quase para apostar que a lagosta vai ter a casca dura, que por motivos óbvios é mais transportável.

Como prato principal *à la carte*, a lagosta pode ser assada, grelhada, cozida ao vapor, refogada, salteada, feita em wok ou no micro-ondas. Mas o método mais comum é a fervura. Quem gosta de comer lagostas em casa provavelmente a prepara desta forma, pois ferver lagostas é muito fácil. É necessário um tacho grande c/ tampa, que é preenchido com água até mais ou menos a metade (a recomendação mais comum são dois litros e meio de água por lagosta). O ideal é água do mar, ou pode-se adicionar duas colheres de sopa de sal a cada litro de água da torneira. Também é interessante saber o peso de cada lagosta. Espera-se a água ferver, coloca-se uma lagosta de cada vez, cobre-se o tacho e aumenta-se o fogo até a água voltar a ferver. Então é preciso baixar o fogo e deixar o tacho em fogo brando — dez minutos para o primeiro meio quilo de lagosta, e acima disso três minutos para cada meio quilo. (Isso considerando-se que estão sendo usadas lagostas de casca dura, que, repito, se você não mora entre Boston e Halifax, são provavelmente as únicas que conseguiu encontrar. No caso de lagostas de casca mole é preciso subtrair três minutos do total.) As lagostas ficam vermelhas porque de algum modo essa fervura suprime todos os pigmentos na quitina, exceto um. Um teste simples para saber se as lagostas estão prontas é tentar arrancar uma das antenas — se ela se descolar da cabeça ao menor esforço, o bicho está pronto para comer.

Um detalhe tão óbvio que a maioria das receitas nem se preocupa em mencionar é que as lagostas precisam estar vivas ao serem colocadas no tacho. Isso faz parte do apelo contemporâneo da lagosta — é o alimento mais fresco que existe. Não acontece decomposição alguma entre a pescaria e a hora de comer. E além de não precisarem ser limpas, temperadas nem depenadas, é simples para os vendedores manter as lagostas vivas. Chegam vivas dentro das armadilhas, são colocadas em recipientes com água do mar e podem — desde que a água seja mantida aerada e as garras dos animais estejam amarradas ou presas para impedir que ataquem uns aos outros por conta do estresse do confinamento[8] — sobreviver até o instante em que são fervidas. Quase todo mundo já esteve em supermercados ou restaurantes que contam com aquários de lagostas vivas, onde podemos escolher o jantar enquanto ele encara nosso dedo estendido. E uma parte importante do espetáculo no Festival da Lagosta do Maine é assistir às embarcações dos pescadores de lagostas atracando nos molhes da parte nordeste e descarregando o produto recém-pescado, que é então transferido manualmente ou com auxílio de carrinhos por cerca de 150 metros até os imensos tanques transparentes empilhados ao redor do panelão do festival — que, como mencionei, é divulgado como a Maior Panela Para Lagostas do Mundo e pode cozinhar de uma só vez mais de 100 lagostas para a Tenda Principal.

Então aqui vai uma pergunta que se torna praticamente inevitável diante da Maior Panela Para Lagostas do Mundo e pode vir à tona em cozinhas espalhadas por todos os Estados Unidos: é certo ferver viva uma criatura senciente para nosso mero prazer gustativo? Um conjunto de preocupações relacionadas: seria

---

[8] N.B. Um raciocínio similar embasa o que se chama de "debicar" frangos e galinhas poedeiras nas fazendas de confinamento modernas. A máxima eficiência comercial exige que populações imensas de galináceos sejam confinadas em espaços desnaturadamente exíguos, condições sob as quais muitas aves enlouquecem e bicam umas às outras até a morte. Como observação de caráter puramente empírico, informo que a "debicagem" costuma ser um processo automatizado e que as galinhas não recebem anestésico nenhum. Não sei se a maioria dos leitores de *Gourmet* conhece a "debicagem" ou as práticas relacionadas, como a extração dos chifres do gado em fazendas industriais, o corte da cauda dos porcos em fazendas de confinamento de suínos para impedir vizinhos psicoticamente entediados de arrancá-las com os dentes e assim por diante. Calhou que este correspondente não sabia quase nada a respeito das operações padrão da indústria da carne antes de começar a trabalhar neste artigo.

a pergunta anterior uma manifestação enfadonha de sentimentalismo ou raciocínio politicamente correto? Nesse contexto, qual seria o sentido de "certo"? Seria isso tudo apenas uma questão de escolha pessoal?

Como talvez você saiba, ou não, um grupo notório conhecido como Pessoas Pelo Tratamento Ético de Animais (*People for the Ethical Treatment of Animals*) acredita que a moralidade do ato de ferver lagostas não é apenas uma questão de consciência individual. Na verdade, uma das primeiríssimas coisas que escutamos sobre o FLM... bem, vamos definir a cena: Estamos vindo de táxi do quase indescritivelmente estranho e rústico Aeroporto do Condado de Knox,[9] na madrugada anterior à abertura do festival, dividindo o táxi com um consultor político endinheirado que passa metade do ano morando na ilha Vinalhaven, que fica na baía (seu destino é a balsa de Rockland). O consultor e o motorista estão respondendo a sondagens jornalísticas informais sobre a visão real dos moradores da região sobre o FLM, se por exemplo consideram o festival apenas um evento para atrair turistas e lucrar bastante ou se é algo que os moradores do local esperam ansiosos, que genuinamente promove seu orgulho como cidadãos etc. O motorista (que passou dos setenta e parece fazer parte de um pelotão inteiro de aposentados contratado pela empresa de táxi para ajudar no burburinho do verão, e usa um broche de lapela com a bandeira americana, e dirige de um modo que pode somente ser descrito como muito *cauteloso*) nos garante que os moradores apoiam e apreciam o FLM, embora faça vários anos que ele mesmo não compareça ao evento e, parando para pensar, ninguém que ele ou a esposa conheçam. Todavia o consultor seminativo participou de alguns festivais recentes (tive a impressão

---

[9] O terminal já foi a casa de alguém, por exemplo, e é nítido que a sala para registro de extravio de bagagens um dia abrigou uma despensa.

de que fez isso por ordem da esposa), dos quais guardou como impressão mais vívida o fato de ser necessário "esperar na fila por um tempo interminável e lancinante até comprar as lagostas, e enquanto isso um monte de ex-malucos beleza zanzam para cima e para baixo distribuindo panfletos dizendo que as lagostas morrem sofrendo dores terríveis e que ninguém deveria comê-las".

E calhou que os pós-hippies das reminiscências do consultor eram ativistas do PETA. Não havia ninguém do PETA à vista no FLM de 2003,[10] mas eles foram uma presença ostensiva em muitos dos festivais recentes. Desde a metade dos anos 1990, pelo menos, artigos publicados em todo tipo de jornais, do *Camden Herald* ao *New York Times*, descreveram o PETA incitando boicotes do Festival da Lagosta do Maine, muitas vezes empregando porta-vozes famosos como Mary Tyler Moore em cartas abertas e anúncios declarando coisas como "Lagostas são extraordinariamente sen-

---

[10] No fim das contas se descobriu que um tal sr. William R. Rivas-Rivas, membro de alto escalão do quartel-general do PETA na Virginia, estava no festival este ano, ainda que sozinho, cuidando das entradas principal e lateral no sábado, dia 2 de agosto, distribuindo panfletos e adesivos com a inscrição "Ser Fervido Dói", o slogan usado na maior parte do material sobre lagostas publicado pelo PETA. Só fiquei sabendo mais tarde que ele tinha estado por lá quando conversei com o sr. Rivas-Rivas ao telefone. Não sei como não o encontramos *in situ* no festival, e não posso fazer muita coisa além de pedir desculpas pelo descuido — embora também seja verdade que sábado foi o dia do grande desfile do FLM em Rockland, a cujo apelo a responsabilidade jornalística básica exigia que eu respondesse (e o que, com todo o respeito, significa que o sábado talvez não fosse o melhor dia para o PETA marcar presença no Harbor Park, especialmente em se tratando de apenas uma pessoa num único dia, pois muitos partidários obstinados do FLM estavam fora dali, assistindo ao desfile (que, mais uma vez sem nenhuma intenção de ofender, foi na verdade meio cafona e maçante, consistindo basicamente de lentos carros alegóricos feitos em casa e diversos moradores da região acenando uns para os outros, além de um homem extremamente irritante vestido como Barba Negra correndo de uma ponta a outra da multidão gritando "Arrr" por vezes sem conta e brandindo uma espada de plástico na frente das pessoas etc.; e também choveu)).

síveis" e "Para mim, comer uma lagosta está fora de questão". Mais concreto é o depoimento oral de Dick, nosso floreado e deveras sociável contato na locadora de automóveis,[11] segundo o qual o PETA esteve tão presente nos últimos anos que os ativistas e os nativos do festival chegaram a uma espécie de homeostase de tolerância precária, por ex.: "Tivemos alguns incidentes uns anos atrás. Uma mulher tirou quase toda a roupa, se pintou inteira de lagosta e quase acabou presa. Mas na maior parte do tempo eles são deixados em paz. [Uma sequência rápida de risadinhas ambíguas, algo que acontece bastante com Dick.] Eles fazem a parte deles e nós fazemos a nossa".

Essa interlocução inteira ocorre na Route 1, em 30 de julho, durante um trajeto de seis quilômetros e 50 minutos do aeroporto[12] até a locadora para assinar os documentos de aluguel do carro. Depois de vários desdobramentos irreproduzíveis das anedotas sobre o PETA, Dick — cujo genro é pescador de lagostas por ofício e um dos fornecedores da Tenda de Alimentação Principal — expõe o que ele e sua família consideram o fator atenuante crucial em toda essa questão sobre a moralidade de ferver lagostas vivas: "No cérebro das pessoas e dos animais existe uma parte que nos faz sentir dor, e os cérebros das lagostas não têm essa parte".

Sem entrar no mérito dessa tese estar incorreta por uns nove motivos diferentes, a declaração de Dick se torna interessante por

---

[11] Dick é vendedor de carros por ofício; a franquia da National Car Rental na região costeira central funciona numa revendedora Chevy em Thomaston.
[12] A versão curta de por que estamos de volta ao aeroporto após termos chegado na noite anterior envolve bagagem extraviada e problemas de comunicação a respeito de onde ficava e o que era a franquia da National — Dick foi pessoalmente ao aeroporto para nos buscar, sem outro motivo aparente além da gentileza. (Também falou sem parar durante todo o trajeto, com uma prosódia muito singular que somente poderia ser descrita como maniacamente lacônica; a verdade é que agora sei mais coisas a respeito desse homem do que sobre alguns membros da minha família.)

ser mais ou menos ecoada pelo pronunciamento oficial do FLM sobre lagostas e dor, parte integrante de um teste chamado "Teste seu QI de Lagosta" encartado no programa do festival de 2003 por cortesia da Associação de Fomento à Lagosta do Maine:

> O sistema nervoso da lagosta é muito simples, e na verdade é muito semelhante ao sistema nervoso do gafanhoto. É descentralizado, sem um cérebro. Não há um córtex cerebral, que nos humanos é a área do cérebro que proporciona a experiência da dor.

Embora soe mais sofisticado, boa parte do embasamento neurológico desta afirmação ainda é falsa ou imprecisa. O córtex cerebral humano é a parte do cérebro que lida com as faculdades superiores, como a razão, a autoconsciência metafísica, a linguagem etc. Sabemos que os receptores da dor fazem parte de um sistema muito mais antigo e primitivo de nociceptores e prostaglandinas administrados pelo tronco encefálico e o tálamo.[13] Por outro lado, é verdade que o córtex cerebral está envolvido no que se costuma chamar de sofrimento, aflição ou experiência emocional da dor — isto é, experimentar estímulos dolorosos como desagradáveis, muito desagradáveis, intoleráveis e assim por diante.

Antes de avançarmos, vamos reconhecer que as questões sobre se e como diferentes tipos de animais sentem dor, e de se e por que seria justificável lhes infligir dor para se alimentar deles, se mostram extremamente complexas e difíceis. E neuroanatomia comparada é apenas parte do problema. Como a dor é uma

---

[13] Para desenvolver através de um exemplo: a experiência corriqueira de encostar a mão sem querer em um forno quente e retirá-la bruscamente antes mesmo de notar que há algo de errado se explica pelo fato de muitos dos processos através dos quais detectamos e evitamos os estímulos dolorosos não envolverem o córtex. No caso da mão e do forno, o cérebro é totalmente contornado; toda a ação neuroquímica importante acontece na espinha dorsal.

experiência mental totalmente subjetiva, não temos acesso direto à dor de ninguém ou de coisa alguma, somente à nossa; e até mesmo os princípios pelos quais podemos inferir que outros seres humanos experimentam a dor e têm um interesse legítimo em não sentir dor envolvem filosofia pura — metafísica, epistemologia, teoria dos valores, ética. O fato de nem mesmo os mamíferos não humanos mais evoluídos serem capazes de usar linguagem para se comunicar conosco a respeito de sua experiência mental subjetiva é apenas a primeira camada da complicação adicional de tentar estender aos animais nossos raciocínios sobre dor e moralidade. E tudo fica cada vez mais abstrato e intrincado à medida que nos afastamos mais e mais dos mamíferos superiores e passamos ao gado, aos porcos, aos cães e gatos e aos roedores, e então aos pássaros, aos peixes e por fim aos invertebrados, como as lagostas.

 Todavia o mais importante aqui é que toda a questão da crueldade com os animais e da moralidade de comê-los não é apenas complexa, mas também desconfortável. Ou pelo menos é desconfortável para mim, e para praticamente todos os meus conhecidos que apreciam uma ampla gama de alimentos e ao mesmo tempo não querem se enxergar como cruéis ou insensíveis. Até onde percebo, minha principal maneira de lidar com esse conflito tem sido evitar pensar sobre esse assunto tão desagradável. Devo admitir que também me parece improvável que muitos leitores de *Gourmet* queiram pensar sobre isso ou ser questionados a respeito da moralidade dos seus hábitos alimentares por uma revista mensal de gastronomia. Porém, como a pauta definida para este artigo é descrever como foi participar do FLM de 2003, e por conta disso passar vários dias em meio a uma grande massa de americanos comendo lagostas, e por conta disso ser mais ou menos impelido a pensar a fundo sobre lagostas e sobre a experiência de comprar e comer lagostas, calha que não existe uma maneira honesta de evitar certas questões morais.

Há vários motivos para isso. Para começar, não existe só o problema de que as lagostas são fervidas vivas, mas também o de que quem faz isso é você — ou pelo menos isso é feito especificamente para você, *in loco*.[14] Conforme mencionado, a Maior Panela Para Lagostas do Mundo, que é destacada como uma atração no programa do festival, fica bem à vista de todos na área norte do FLM. Tente imaginar um Festival da Carne do Nebraska[15] cujas festividades incluíssem caminhões estacionando e gado sendo descarregado por uma rampa para em seguida ser abatido diante do público no Maior Matadouro do Mundo ou coisa parecida — seria impossível.

[14] Em termos de moralidade, é preciso admitir que isso é uma faca de dois gumes. Pelo menos comer lagostas não torna ninguém cúmplice do sistema corporativo de fazendas de confinamento que produz a maior parte da carne de gado, porco e frango. Por conta, no mínimo, do modo como são comercializadas e embaladas, comemos essas carnes sem ter de pensar que um dia já foram criaturas sencientes e dotadas de consciência às quais foram feitas coisas horríveis. (N.B. "Horríveis" aqui significa muito, muito horríveis. Escreva para o PETA ou visite peta.org para receber o vídeo gratuito *Meet your meat* [Conheça sua carne], narrado pelo sr. Alec Baldwin, se quiser ver praticamente tudo a respeito da carne que você não quer ver nem pensar a respeito. (N.B.$_2$ Não que o PETA seja uma fonte de verdades cristalinas. Como muitos dos partidários em disputas morais complexas, o pessoal do PETA é fanático, e boa parte de sua retórica parece simplista e santarrona. Mas este vídeo em particular, repleto de cenas reais de fazendas de confinamento e matadouros corporativos, é ao mesmo tempo convincente e traumatizante.))

[15] Não é significativo que, em inglês, as palavras *lobster* (lagosta), *fish* (peixe) e *chicken* (frango) se refiram tanto ao animal quanto à carne, enquanto a maior parte dos mamíferos exige eufemismos como *beef* (carne de boi) e *pork* (carne de porco) para nos ajudar a separar a carne que comemos da criatura viva a quem um dia ela pertenceu? Seria isso uma prova de que existe um desconforto profundo a respeito de comer animais superiores, endêmico o bastante para vir à tona no idioma, mas que diminui à medida que nos afastamos da ordem dos mamíferos? (E seria *lamb/lamb* (cordeiro/cordeiro) o contraexemplo que empana toda essa teoria, ou existiriam motivos especiais, bíblico-históricos, para tal equivalência?)

A intimidade da coisa toda é maximizada em casa, onde naturalmente a maioria das lagostas é preparada e comida (percebam, contudo, o eufemismo semiconsciente "preparada", que no caso das lagostas significa na verdade matá-las bem no meio das nossas cozinhas). No cenário habitual o sujeito chega em casa com as lagostas e toma pequenas providências como encher o tacho de água e pôr para ferver, e em seguida retira as lagostas da sacola ou qualquer que seja o recipiente em que tenham sido trazidas... e então coisas desconfortáveis começam a acontecer. Por mais estuporada que esteja depois do trajeto, por exemplo, a lagosta costuma voltar à vida de forma alarmante ao ser colocada na água fervente. Quando é despejada do recipiente para dentro do tacho fumegante, às vezes a lagosta tenta se segurar nas bordas do recipiente ou até mesmo enganchar as garras na beira do tacho como uma pessoa dependurada de um telhado, tentando não cair. Pior ainda é quando a lagosta fica imersa por completo. Mesmo que o sujeito tampe o tacho e saia de perto, normalmente é possível ouvir a tampa chacoalhando e rangendo enquanto a lagosta tenta empurrá-la. Ou escutar as garras da criatura raspando o interior do tacho enquanto se debate. Em outras palavras, a lagosta apresenta um comportamento muito parecido com o que eu ou você apresentaríamos se fôssemos atirados em água fervente (com a óbvia exceção dos gritos[16]). Para falar de modo ainda mais di-

---

[16] Há um mito populista relevante acerca do apito agudo que por vezes escapa de uma panela onde se fervem lagostas. Na verdade o som é causado pelo vapor expelido pela camada de água marinha entre a carne da lagosta e sua carapaça (é por isso que as lagostas de casca mole apitam mais que as de casca dura), mas a versão pop afirma que esse som, semelhante aos guinchos de um coelho, é o grito de morte da lagosta. As lagostas se comunicam através de feromônios na urina e não possuem nada remotamente parecido com o equipamento vocal necessário para gritar, mas o mito é bastante persistente — o que pode, mais uma vez, apontar para um desconforto baixo-cultural a respeito dessa história de ferver lagostas.

reto, a lagosta age como se sentisse dores terríveis, fazendo com que algumas pessoas abandonem a cozinha levando consigo um daqueles cronômetros de plástico para esperar em outro cômodo até o processo inteiro chegar ao fim.

A maioria dos eticistas concorda que existem dois critérios principais para determinar se uma criatura viva possui a capacidade de sofrer e, assim, possui interesses genuínos que podemos ou não ter o dever moral de levar em conta.[17] Um deles se relaciona ao hardware neurológico requerido para a experiência da dor com que o animal vem equipado — nociceptores, prostaglandinas, neurorreceptores opioides etc. O outro critério é se o animal demonstra algum comportamento associado à dor. E é necessária uma boa dose de ginástica intelectual e detalhismo behaviorista para não ver as ações de lutar, se debater e fazer tilintar tampas de panela como comportamentos associados à dor. Segundo os zoólogos marinhos, em geral uma lagosta leva de 35 a 45 segundos para morrer dentro da água fervente. (Não consegui encontrar nenhuma fonte que mencione o tempo necessário para que morram em vapor superaquecido; espera-se que seja mais rápido.)

Existem, é claro, outras maneiras de matar sua lagosta *in loco* e assim obter o máximo de frescor. Alguns cozinheiros têm como

---

[17] "Interesses" significa basicamente preferências fortes e legítimas, que obviamente exigem algum grau de consciência, reatividade a estímulos etc. Veja, por exemplo, o que diz o filósofo utilitarista Peter Singer, cujo livro *Animal liberation* [Libertação animal] de 1974 é mais ou menos a bíblia do movimento contemporâneo de direitos dos animais:

> Seria tolice dizer que não está nos interesses de uma pedra ser chutada por um garoto ao longo de uma estrada. Uma pedra não tem interesses, pois não pode sofrer. Nada que possamos fazer com ela representaria qualquer diferença em seu bem-estar. Um rato, por outro lado, tem interesse em não ser chutado ao longo da estrada, pois sofrerá se isso vier a acontecer.

hábito espetar a ponta de uma faca afiada e pesada em um ponto logo acima da metade da distância entre os olhos pedunculares da lagosta (mais ou menos onde o Terceiro Olho se localiza nas frontes humanas). A alegação é que isso ou mata a lagosta instantaneamente ou a torna insensível, e dizem que elimina ao menos parte da covardia envolvida no ato de jogar uma criatura em água fervente e em seguida abandonar o recinto. Até onde pude deduzir conversando com defensores do método da facada na cabeça, o raciocínio é que ele é mais violento todavia no fim das contas mais misericordioso, além de que a disposição de exercer agência pessoal e aceitar a responsabilidade de apunhalar a cabeça da lagosta de algum modo honra o animal e autoriza alguém a comê-lo (os argumentos pró-facada muitas vezes têm um sabor vago de espiritualidade-da-caça do nativo americano). Mas o problema do método da facada é biologia básica: os sistemas nervosos das lagostas não operam a partir de um, mas de diversos gânglios conhecidos como feixes de nervos, meio que conectados em série e distribuídos por toda a parte de baixo do corpo do animal, da proa à popa. E incapacitar somente o gânglio frontal não costuma resultar em morte rápida ou perda de consciência.

Outra alternativa é colocar a lagosta em água salgada fria e em seguida ferver lentamente. Cozinheiros que defendem este método recorrem à analogia da rã, que supostamente pode ser impedida de saltar de uma panela fervente se a água for esquentada aos poucos. Para poupar a todos de um resumo das minhas pesquisas, vou simplesmente garantir que a analogia entre rãs e lagostas não se sustenta — e digo mais, se a água na panela não for água marinha e aerada, a lagosta nela imersa é submetida a uma lenta sufocação, embora esta não seja severa o suficiente para impedir que ela se debata e faça barulho quando a água ficar quente o bastante para matá-la. Na realidade, lagostas fervidas aos poucos muitas vezes demonstram todo um conjunto adicional de reações pavorosas e convulsivas que normalmente não são registradas na fervura comum.

Em última análise, as únicas virtudes confirmadas dos métodos de lobotomia caseira e fervura lenta são comparativas, pois há quem prepare lagostas de formas ainda piores/mais cruéis. Cozinheiros interessados em poupar tempo às vezes colocam as lagostas vivas no micro-ondas (geralmente após fazer várias perfurações na carapaça, uma precaução cuja utilidade muitos adeptos do micro-ondas aprendem na prática). Esquartejar a lagosta viva, por outro lado, faz sucesso na Europa — alguns *chefs* dividem a lagosta ao meio antes de cozinhar; outros gostam de arrancar as patas e a cauda e atirar somente essas partes dentro da panela.

E há outras más notícias relacionadas ao critério de sofrimento número um. Ainda que não se destaquem pela visão ou pela audição, as lagostas possuem um tato muito refinado, auxiliado por centenas de milhares de pelos minúsculos que se projetam através da carapaça. "E é por isso", nas palavras de T. M. Prudden no clássico do ramo, *About Lobster*, "que embora envolta pelo que parece uma armadura sólida e impenetrável, a lagosta é capaz de receber estímulos e sensações do mundo exterior tão prontamente quanto se possuísse uma pele macia e delicada". E as lagostas possuem nociceptores,[18] bem como versões invertebradas de prostaglandinas e neurotransmissores importantes através dos quais nossos próprios cérebros registram a dor.

Por outro lado, as lagostas não parecem contar com o equipamento necessário para produzir ou absorver opioides naturais como as endorfinas ou as encefalinas, utilizados pelos sistemas nervosos mais avançados para tentar lidar com a dor intensa. Des-

---

[18] Este é o termo neurológico para receptores sensoriais específicos, "sensíveis a extremos de temperatura potencialmente nocivos, a forças mecânicas e a substâncias químicas liberadas quando os tecidos do corpo sofrem danos".

te fato, porém, seria possível concluir tanto que as lagostas talvez sejam ainda *mais* vulneráveis à dor, pois não contam com a analgesia embutida nos sistemas nervosos dos mamíferos, ou, ao invés disso, que a ausência de opioides naturais implica a ausência das sensações de dor realmente intensas que essas substâncias são destinadas a aliviar. Eu particularmente detecto uma melhora sensível no meu humor ao contemplar esta última possibilidade. É possível que a ausência de hardware para endorfinas/encefalinas signifique que para as lagostas a experiência crua e subjetiva da dor seja tão radicalmente diferente da experiência dos mamíferos que pode nem mesmo ser merecedora do termo "dor". Talvez as lagostas tenham mais em comum com aqueles pacientes de lobotomia frontal sobre quem a gente às vezes lê, que relatam experimentar a dor de uma maneira totalmente diferente de você e eu. É evidente que esses pacientes sentem dor física, neurologicamente falando, mas não desgostam dela — embora também não cheguem a gostar; é como se eles sentissem dor, mas não sentissem nada *a respeito* dela — ou seja, a dor não lhes aflige nem é algo que desejem evitar. Talvez as lagostas, que também não possuem lobos frontais, sejam da mesma forma indiferentes ao registro neurológico de ferimento ou perigo que chamamos de dor. Existe, afinal de contas, uma diferença entre (1) a dor como um evento puramente neurológico e (2) o sofrimento genuíno, no qual parece crucial o envolvimento de um componente emocional, uma consciência da dor como uma experiência desagradável, algo a se temer/desgostar/querer evitar.

Ainda assim, após toda a abstração intelectual, restam os fatos da tampa batendo freneticamente, das patas enganchadas de forma patética na beira da panela. Diante do fogão é difícil negar de qualquer modo significativo que aquilo é uma criatura viva sentindo dor e tentando evitar/escapar dessa experiência dolorosa. Para minha mente leiga, o comportamento da lagosta no tacho parece ser uma expressão de *preferência*; e é bem possível que uma habilidade para formar preferências seja o critério decisivo para o sofrimento real.[19] A lógica desta relação (preferência→sofrimento) pode ser mais facilmente compreensível no caso negativo. Se cortarmos ao meio certos tipos de vermes, muitas vezes as metades seguirão rastejando por aí e cuidando dos seus assuntos vermiformes como se nada tivesse acontecido. Quando, tomando como base seu comportamento pós-operatório, afirmamos que esses vermes não parecem estar sofrendo, estamos na verdade dizendo que não existe indício algum de que os vermes saibam que algo de ruim aconteceu ou que *prefeririam* não ser divididos ao meio.

As lagostas, porém, manifestam preferências. Experimentos demonstraram que elas são capazes de detectar mudanças de apenas um ou dois graus na temperatura da água; um dos motivos para seus complexos ciclos migratórios (que muitas vezes abarcam mais de 150 quilômetros por ano) é a busca por temperaturas que consideram mais agradáveis.[20] E, como já foi mencionado, as lagostas vivem no leito marinho e não gostam de claridade — se

---

[19] Em linhas gerais "preferência" talvez seja um sinônimo de "interesses", mas é um termo melhor para nossos fins por ser menos abstratamente filosófico — "preferência" parece mais pessoal, e o que está em questão é justamente toda a ideia da experiência pessoal de uma criatura viva.

[20] Naturalmente, neste caso o tipo mais comum de contra-argumento começaria protestando que "consideram mais agradáveis" não passa de uma metáfora, que ainda por cima é enganosamente antropomórfica. O contra-argumentador postularia que a lagosta busca manter uma determinada temperatura ambiente ideal movida por nada mais que um instinto inconsciente (com uma explicação similar para as afinidades com a baixa iluminação expostas a seguir no texto principal). A conclusão última de tal contra-argumento seria que os sacolejos e convulsões da lagosta dentro do tacho não expressam uma dor que ela preferiria não sentir, mas apenas reflexos involuntários, como a nossa perna saltando quando o médico aplica um golpe delicado no joelho. Saiba que há cientistas profissionais, incluindo muitos pesquisadores que utilizam animais em seus experimentos,

um aquário cheio de lagostas for colocado à luz do sol ou mesmo sob a luz fluorescente de uma loja, elas vão sempre se aglomerar na parte mais escura. Por serem bastante solitárias no oceano, as lagostas também claramente desgostam do amontoamento que é parte indissociável do seu cativeiro em aquários, pois (como também já foi mencionado) um dos motivos pelos quais se amarram as garras das lagostas assim que elas são capturadas é evitar que elas ataquem umas às outras por conta do estresse do armazenamento em espaços exíguos.

De qualquer modo, no FLM, diante dos aquários borbulhantes em frente à Maior Panela Para Lagostas do Mundo, observando as lagostas recém-pescadas se amontoando umas sobre as outras, sacudindo impotentes as garras amarradas, se escondendo nos cantos mais escuros ou se afastando inquietas do vidro quando alguém se aproxima, é difícil não sentir que estão infelizes, ou assustadas, mesmo que seja alguma forma rudimentar dessas emoções... e, a propósito, por que a rudimentariedade tem que

---

que defendem o ponto de vista segundo o qual as criaturas não humanas não possuem quaisquer sensações genuínas, apenas "comportamentos". Saiba também que este ponto de vista tem uma longa história que remonta a Descartes, embora seu embasamento contemporâneo seja fornecido principalmente pela psicologia behaviorista.

Para estes contra-argumentos segundo os quais aquilo que parece dor na verdade não passa de reflexos, contudo, existe toda uma gama de contra-contra-argumentos científicos e em defesa dos direitos dos animais. E também novas tentativas de refutações e reendereçamentos, e assim por diante. Basta dizer que tanto os argumentos científicos quanto os filosóficos em ambos os lados da querela sobre o sofrimento dos animais são intrincados, abstrusos, técnicos, muitas vezes permeados por interesses ou ideologias, e no final das contas tão completamente inconclusivos que em termos práticos, seja na cozinha ou no restaurante, tudo ainda parece estar reduzido à consciência individual, a uma decisão tomada com (sem trocadilho) as entranhas.

ser incluída na questão? Por que uma forma primitiva e inarticulada de sofrimento seria menos urgente ou desconfortável para a pessoa que está colaborando com ela ao pagar pelo alimento resultante desse sofrimento? Não estou tentando passar um sermão ao estilo do PETA — ou pelo menos acho que não. Ao invés disso, estou tentando compreender e articular alguns dos questionamentos perturbadores que vêm à tona em meio às risadas, à animação e ao orgulho comunitário do Festival da Lagosta do Maine. A verdade é que se, comparecendo ao festival, o sujeito se permitir cogitar que as lagostas podem sofrer e que prefeririam que isso não acontecesse, o FLM começa a ficar parecido com um circo romano ou um festival de torturas medievais.

Parece uma comparação exagerada? Se for o caso, por quê, exatamente? Ou que tal esta: é possível que as gerações futuras considerem as práticas de agronegócio e alimentares contemporâneas da mesma maneira como hoje enxergamos os espetáculos de Nero ou os experimentos de Mengele? Minha própria reação inicial é achar uma comparação dessas histérica e extremada — todavia, o motivo pelo qual ela me parece extremada é que eu creio que os animais são moralmente menos importantes que os seres humanos;[21] e quando se trata de defender essa crença, ainda que para mim mesmo, preciso reconhecer que (a) tenho um óbvio interesse egoísta nessa crença, pois gosto de comer certos tipos de animais e quero ser capaz de continuar fazendo isso, e (b) não consegui elaborar nenhum tipo de sistema ético pessoal dentro do qual essa crença se torne verdadeiramente justificável em vez de ser apenas uma conveniência egoísta.

Levando em conta o local onde este artigo será publicado

---

[21] Significando *bem menos* importantes, ao que parece, posto que a comparação moral em jogo não é o valor de uma vida humana *versus* o valor de uma vida animal, mas sim o valor de uma vida animal *versus* o valor do gosto humano por um tipo específico de proteína. Até mesmo o carnófilo mais teimoso reconheceria que é possível viver e comer bem sem consumir animais.

e minha própria falta de sofisticação culinária, tenho curiosidade em saber se o leitor se identifica com quaisquer dessas reações, confissões e desconfortos. Também não quero soar excessivo ou moralista, quando na verdade o que sinto é confusão. Aos leitores de *Gourmet* que apreciam refeições bem-feitas e bem-apresentadas envolvendo carne de vaca, vitela, cordeiro, porco, frango, lagosta etc.: Vocês pensam muito sobre a (possível) condição moral e o (provável) sofrimento dos animais envolvidos? Se pensam, quais convicções éticas desenvolveram para se permitir não apenas comer, mas também saborear e desfrutar de iguarias à base de carnes de animais (pois o *desfrute* refinado, em contraste à mera ingestão, é naturalmente a razão de ser da gastronomia)? Se, por outro lado, vocês não dão a menor bola para confusões ou convicções e acham coisas como o parágrafo anterior puro umbiguismo sem sentido, o que em seu íntimo faz vocês sentirem que não existe realmente problema algum em desconsiderar de forma peremptória toda essa questão? Isto é, a recusa em pensar nessas coisas seria o produto de um raciocínio ou na verdade vocês apenas não querem pensar sobre o assunto? E se for isso mesmo, por que não? Vocês chegam a pensar, mesmo à toa, sobre as possíveis razões dessa relutância em pensar no assunto? Não estou tentando importunar ninguém — minha curiosidade é genuína. Afinal de contas, ser muito consciente, atencioso e cuidadoso a respeito do que se come e de todo o contexto englobante não é parte do que distingue um verdadeiro *gourmet*? Ou toda a atenção e a sensibilidade extraordinárias do *gourmet* devem se limitar ao sensorial? Tudo poderia realmente ser resumido a uma questão de sabor e apresentação?

Estas últimas indagações, todavia, ainda que sinceras, obviamente envolvem questões muito maiores e mais abstratas a respeito das conexões (caso existentes) entre estética e moralidade — sobre o que realmente significa o adjetivo em uma expressão como

"A Revista da Boa Vida" — e essas questões levam diretamente a águas tão profundas e traiçoeiras que talvez seja melhor encerrar por aqui a discussão pública. Existem limites para o que mesmo pessoas interessadas podem perguntar umas às outras.

[2004]

5. Isto é água[*]

Saudações, obrigado e parabéns à turma de formandos de 2005 do Kenyon. Dois peixinhos estão nadando e cruzam com um peixe mais velho que vem nadando no sentido contrário, que os cumprimenta dizendo: "Bom dia, meninos. Como está a água?". Os dois peixinhos continuam nadando por mais algum tempo, até que um deles olha para o outro e pergunta: "Água? Que diabo é isso?".

O emprego de historinhas didáticas com ar de parábola é um requisito padrão dos discursos de paraninfo nos Estados Unidos. Na verdade, de todas as convenções do gênero, a historinha é uma das que possui o menor teor de conversa fiada... mas se acham que pretendo me colocar na posição do peixe mais velho e mais sábio que explicará o que é a água para vocês, os peixinhos, por favor, não temam. Não sou o peixe velho e sábio. Minha intenção com a historinha dos peixes é simplesmente mostrar que as realidades mais óbvias, onipresentes e fundamentais são com fre-

[*] Discurso de Paraninfo, Kenyon College, 21 de maio de 2005.

quência as mais difíceis de ver e conversar a respeito. Dito dessa forma, em uma frase, é claro que isso não passa de uma platitude banal, mas o fato é que nas trincheiras cotidianas da existência adulta as platitudes banais podem ter uma importância vital, ou pelo menos é o que eu gostaria de sugerir a vocês nessa manhã de tempo seco e agradável.

Claro que o principal requisito de um discurso como este é que eu fale a vocês sobre o significado de uma formação em ciências humanas e tente explicar por que o diploma que estão prestes a receber não representa apenas uma compensação material, mas também possui um valor humano autêntico. Tratemos, então, do clichê mais difundido no gênero dos discursos de paraninfo, segundo o qual uma formação em ciências humanas não é tanto uma questão de preencher vocês de conhecimento, sendo mais um caso de, abre aspas, "ensiná-los a pensar". Se vocês são o mesmo tipo de aluno que eu fui, nunca gostaram de ouvir isso e tendem a se sentir um pouco ofendidos com a alegação de que precisaram que alguém os ensinasse a pensar, pois o próprio fato de terem sido selecionados para uma universidade tão boa quanto esta parece ser uma prova de que já sabem fazer isso. Porém, quero postular que o clichê das ciências humanas não tem nada de ofensivo, pois a forma realmente significativa de educação do pensamento que deveríamos obter num lugar como este não tem relação com a capacidade de pensar, e sim com aquilo em que escolhemos pensar. Se vocês acham que sua liberdade irrestrita de escolha para pensar no que bem entenderem é óbvia demais para ser questionada, peço que pensem de novo em peixes e água e que contenham somente por alguns minutos seu ceticismo em relação ao valor daquilo que é totalmente óbvio.

Aqui vai mais uma historinha didática. Tem dois caras sentados num bar nas profundezas remotas do Alasca. Um dos caras é religioso, o outro é ateu, e eles estão discutindo a existência de Deus com aquela intensidade característica que surge lá pela quarta cerveja. Aí o ateu diz: "Olha, não é que me faltem motivos concretos para não acreditar em Deus. Não é como se eu nunca tivesse experimentado essa coisa toda de Deus e orações. Agora mesmo no mês passado eu estava longe do acampamento quando fui pego de surpresa por aquela nevasca terrível, não conseguia ver nada, fiquei totalmente perdido, estava 45 graus abaixo de zero, e aí decidi tentar exatamente isso: caí de joelhos na neve e gritei 'Oh Deus, se é que existe Deus, estou perdido nessa nevasca e vou morrer se você não me ajudar!'". Aí o sujeito religioso encara o ateu, todo intrigado: "Bem, depois disso você deve ter começado a acreditar", ele diz, "afinal de contas você está aqui, vivo". O ateu revira os olhos, como se o religioso fosse um tremendo paspalho: "Não, cara, só aconteceu que uns esquimós apareceram do nada e me mostraram para que lado ficava o acampamento".

É fácil submeter essa história a uma análise meio que padrão das ciências humanas: a mesmíssima experiência pode significar duas coisas completamente diferentes para duas pessoas diferentes, dado que essas pessoas têm dois padrões de crença diferentes e duas maneiras diferentes de construir sentido a partir da experiência. Como valorizamos a tolerância e a diversidade de crenças, preferimos que nossa análise das ciências humanas passe longe de afirmar que a interpretação de apenas um dos caras é verdadeira enquanto a do outro é falsa ou inferior. Nada de errado nisso, tirando o fato de que nunca chegamos a discutir de onde nascem esses padrões e crenças individuais, quer dizer, onde eles nascem *dentro* dos dois caras. É como se a orientação mais básica de uma pessoa diante do mundo e do significado de suas experiências pudesse estar predefinida de alguma forma, como a altura ou o número do sapato, ou ser absorvida da cultura, como a linguagem. Como se nosso modo de construir significados não fosse na verdade uma questão de escolha íntima e intencional, de decisão consciente.

Há também a questão da arrogância. O cara não religioso está perfeitamente confiante em seu repúdio de qualquer possibilidade de que os esquimós possam ter alguma relação com sua oração pedindo socorro. É verdade que muitos religiosos também parecem ter uma certeza arrogante de suas próprias interpretações. Eles são provavelmente ainda mais repulsivos que os ateus, pelo menos para a maioria de nós aqui, mas o fato é que o problema dos dogmáticos religiosos é exatamente o mesmo do ateu dessa história — a arrogância, a certeza cega, uma tacanhice que representa uma prisão tão completa que o prisioneiro nem se dá conta de que está trancafiado. Estou querendo dizer que o verdadeiro significado do mantra do "ensinar a pensar" nas ciências humanas tem a ver com isso: ser um pouco menos arrogante, ter um pouco mais de "consciência crítica" a respeito de mim mesmo e minhas certezas... pois no fim das contas uma porcentagem enorme das coisas a respeito das quais estou inclinado a automaticamente ter certeza acaba se revelando ilusória ou completamente equivocada. Aprendi isso do jeito mais difícil, e suponho que com vocês, formandos, não será diferente.

Vou dar apenas um exemplo de total incorreção sobre uma certeza automática que costumo ter. Tudo na minha experiência imediata respalda a minha crença profunda de que sou o centro absoluto do universo; a pessoa mais real, fulgurante e essencial que existe. Raramente falamos sobre esse tipo de autocentramento básico e natural, pois ele é socialmente repulsivo, mas no fundo todos nós temos mais ou menos a mesma impressão. É nossa configuração padrão, embutida em nossa placa-mãe desde o nascimento. Pensem nisso: vocês foram o centro absoluto de todas as experiências que tiveram. Sua experiência de mundo está diante ou atrás de vocês, à sua esquerda ou à sua direita, na sua TV ou no seu monitor ou onde mais for. Os pensamentos e sentimentos dos outros precisam ser comunicados a vocês de alguma forma, mas o que vocês sentem ou pensam é muito imediato, urgente, *real*. Vocês entenderam. Mas não se assustem, por favor, não estou preparando o terreno para pregar a compaixão, a preocupação com o próximo e outras supostas "virtudes". Não se trata de virtude — se trata da minha escolha de me dar ao trabalho de modificar ou me libertar, de alguma forma, da minha configuração padrão natural, que é a de ser profunda e literalmente autocentrado e ver e interpretar tudo pelo prisma do meu ser. Quem *consegue* ajustar sua configuração padrão dessa maneira costuma ser descrito como, abre aspas, "bem ajustado", e isso, digo a vocês, não é um termo acidental.

Dado o ambiente acadêmico em que estamos, torna-se óbvio indagar em que medida esse trabalho de ajustar nossa própria configuração padrão envolve conhecimento ou intelecto. A resposta, sem surpresa alguma, é que vai depender do tipo de conhecimento de que estamos falando. Talvez o maior risco de uma educação acadêmica, e falo do meu caso, é que ela ativa uma tendência a intelectualizar as coisas além da conta, a perder-se em reflexões abstratas em vez de simplesmente prestar atenção no que se passa bem na nossa frente. Em vez de prestar atenção no que se passa *dentro* da gente. Como vocês já devem saber a essa altura, é extremamente difícil permanecer alerta e atento, em vez de se deixar hipnotizar pelo monólogo constante que acontece dentro de nossas cabeças. O que vocês ainda não sabem é o que está em jogo nessa batalha.

Nos vinte anos que se passaram desde a minha formatura, fui entendendo aos poucos que, na verdade, o clichê das ciências humanas que fala sobre "ensinar a pensar" é a abreviatura de uma verdade muito profunda e importante. "Aprender a pensar" é aprender a exercer algum controle sobre *como* e *em que* você pensa. É estar consciente e atento o bastante para *escolher* em que prestar atenção e *escolher* a maneira de construir significado a partir da experiência. Porque se vocês não puderem ou não quiserem exercer esse tipo de escolha na vida adulta, vão quebrar a cara. Pensem no velho clichê segundo o qual "a mente é uma excelente empregada, mas uma péssima patroa". Esse clichê, que como tantos outros é tolo e banal na superfície, no fundo expressa uma grande e terrível verdade. Não há um pingo de coincidência no fato de que a maioria dos adultos que cometem suicídio com armas de fogo faz isso com um tiro na... *cabeça*. E a verdade é que muitos desses suicidas já estão mortos muito antes de puxar o gatilho. Proponho a vocês que esse é o valor real e sério que precisa ser transmitido numa educação em ciências humanas: Como ter uma vida adulta confortável, próspera e respeitável sem estar morto ou inconsciente, sem ser escravo da própria cabeça e da configuração padrão natural que nos condena a estar singular, completa e imperialmente sozinhos dia após dia.

Pode parecer hipérbole ou baboseira abstrata. Então sejamos concretos. O fato puro e simples é que vocês formandos ainda não fazem ideia do que significa "dia após dia". Existem áreas inteiras da vida adulta americana que ninguém menciona nos discursos de paraninfo. Os Pais e todo o pessoal mais velho aqui presente sabem bem demais sobre o que estou falando. A título de exemplo, digamos que hoje é um dia típico da vida adulta e você acorda de manhã, vai para seu emprego qualificado, de alto nível de especialização, desafiador, trabalha duro por nove ou dez horas e no final do dia está cansado e um pouco estressado, e tudo que deseja é ir para casa ao encontro de um belo jantar e talvez algumas horas de ócio para depois cair na cama bem cedo porque no dia seguinte precisa acordar e fazer tudo de novo. Mas aí você lembra que não tem comida em casa — você não teve tempo de fazer compras naquela semana, por causa do emprego desafiador

— então você precisa entrar no carro após o trabalho e dirigir até o supermercado. É o horário em que todos saem do trabalho e o trânsito está péssimo, de modo que você leva muito mais tempo do que deveria para chegar ao mercado e quando finalmente chega ele está lotadíssimo porque, obviamente, é o horário do dia em que todas as outras pessoas que trabalham tentam aproveitar para fazer as compras domésticas e o mercado está iluminado por uma luz fluorescente horrenda e impregnado de música de elevador ou pop comercial de massacrar a alma e esse é mais ou menos o último lugar no qual você gostaria de estar agora, mas é impossível dar um pulinho rápido e cair fora; é preciso perambular pelos corredores imensos, lotados e excessivamente iluminados do mercado para encontrar o que você quer, e é preciso manobrar o carrinho de compras sucateado pelo meio de todas essas outras pessoas cansadas e apressadas que empurram seus próprios carrinhos, e é claro que não faltam os velhos com sua vagarosidade glacial e os sujeitos espaçosos e as crianças com DDA bloqueando os corredores e você range os dentes e tenta ser educado quando deixam você passar até que finalmente consegue reunir todos os produtos necessários para a sua refeição noturna, só que agora você descobre que não há um número suficiente de caixas abertos, apesar do horário de pico, e por causa disso a fila para pagar está incrivelmente longa, o que é absurdo e enfurecedor, mas você não pode descontar a fúria na moça à beira de um ataque de nervos que trabalha no caixa pois ela está sobrecarregada num emprego cujos níveis diários de tédio e ausência de sentido ultrapassam a imaginação de qualquer um de nós aqui presentes numa universidade conceituada... de qualquer modo, enfim chega a sua vez no caixa e você paga pela comida, espera o cheque ou o cartão ser autenticado pela máquina e escuta um "Tenha uma boa noite" dito por uma voz que é a voz absoluta da *morte* e em seguida precisa colocar as sacolinhas plásticas frágeis, repulsivas e cheias de produtos dentro do carrinho com uma rodinha que puxa para a esquerda levando você à loucura, e empurrar o carrinho através do estacionamento lotado, irregular e cheio de lixo para depois tentar acomodar as sacolas no carro evitando que tudo caia para fora e fique rolando dentro do porta-malas enquanto você enfrenta o tráfego lerdo, pesado e atravancado por utilitários esportivos et cetera et cetera. Todo mundo aqui já passou por isso, é claro — mas ainda não faz parte da rotina diária de vocês formandos, a cada dia de cada semana de cada mês de cada ano. Mas fará, junto com muitas outras rotinas pavorosas, maçantes e aparentemente sem sentido algum.

Mas a questão não é essa. A questão é que o exercício da escolha entra em cena justamente em situações infernais e frustrantes como essa. Engarrafamentos, corredores lotados e filas longas me proporcionam um momento para pensar, e se eu não tomar uma decisão consciente sobre como devo pensar e em que devo prestar atenção, ficarei irritado e sofrerei toda vez que precisar fazer compras, já que minha configuração padrão natural me assegura de que situações desse tipo só dizem respeito a *mim*, à minha fome, ao meu cansaço e à minha vontade de chegar em casa, e ficará parecendo que o resto do mundo não existe e que todo mundo está *na minha frente*. E quem são todas essas pessoas *na minha frente*? Olha como são repulsivas, como parecem idiotas, bovinas, zumbificadas e inumanas na fila do caixa, como é desagradável e inconveniente que estejam falando aos berros no celular bem no meio da fila. E olha que terrivelmente injusto: trabalhei duro o dia todo, estou faminto e cansado, e não posso nem chegar em casa para comer e relaxar por causa dessas malditas *pessoas* idiotas. Ou, é claro, se minha configuração padrão estiver num modo mais socialmente consciente, digno das ciências humanas, posso dedicar o tempo que passo no trânsito do final do dia a me revoltar contra os utilitários esportivos, Hummers e picapes V-12 imensos, estúpidos e atravancadores que queimam seus tanques esbanjadores e egoístas de 150 litros de gasolina, e eu posso meditar sobre o fato de que os adesivos patrióticos e religiosos costumam adornar justamente os veículos mais gigantescos e desprezivelmente egoístas, quase sempre guiados pelos motoristas mais asquerosos, desatenciosos e agressivos, que gostam de falar ao celular enquanto cortam a frente dos outros para avançar míseros cinco metros no engarrafamento, e posso pensar em como os filhos dos nossos filhos nos odiarão por termos desperdiçado todo o combustível do futuro e provavelmente arruinado o clima, e em quão mimados, estúpidos, egoístas e repulsivos todos nós somos, e em como tudo é simplesmente uma *merda* e por aí vai.

 Posso escolher pensar desse jeito, é o que muita gente faz — só que pensar desse jeito, em geral, é algo tão fácil e automático que não *precisa* ser uma escolha. Pensar desse jeito é minha configuração padrão natural. É minha maneira automática e inconsciente de vivenciar as partes aborrecidas, frustrantes e apinhadas da vida adulta quando opero na crença automática e inconsciente de que sou o centro do mundo e de que as minhas necessidades e sentimentos imediatos são o que deveria determinar as prioridades do mundo. É evidente, porém, que há outras maneiras de pensar numa situação desse tipo. No meio do trânsito, com todos os veículos presos em ponto morto à minha frente, nada impede que um dos motoristas de utilitários esportivos tenha sofrido um acidente de carro horrível no passado e ficado com um pavor tão grande de dirigir que seu terapeuta praticamente o obrigou a adquirir um utilitário esportivo enorme e pesado para que ele pudesse se sentir seguro o bastante para andar de carro; ou que o Hummer que acaba de me cortar a frente esteja sendo guiado por um pai com o filho pequeno machucado ou doente no banco ao lado, tentando chegar o mais rápido possível ao hospital com uma pressa bem maior e mais legítima que a minha — sou *eu*, na verdade, que estou no caminho *dele*. Também posso fazer a escolha de me forçar a cogitar a probabilidade de que todas as outras pessoas na fila do supermercado sentem o mesmo tédio e frustração que eu, e que algumas dessas pessoas certamente têm vidas mais duras, tediosas e sofridas que a minha em todos os sentidos. Por favor, repito, não pensem que estou tentando dar um conselho moral ou dizendo que vocês "deveriam" pensar dessa forma, nem que alguém espera que vocês façam isso automaticamente, porque é difícil, requer força de vontade e disposição mental, e se vocês forem como eu, haverá dias em que não conseguirão ou simplesmente não estarão a fim de fazer isso. Mas na maior parte do tempo, se ficarem atentos o bastante para lembrar que têm escolha, poderão encarar de outra maneira essa mulher gorda, inexpressiva e cheia de maquiagem que acabou de berrar com o filho na fila do caixa — pode ser que ela não costume agir assim; pode ser que tenha ficado acordada três noites seguidas segurando a mão do marido que está morrendo de câncer ósseo. Talvez essa mulher seja a funcionária mal paga do Departamento de Trânsito que, ontem mesmo, com um pequeno gesto de boa vontade burocrática, ajudou seu cônjuge a resolver um problema insolúvel de documentação. Nada disso é provável, é claro, mas também não é impossível — só vai depender do que vocês vão preferir levar em conta. Se tiverem a certeza automática de que conhecem a realidade e sabem quem e o quê realmente importa — se preferirem operar na configuração padrão, então vocês, assim como eu, provavelmente farão vista grossa a possibilidades que não são inúteis nem irritantes. Todavia, se tiverem aprendido a prestar atenção de verdade, saberão que existem outras opções. Estará ao alcance de vocês vivenciar a multidão, o barulho e a lentidão de um inferno do consumo como uma coisa não apenas significativa, mas também sagrada, incendiada pela mesma força que acendeu as estrelas — a compaixão, o amor, a comunhão fofinha de todas as coisas. Não que esse papo místico seja necessariamente verdadeiro. A única verdade com V maiúsculo é que quem decide como vai tentar ver as coisas são vocês mesmos. Essa, a meu ver, é a liberdade de uma educação autêntica, de aprender a ser bem ajustado: poder decidir conscientemente o que tem significado e o que não tem. Poder decidir o que venerar...

Pois aqui está uma outra verdade. Nas trincheiras cotidianas de uma vida adulta, não existe isso de ateísmo. Não existe isso de não venerar. Todo mundo venera. Nossa única escolha é *o que* venerar. E se existe uma ótima razão para talvez escolher venerar algum tipo de deus ou coisa espiritual — seja Jesus Cristo ou Alá, YHWH ou uma deusa-mãe wiccan, as Quatro Verdades Nobres ou algum conjunto inviolável de princípios éticos — é que praticamente todas as outras coisas vão devorar vocês vivos. Quem venerar o dinheiro e os bens materiais, quem buscar neles o sentido da vida, nunca terá o suficiente. Nunca terá a sensação de que tem o suficiente. É a verdade. Quem venerar o próprio corpo, beleza e encanto sexual sempre vai se achar feio, e quando o tempo e a idade começarem a deixar marcas morrerá um milhão de mortes antes de finalmente ser enterrado por alguém. De certo modo, todo mundo já sabe disso — está codificado em mitos, provérbios, clichês, máximas, epigramas, parábolas; no esqueleto de toda boa história. O grande truque é conseguir manter a verdade na superfície da consciência em nossas vidas cotidianas. Quem venerar o poder vai se sentir fraco e amedrontado, e precisar de cada vez mais poder para conseguir afastar o medo. Quem venerar o intelecto, ser visto como inteligente, vai acabar se sentindo burro, uma fraude na iminência de ser desmascarada. E por aí vai.

Essas formas de venerar são traiçoeiras não por serem malignas ou pecaminosas, mas por serem *inconscientes*. São configurações padrão. É o tipo de veneração pelo qual nos deixamos levar gradualmente, dia após dia, e que nos torna cada vez mais seletivos em relação ao que vemos e a como atribuímos valor às coisas, sem jamais termos plena consciência do que é isso que estamos fazendo. E o suposto "mundo real" nunca desencorajará vocês de operarem nas configurações padrão, porque o suposto "mundo real" dos homens, do dinheiro e do poder avança tranquilamente movido pelo medo, pelo desprezo, pela frustração, pela ânsia e pela veneração do ego. Nossa cultura atual canalizou essas forças de modo a produzir doses extraordinárias de riqueza, conforto e liberdade pessoal. A liberdade de sermos senhores de reinos minúsculos, do tamanho dos nossos crânios, sozinhos no centro de toda a criação. Esse tipo de liberdade tem seus méritos. Mas é óbvio que há liberdades dos mais variados tipos, e no vasto mundo lá de fora, onde o que importa é vencer, conquistar e se exibir, vocês não ouvirão falar muito do tipo mais precioso de todos. O tipo realmente importante de liberdade requer atenção, consciência, disciplina, esforço e a capacidade de se importar genuinamente com os outros e de se sacrificar por eles inúmeras vezes, todos os dias, numa miríade de formas corriqueiras e pouco excitantes. Essa é a verdadeira liberdade. Isso é ter aprendido a pensar. A alternativa é a inconsciência, a configuração padrão, a "corrida de ratos" — a sensação permanente e corrosiva de ter possuído e perdido alguma coisa infinita.

    Sei que esse assunto talvez não traga a diversão, a leveza e a inspiração grandiloquente que se espera do recheio de um bom discurso de paraninfo. O que temos aqui, até onde sei, é a verdade despida de uma grossa camada de baboseiras retóricas. Vocês, é claro, são livres para achar o que quiserem. Mas, por favor, não descartem este discurso como um mero sermão admoestador. Nada disso tem a ver com moralidade, religião, dogmas ou grandes questões sobre a vida após a morte. A verdade com V maiúsculo diz respeito à vida *antes* da morte. Diz respeito a chegar aos trinta, ou quem sabe aos cinquenta, sem querer dar um tiro na cabeça. Diz respeito ao valor real de uma verdadeira educação, que não tem nada a ver com notas e diplomas e tudo a ver com simples consciência — consciência daquilo que é tão real e essencial, que está tão escondido à luz do dia onde quer que se olhe que precisamos repetir para nós mesmos a todo momento: "Isto é água, isto é água; esses esquimós podem ser bem mais do que aparentam". É incrivelmente difícil fazer isso, ter uma vida consciente e adulta, dia após dia. E com isso mais um clichê se prova verdadeiro: a nossa educação leva *mesmo* a vida toda, e ela começa: agora. Desejo a vocês muito mais que sorte.

6. Federer como experiência religiosa

Quase todo mundo que ama o tênis e acompanha o circuito masculino na televisão teve, nos últimos anos, o que poderia ser denominado de Momentos Federer. São ocasiões em que, assistindo ao jovem suíço jogar, a mandíbula despenca, os olhos saltam para fora e os sons produzidos fazem o cônjuge aparecer na sala para ver se você está passando bem.

Os Momentos são mais intensos se você jogou tênis o bastante para compreender a impossibilidade do que acabou de vê-lo fazer. Todos têm seus exemplos. Vou dar um. Estamos na final do U.S. Open 2005 e Federer está sacando contra Andre Agassi no início do quarto set. Há uma troca de golpes de fundo de média-longa duração no característico desenho de borboleta do atual estilo *power-baseline*, Federer e Agassi se forçando mutuamente a arrancar de um lado para o outro, cada um na sua linha de fundo tentando armar o golpe vencedor... até que, de repente, Agassi aplica um pesado e potente *backhand* cruzado que empurra Federer bem para fora de seu lado de vantagem a favor (= esquerdo) e Federer alcança a bola, mas a devolve com um *slice* de *backhand* esticado e curto que quica menos de um metro depois da linha de saque, o que sem dúvida é o prato favorito de Agassi, e enquanto Federer se desdobra para inverter a corrida e retornar ao centro da quadra, Agassi entra para rebater a bola curta na subida e devolvê-la com força no mesmo canto esquerdo, tentando pegar Federer no contrapé, o que de fato consegue fazer — Federer ainda está perto do canto, só que correndo na direção da linha de centro, e agora a bola está se dirigindo a um ponto atrás dele, de onde ele acabou de sair, e não dá mais tempo de virar o corpo, e enquanto isso Agassi já avança para a rede em ângulo a partir de seu lado de *backhand*... e o que Federer consegue fazer nesse momento, de alguma forma, é reverter instantaneamente o arranque e meio que recuar saltitando uns três ou quatro passos numa velocidade impossível para desferir um *forehand* de seu canto de *backhand* jogando todo o peso para trás, e o *forehand* é um foguete paralelo cheio de *topspin* que fura o oponente na rede, forçando Agassi a se esticar todo para alcançar uma bola que já passou por ele e agora voa rente à linha lateral atingindo em cheio o canto de iguais de sua quadra, uma bola vencedora — Federer ainda está dançando para trás quando ela quica. E ocorre aquele segundo familiar de comoção silenciosa antes do público de Nova York vir abaixo, e John McEnroe, usando fones de comentarista na TV, parece estar falando sobretudo consigo mesmo quando diz "Como é que se acerta uma bola vencedora dessa posição?". E ele está certo: levando em conta o posicionamento e a agilidade de primeira categoria de Agassi, Federer precisava fazer aquela bola percorrer um tubo de espaço de cinco centímetros de diâmetro para tirá-la do alcance do oponente, e foi isso que ele fez, se deslocando para trás, sem tempo de armar ou aplicar o peso no golpe. Era impossível. Foi como uma cena de *Matrix*. Sei lá que tipo de som foi produzido, mas minha cônjuge disse que veio correndo e deu de cara com o sofá coberto de pipoca e comigo apoiado num dos joelhos com os olhos saltados como naqueles óculos de lojas de brinquedos.

Seja como for, este é um exemplo de um Momento Federer, e estamos falando da TV — e a verdade é que o tênis na TV está para o tênis ao vivo como um vídeo pornográfico para a real sensação do amor humano.

Em termos jornalísticos, não tenho como oferecer notícias bombásticas sobre Roger Federer. Aos 25 anos, ele é o melhor jogador de tênis vivo. Talvez o melhor de todos os tempos. O que não falta são biografias e perfis. Ano passado ele foi destaque do programa *60 Minutes*. Tudo que você quiser saber sobre o sr. Roger N. M. I. Federer — sua origem, sua cidade natal de Basileia, na Suíça, os pais que deram apoio sadio ao seu talento sem jamais explorá-lo, sua carreira no tênis juvenil, seus problemas iniciais de fragilidade e temperamento, seu adorado treinador da fase juvenil, como a morte acidental desse treinador em 2002 estilhaçou e fortaleceu Federer de uma só feita e ajudou a fazer dele o que é agora, seus 39 títulos individuais de carreira, seus oito Grand Slams, seu compromisso atipicamente estável e maduro com a namorada que viaja com ele (coisa rara no circuito masculino) e cuida de sua agenda (sem precedentes no circuito masculino), seu estoicismo à moda antiga, a tenacidade mental, o espírito esportivo, a decência geral evidente, a consideração com os outros e a benevolência caridosa — está à mera distância de uma busca no Google. Sirva-se.

O presente artigo é mais sobre a experiência do espectador diante de Federer e o contexto dessa experiência. A tese específica aqui é que, se você nunca viu esse rapaz jogar ao vivo e então o vê, em pessoa, sobre a grama sagrada de Wimbledon, enfrentando o calor literalmente destruidor seguido de vento e chuva de uma quinzena de 2006, você está apto a vivenciar o que um dos motoristas de ônibus a serviço da imprensa do torneio descreve como uma "porra duma experiência quase religiosa". A princípio, pode ser tentador ouvir uma expressão dessas como somente mais um tropo desmedido a que se recorre para descrever a sensação de um Momento Federer. Ocorre que a expressão do motorista é verdadeira — no sentido literal e, por um instante, extático — por mais que essa verdade possa exigir tempo e uma observação dedicada para vir à tona.

A beleza não é o objetivo dos esportes de competição, mas o esporte de alto nível é um palco privilegiado para a expressão da beleza humana. É a mesma relação existente, em termos gerais, entre a coragem e a guerra.

A beleza humana sobre a qual falamos aqui é um tipo particular de beleza; podemos chamá-la de beleza cinética. Sua força e seu apelo são universais. Não tem nada a ver com sexo ou com normas culturais. Parece ter a ver, isso sim, com a reconciliação do ser humano com o fato de possuir um corpo.[1]

---

[1] Tem muita coisa ruim no fato de termos um corpo. Caso não seja óbvio a ponto de prescindir de exemplos, podemos mencionar assim por alto dores, desconfortos, odores, náusea, envelhecimento, gravidade, sepse, desajeitamento, doenças, limites — toda e qualquer fissura entre nossas vontades físicas e nossas capacidades reais. Alguém duvida de que precisamos de ajuda para nos reconciliarmos? É o corpo que morre, afinal de contas.
  Há também coisas maravilhosas no fato de termos um corpo, é claro — mas é que essas coisas são bem mais difíceis de sentir e reconhecer em tempo real. Um pouco como acontece em certo tipo raríssimo de epifania sensorial culminativa ("Que bom que tenho olhos para poder ver esse nascer do sol!" etc.), grandes atletas parecem catalisar nossa consciência de como é glorioso tocar e perceber, mover-se no espaço, interagir com a matéria. Tudo bem que os grandes atletas conseguem fazer com o corpo coisas com as quais podemos apenas sonhar. Mas esses sonhos são importantes — eles preenchem muita coisa.

É claro que no mundo dos esportes masculinos ninguém fala em beleza, graça ou no corpo. Muitos homens chegam a declarar seu "amor" pelo esporte, mas esse amor deve sempre ser lançado e encenado na simbologia bélica: eliminação *versus* avanço, hierarquia de posto e renome, estatística obsessiva, análise técnica, fervor tribal e/ou nacionalista, uniformes, barulho da multidão, estandartes, batidas no peito, rostos pintados etc. Por motivos pouco compreendidos, a maioria de nós considera os códigos da guerra mais seguros que os do amor. Talvez você também pense assim, e nesse caso o espanhol Rafael Nadal, mesomórfico e completamente marcial, foi feito sob medida para você — aquele dos bíceps expostos e das autoexortações dignas do teatro *kabuki*. Além disso, Nadal é a nêmesis de Federer e a grande surpresa deste ano em Wimbledon, uma vez que é especialista na quadra de saibro e ninguém esperava que ele avançasse mais que umas poucas partidas aqui. Ao passo que Federer, até as semifinais, não proporcionou nenhuma surpresa ou drama competitivo. Sobrepujou cada adversário de forma tão plena que a TV e a mídia impressa temem que suas partidas se tornem aborrecidas e não consigam concorrer efetivamente com o fervor nacionalista da Copa do Mundo.[2]

A final masculina do dia 9 de julho, porém, é o que todo mundo sonha. Nadal *vs.* Federer é um replay da final do Aberto da França no mês passado, que foi vencida por Nadal. Até agora, Federer perdeu somente quatro partidas no ano, mas todas para Nadal. Só que a maioria dessas partidas foi na quadra lenta de sai-

---

[2] A imprensa americana que veio aqui está especialmente preocupada porque esse ano nenhum tenista de qualquer um dos sexos chegou sequer às quartas de final. (Se você é ligado em estatísticas obscuras, isso não acontecia em Wimbledon desde 1911.)

bro, superfície em que Nadal joga melhor. Federer joga melhor na grama. Por outro lado, o calor da primeira semana tornou as quadras impecáveis de Wimbledon e as deixou mais lentas. Acrescentemos o fato de que Nadal adaptou seu estilo do saibro para a grama — chegando mais perto da linha nos golpes de fundo, turbinando o saque e superando sua alergia à rede. Ele praticamente eviscerou Agassi na terceira rodada. As redes de transmissão estão em êxtase. Antes da partida, na Quadra Central, atrás das janelas de vidro estreitas acima da parede de fundo ao sul, enquanto os juízes de linha entram na quadra com seus novos uniformes Ralph Lauren, tão parecidos com roupas infantis de marinheiro, podemos ver os comentaristas de rádio e TV praticamente saltitando nas cadeiras. Essa final de Wimbledon carrega em si a narrativa da vingança, a dinâmica do rei contra o regicida, o contraste nítido entre personalidades. É o machismo impetuoso do sul europeu contra a intrincada maestria clínica do norte. Apolo e Dionísio. Bisturi e cutelo. Destro e canhoto. Números 1 e 2 do mundo. Nadal, o homem que levou o moderno estilo de jogo *power-baseline* ao limite, contra o homem que transfigurou o jogo moderno em si, dotado de precisão e variedade não menos impressionantes que o ritmo e a velocidade de suas pernas, mas que pode manifestar uma vulnerabilidade ou fraqueza psicológica peculiares diante daquele primeiro homem. Um cronista esportivo inglês, exultando ao lado de seus pares no setor de imprensa, fala duas vezes: "Vai ser uma guerra".

Além disso, vai acontecer na catedral da Quadra Central. E a final masculina ocorre sempre no segundo domingo da quinzena, cujo simbolismo Wimbledon enfatiza suprimindo partidas no primeiro domingo. E a ventania com chuviscos que derrubou placas de estacionamento e virou guarda-chuvas do avesso durante toda a manhã desaparece sem mais nem menos uma hora antes do início do jogo, com o sol emergindo no instante em que a lona da Quadra Central é recolhida e os postes da rede são recolocados no lugar.

Federer e Nadal recebem os aplausos ao entrar e efetuam a mesura ritual em frente ao camarote dos nobres. O suíço está vestindo o paletó esporte cor de creme que a Nike o fez usar em Wimbledon esse ano. Em Federer, e talvez só nele, a combinação do paletó com calção e tênis não parece absurda. O espanhol se abstém de trajes de aquecimento, nos obrigando a ver seus músculos logo de cara. Tanto ele quanto o suíço vestem Nike de cima a baixo, incluindo o mesmo lenço da Nike amarrado na testa com a logomarca tapando o terceiro olho. Nadal prende o cabelo no lenço, mas o suíço não, e os gestos de alisar e arrumar as mechas de cabelo que escapam por sobre o lenço são o principal tique de Federer que os espectadores de TV conseguem ver; o mesmo vale para a obsessão de Nadal em recorrer à toalha oferecida pelos boleiros entre os pontos. Mas há outros tiques e manias que são pequenos privilégios de quem assiste à partida ao vivo. Vemos o imenso cuidado com que Roger Federer pendura o paletó no encosto de sua cadeira livre ao lado da quadra, bem direitinho para não amarrotar — ele fez a mesma coisa antes de todas as partidas aqui, e isso tem algo de infantil e estranhamente meigo. Ou a troca inevitável de raquete que ele faz em algum momento do segundo set, a nova sempre dentro do mesmo saco plástico transparente fechado com uma fita azul, que ele retira com cuidado e sempre entrega a um boleiro para que se livre dele. Temos a mania de Nadal de desencavar constantemente a bermuda de dentro do traseiro enquanto quica a bola antes do saque e o seu modo de olhar para os lados com cautela quando anda pela linha de fundo, como um presidiário temendo ser atacado com um estilete. E tem algo esquisito no saque do suíço, se você reparar bem. Quando segura a bola e a raquete à frente, logo antes de iniciar o movimento, Federer sempre acomoda a bola exatamente no buraco em forma de V no coração da raquete, embaixo do aro, por um breve instante. Se o encaixe não estiver perfeito, ele ajusta a bola até que esteja. Acontece muito rápido, mas acontece sempre, tanto no primeiro quanto no segundo saque.

Nadal e Federer se aquecem por exatos cinco minutos; o juiz de cadeira conta o tempo. Existe uma ordem e uma etiqueta muito exatas nesses aquecimentos profissionais, algo que a TV decidiu que você não está interessado em ver. A Quadra Central tem ocupação de 13 mil e uns quebrados. Vários outros milhares fizeram o que as pessoas aqui se dispõem a fazer todo ano, ou seja, pagaram um ingresso salgado no portão para se aglomerarem munidos de cestos e repelentes de insetos diante de uma enorme tela de TV no lado de fora da Quadra 1 para assistir à partida. Se você não consegue entender por que alguém faria isso, junte-se ao clube.

Antes do início do jogo, junto à rede, é disputado um cara ou coroa cerimonial para ver quem começa sacando. É outro dos rituais de Wimbledon. O lançador de moeda honorário do ano é William Caines, auxiliado pelo juiz de cadeira e pelo árbitro do torneio. William Caines é um menino de sete anos de Kent que contraiu câncer de fígado aos dois anos e de algum jeito conseguiu sobreviver à cirurgia e a uma quimioterapia pavorosa. Está aqui representando a Cancer Research UK. É loiro, tem bochechas rosadas e bate na cintura de Federer. O público vibra aprovando a reencenação do lançamento. Federer exibe o tempo todo um sorriso distanciado. Nadal, bem ali do outro lado da rede, fica dançando no mesmo lugar como um boxeador, balançando os braços de um lado para o outro. Não tenho certeza se as emissoras americanas exibem o cara ou coroa, se esta cerimônia faz parte de suas obrigações contratuais, ou se elas cortam para os comerciais. Quando William é retirado os aplausos se repetem, só que mais esparsos e desorganizados; a maior parte do público fica meio sem saber o que fazer. É como se o fim do ritual fizesse cair a ficha do motivo dessa criança ter participado disso. Aparece a sensação de que há algo importante, algo que é e não é desconfortável ao mesmo tempo, no fato de uma criança com câncer ter lançado a moeda dessa final dos sonhos. Essa sensação, seja lá o que signifique, tem uma qualidade do tipo que fica na ponta da língua mas continua elusiva até pelo menos o término do segundo set.[3]

[3] Na verdade esse não é o único incidente de Federer envolvendo uma criança doente na segunda semana de Wimbledon. Três dias antes da final masculina, uma Entrevista Especial Cara a Cara com Roger Federer[3a] sucede num pequeno escritório lotado da Federação Internacional de Tênis na entrada do terceiro andar do Centro de Imprensa. Logo em seguida, quando o representante da ATP está conduzindo Federer porta afora para o próximo compromisso, um dos caras da F.I.T. (que ficou falando alto no telefone durante toda a Entrevista Especial) se aproxima e pede um momentinho do tempo de Federer. O homem, que tem o mesmo sotaque brando e genericamente estrangeiro de todos os caras da F.I.T., diz: "Olha, eu odeio fazer isso. Não costumo fazer isso. É pro meu vizinho. O filho dele tem uma doença. Vão fazer uma campanha de doações, está planejado, e eu queria saber se você pode autografar uma camisa ou algo assim, sabe — alguma coisa". Ele não sabe onde se enfiar. O representante da ATP o fuzila com os olhos. Mas Federer só faz que sim com a cabeça e ergue os ombros: "Sem problema. Trago amanhã". Amanhã é a semifinal masculina. É evidente que o cara da F.I.T. estava falando de uma das camisas de Federer, talvez a que ele usaria na partida, com o suor do próprio Federer. (Federer arremessa as munhequeiras usadas para o público depois das partidas e as pessoas atingidas parecem ficar contentes em vez de enojadas.) O cara da F.I.T., depois de agradecer a Federer três vezes bem rápido, balança a cabeça: "Odeio fazer isso". Federer, ainda saindo pela porta: "Não tem problema". E não tem. Como todos os profissionais, Federer troca de camisa entre as partidas e pode pedir para alguém reservar uma delas e depois autografá-la. Federer não está dando uma de Gandhi — ele não para e pede detalhes sobre a doença da criança. Não finge se importar mais do que realmente se importa. O pedido é apenas mais uma das pequenas obrigações ligeiramente distrativas com as quais deve lidar. Mas ele diz que sim, e vai lembrar — dá para ver. E isso não vai distraí-lo; ele não vai permitir. Ele também é bom nesse tipo de coisa.

[3a] (Somente questões de espaço e credibilidade elementar impedem uma descrição completa dos tormentos necessários para se obter uma Cara a Cara

* * *

 A beleza de um atleta de alto nível é quase impossível de ser descrita diretamente. Ou evocada. O *forehand* de Federer é uma grande chicotada líquida, seu *backhand* de uma só mão consegue devolver a bola chapada, carregada de *topspin* ou em *slice* — um *slice* com uma pegada tal que a bola vai mudando de forma no ar e pode acabar escorregando sobre a quadra na altura do tornozelo. Seu saque possui uma regularidade fora de série e um grau de direcionamento e variedade que ninguém chega perto de igualar; o movimento do serviço é flexível e incaracterístico, marcado apenas (na TV) por uma certa contorção de enguia envolvendo o corpo todo no momento do impacto. Sua capacidade de antecipação e seu senso da quadra são sobrenaturais, e seu jogo de pernas é incomparável — na infância, ele também foi um prodígio no futebol. Tudo isso é verdade, mas nada disso explica coisa alguma nem evoca a experiência de ver esse homem jogar. De testemunhar, em primeira mão, a beleza e o gênio de seu jogo. O jeito é abordar toda essa coisa estética de forma oblíqua, contorná-la ou — como fez Aquino com o inefável tema que lhe coube — tentar defini-la nos termos do que ela não é.

 Uma coisa que ela não é: televisionável. Pelo menos não inteiramente. O tênis pela televisão tem suas vantagens, mas essas vantagens têm desvantagens e a principal delas é uma certa ilusão de intimidade. Os replays em câmera lenta da televisão, seus closes e gráficos, privilegiam tanto os espectadores que sequer fazemos ideia do quanto se perde na transmissão. E uma boa parte do que se perde é a pura fisicalidade do tênis de alto nível, um sentido da velocidade em que a bola se move e os jogadores reagem.

dessas. Em resumo, é um pouco como a história do sujeito que escala uma montanha enorme só para falar com o homem sentado em posição de lótus lá em cima, mas nesse caso a montanha é toda feita de burocratas do esporte.)

É fácil explicar essa perda. A prioridade da TV durante a disputa de um ponto é cobrir a quadra inteira, dar uma visão abrangente de modo que os espectadores possam ver os dois jogadores e a geometria geral da troca de bolas. Sendo assim, a televisão opta por um ponto de vista de cima e atrás de uma das linhas de fundo. Você, o espectador, está no alto, atrás da quadra, olhando para baixo. Essa perspectiva, como qualquer estudante de artes poderá confirmar, "encurta" a quadra. O tênis verdadeiro, afinal de contas, é tridimensional, mas a imagem da TV é apenas 2 D. A dimensão que se perde (ou melhor, que fica distorcida) na tela é o comprimento verdadeiro da quadra, os 23,77 m entre as linhas de fundo; e a velocidade em que a bola cruza essa distância é a potência do golpe, que a TV obscurece, mas que ao vivo é de meter medo. Isso pode soar abstrato ou exagerado, e se for o caso não perca a chance de comparecer a um torneio profissional — especialmente nas quadras secundárias durante as primeiras chaves, onde você poderá sentar a cinco metros da linha lateral — para averiguar a diferença. Se você só assistiu ao tênis pela televisão, simplesmente não faz ideia da força com que esses profissionais batem na bola, da velocidade em que a bola está se deslocando,[4]

---

[4] Os saques dos líderes do ranking masculino atingem com frequência velocidades de 200-220 km/h, é verdade, mas o que os placares de radar e gráficos omitem é que os próprios golpes de fundo dos *power-baseliners* costumam viajar acima de 145 km/h, a mesma velocidade de um arremesso rápido da liga profissional de beisebol. Se você se aproximar o suficiente de uma quadra de tênis profissional chegará a escutar o ruído da bola voando, uma espécie de chiado líquido produzido pela combinação de velocidade e efeito. De perto e ao vivo você também compreenderá melhor a "postura aberta" que se tornou um emblema tão conhecido do estilo *power-baseline*. O termo, no fim das contas, se refere apenas a não virar completamente de lado para a rede antes de rebater um golpe de fundo, e um dos motivos que levam tantos *power-baseliners* a rebater com essa postura é que agora a bola chega rápido demais para que tenham tempo de se virar completamente.

de como é curto o tempo que eles têm para alcançá-la e da agilidade com que são capazes de se mover, girar, rebater e se recuperar. E nenhum é tão veloz nem faz isso parecer tão enganosamente fácil quanto Roger Federer.

Curiosamente, a coisa menos obscurecida pela cobertura da TV é a inteligência de Federer, pois essa inteligência se manifesta com frequência como ângulo. Federer é capaz de enxergar, ou criar, aberturas e ângulos para golpes vencedores que ninguém mais consegue visionar, e a perspectiva da televisão é perfeita para ver e rever esses Momentos Federer. O que é mais difícil de avaliar na TV é que esses ângulos visualmente espetaculares e golpes vencedores não vêm do nada — com frequência, são preparados com muitos golpes de antecipação e dependem tanto da maneira como Federer manipula a posição do adversário quanto da potência ou colocação do golpe de misericórdia. E para compreender como e por que Federer é capaz de jogar atletas de peso de um lado para o outro dessa forma necessitamos primeiro de uma compreensão técnica do estilo *power-baseline* moderno superior a essa que a TV — de novo — é capaz de nos fornecer.

Wimbledon é estranho. Seguramente é a Meca do esporte, a catedral do tênis; mas seria mais fácil manter o nível apropriado de veneração presencial se o torneio não se esforçasse tanto para nos lembrar seguidas vezes que é a catedral do tênis. Há uma mistura peculiar de autocomplacência enfadonha e autopromoção e *autobranding* implacáveis. É um pouco como aquelas figuras de autoridade que ostentam na parede do escritório cada mísera placa, diploma e troféu que receberam na vida, e toda vez que você entra no escritório você é forçado a olhar e dizer alguma coisa para mostrar que está impressionado. As paredes de Wimbledon, em praticamente todos os corredores e acessos significativos, estão cobertas de cartazes e placas exibindo fotos de campeões do passado, listas de fatos e curiosidades sobre Wimbledon, retrospectivas históricas e por aí vai. Parte disso é interessante; parte é apenas bizarra. O Museu Wimbledon do Tênis de Grama, por exemplo, ostenta uma coleção dos tipos variados de raquetes usadas ao longo das décadas e uma das várias placas espalhadas no acesso do Nível 2 do Millennium Building[5] divulga essa exposição com fotos e textos didáticos, uma espécie de História das Raquetes. Aqui, sic, está o climático fecho do texto:

> As estruturas leves de hoje, feitas com materiais da era espacial tais como grafite, boro, titânio e cerâmicas, com cabeças maiores — médias (90-95 polegadas quadradas) e grandes (110 polegadas quadradas) — transformaram completamente o estilo do jogo. Hoje em dia são os golpeadores potentes que dominam, com muito *topspin*. Jogadores de saque-e-voleio e aqueles que se valem de toque e sutileza virtualmente desapareceram.

Parece bizarro, no mínimo, que esse diagnóstico continue pendurado aqui tão à vista no quarto ano de reinado de Federer em Wimbledon, já que o suíço trouxe ao tênis masculino níveis de toque e sutileza como não se via desde (pelo menos) os dias do auge de McEnroe. Mas a placa é, no fundo, apenas um testamento à força dos dogmas. Faz quase duas décadas que o programa do partido é o de que certos avanços na tecnologia das raquetes, no condicionamento e na musculação transformaram a agilidade e o requinte do tênis profissional em atletismo e força bruta. E como etiologia do estilo *power-baseline* de hoje, esse programa, de for-

---

[5] Essa é a grande estrutura (que supostamente existe há seis anos) onde a administração, os tenistas e a imprensa de Wimbledon mantêm suas respectivas áreas e quartéis-generais.

ma geral, está correto. Os profissionais de hoje são sem dúvida perceptivelmente maiores, mais fortes e mais bem condicionados,[6] e as raquetes de ligas de alta tecnologia realmente aumentaram sua capacidade de imprimir velocidade e efeito na bola. Por isso há uma confusão geral e dogmática a respeito de como um jogador com a *finesse* consumada de Federer conseguiu dominar o circuito masculino.

Existem três tipos de explicações válidas para a hegemonia de Federer. Um deles envolve mistério e metafísica, e chega mais perto, acho, da verdade. Os outros são mais técnicos e rendem jornalismo de melhor qualidade.

A explicação metafísica é que Roger Federer é um daqueles raros atletas preternaturais que parecem ter sido dispensados, pelo menos em parte, de determinadas leis físicas. Outros bons equivalentes seriam Michel Jordan,[7] que não apenas era capaz de saltar a uma altura sobre-humana mas também de permanecer

---

[6] (Alguns, como Nadal e Serena Williams, parecem mais super-heróis de desenhos animados que pessoas de carne e osso.)

[7] Quando lhe são pedidos, durante a supracitada Entrevista Especial Cara a Cara, exemplos de outros atletas cujo desempenho ele considera belo, Federer menciona primeiro Jordan, depois Kobe Bryant, depois "um jogador de futebol como — caras que jogam muito relaxados, como um Zinédine Zidane ou algo assim: ele faz muito esforço, mas parece que não precisa dar muito duro para obter resultados".

A resposta de Federer à pergunta seguinte, que vem a ser o que passa pela cabeça dele quando especialistas e outros jogadores descrevem seu próprio jogo como "bonito", é interessante principalmente porque a resposta é agradável, inteligente e cooperativa — como o próprio Federer — e ao mesmo tempo não diz nada (porque, sejamos justos, o que alguém poderia dizer sobre descrições de sua própria beleza feitas por terceiros? O que você diria? No fim das contas, é uma pergunta idiota): "É sempre o que as pessoas enxergam primeiro — para elas, é nisso que você é 'melhor'. Quando você via John McEnroe jogar, sabe, pela primeira vez, o que você via? Você via um cara com um talento incrível, porque o jeito como ele jogava, ninguém mais tinha. O jeito como ele lidava com a bola tinha tudo a ver com *sentimento*. E aí você vai ver Boris Becker, e

no ar por um ou dois instantes além do permitido pela gravidade, e Muhammad Ali, que podia realmente "flutuar" sobre a lona e aplicar dois ou três *jabs* no intervalo de tempo exigido para apenas um. Deve haver mais meia dúzia de exemplos desde 1960. E Federer é desse tipo — um tipo que poderíamos chamar de gênio, mutante ou avatar. Ele nunca se afoba nem perde o equilíbrio. Para ele, a bola que chega flutua um décimo de segundo a mais do que deveria. Seus movimentos são mais flexíveis do que atléticos. Como Ali, Jordan, Maradona e Gretzky, ele parece ser ao mesmo tempo mais e menos substancial do que os homens que enfrenta. Principalmente usando o uniforme todo branco que Wimbledon adora se gabar de ainda conseguir impor, ele lembra o que talvez (creio eu) realmente seja: uma criatura cujo corpo, de algum modo, é ao mesmo tempo carne e luz.

Essa coisa da bola cooperar e ficar ali flutuando, diminuindo

---

de cara você via um jogador *forte*, sabe? [7a] Quando você me vê jogar, você vê um cara que joga 'bonito' — e quem sabe depois disso você vê que ele é rápido, quem sabe vê que ele tem um bom *forehand*, quem sabe vê depois que ele tem um bom saque. Primeiro, sabe, você tem uma base, e para mim eu acho ótimo, sabe, tenho muita sorte de ser considerado basicamente 'bonito', sabe, no estilo de jogo. ... Comigo é sempre, tipo, 'ele joga bonito', e isso é muito bacana".

[7a] N.B. Os maiores tiques verbais de Federer são "Sabe" e "Quem sabe". Esses tiques acabam ajudando porque servem para lembrar que ele é muito jovem. Caso lhe interesse, o melhor tenista do mundo está usando calças brancas de aquecimento e uma camisa branca de microfibra com mangas longas, possivelmente da Nike. Todavia, nem sinal do paletó. Seu aperto de mão é de firmeza apenas moderada, embora a mão em si pareça uma lixa de carpinteiro (por razões óbvias, os tenistas costumam ter muitos calos). Ele é um pouco maior do que a TV faz parecer — ombros mais largos, peito mais saliente. Está ao lado de uma mesa coberta de viseiras e munhequeiras que está autografando com um marcador Sharpie. Está sentado de pernas cruzadas, com um sorriso amigável, e parecendo muito relaxado; em nenhum momento ele brinca com a caneta. A impressão geral que se tem é de que Federer é um cara muito legal ou um cara que sabe lidar muito bem com a imprensa — ou (mais provável) as duas coisas.

a velocidade, como se suscetível à vontade do suíço — há uma verdade metafísica autêntica nisso. Como na seguinte anedota. Após uma semifinal no dia 7 de julho na qual Federer destruiu Jonas Bjorkman — não apenas derrotou, *destruiu* — e logo antes de uma coletiva de imprensa pós-jogo obrigatória em que Bjorkman, amigo de Federer, afirmou ter ficado feliz de poder assistir à partida "do melhor lugar da casa" para ver o suíço jogar "o mais próximo da perfeição que o tênis permite", Federer e Bjorkman estão batendo papo e fazendo piadas quando Bjorkman pergunta qual era exatamente o tamanho sobrenatural que a bola parecia ter para ele naquele dia em quadra, e Federer confirma que parecia "uma bola de boliche ou de basquete". É só galhofa da parte dele, um jeito modesto de fazer Bjorkman se sentir um pouco melhor, de confirmar que ele próprio está surpreso por ter jogado tão extraordinariamente bem; mas ele também está revelando algo a respeito de como é jogar tênis do ponto de vista dele. Imagine que você é uma pessoa dotada de reflexos, coordenação motora e velocidade preternaturais, e que você está jogando tênis de alto nível. Sua experiência durante a partida não será a de possuir reflexos e velocidade fenomenais; em vez disso, você terá a impressão de que a bola de tênis é bem grande e lenta, e que você sempre possui tempo de sobra para rebatê-la. Ou seja, você não experimentará nada parecido com a agilidade e a destreza (empiricamente reais) que o público presente lhe atribuirá ao ver bolas de tênis se deslocarem tão rápido a ponto de chiarem e virarem borrões.[8]

A velocidade é só uma parte da coisa. Estamos entrando

---

[8] Reforço Especial Cara a Cara do homem em pessoa para esta afirmação: "É interessante, porque essa semana, na verdade, Ancic [vírgula Mario, o imenso croata do Top 10 que Federer derrotou quarta-feira nas quartas de final] jogou na Quadra Central contra meu amigo, sabe, o tenista suíço Wawrinka [vírgula Stanislas, o parceiro de Federer na Copa Davis], e fui assistir lá onde, sabe,

agora na parte técnica. O tênis é descrito frequentemente como um "jogo de centímetros", mas o clichê se refere acima de tudo ao ponto em que a bola aterrissa. Se o assunto é a devolução de uma bola que se aproxima, o tênis é na verdade um jogo de micrômetros: variações quase evanescentes de tão minúsculas perto do momento do impacto exercem grande influência no deslocamento e no destino da bola. É o mesmo princípio que explica por que a menor variação na mira de um rifle bastará para que se erre o alvo caso ele esteja a uma distância considerável.

A título de ilustração, vamos entrar em câmera lenta. Imagine que você, um tenista, está parado logo atrás da linha de fundo no seu canto de iguais. Uma bola é sacada no seu *forehand* — você faz a rotação (ou gira) de modo que a lateral do seu corpo fica na trajetória de aproximação da bola e começa a levar a raquete para trás, preparando a devolução de *forehand*. Continue visualizando até que o movimento do seu golpe de devolução tenha avançado até a metade; a bola que se aproxima acaba de alcançar a altura do seu quadril frontal e está a uns quinze centímetros do ponto de impacto. Pense em algumas variáveis que podem ser consideradas aqui. No plano vertical, alterar o ângulo da face da raquete uns poucos graus para a frente ou para trás gerará respectivamente *topspin* ou *slice*; mantê-la na perpendicular resultará num percurso chapado e sem efeito. Horizontalmente, ajustar a face da raquete com toda a sutileza para a esquerda ou a direita e atingir a

---

minha namorada Mirka [Vavrinec, ex-tenista Top 100, que parou de jogar por causa de uma lesão e agora basicamente funciona como a Alice B. Toklas de Federer] costuma se sentar, e fui ver — pela primeira vez desde que venho aqui em Wimbledon, fui assistir a uma partida na Quadra Central, e na verdade também fiquei surpreso de ver como o saque é rápido e como você precisa reagir rápido pra conseguir devolver a bola, especialmente quando um cara como Mario [Ancic, conhecido pelo saque demolidor] está sacando, sabe? Mas quando você está na quadra é totalmente diferente, sabe, porque você só vê a bola, na real, e não vê a velocidade da bola".

bola um milésimo de segundo antes ou depois decidirá se a bola é cruzada ou paralela. Pequenas alterações adicionais na curva do movimento de devolução e na finalização ajudarão a determinar a que altura a bola passará por sobre a rede, o que, junto com a velocidade do golpe (e levando em conta certas características do efeito que você imprimir à bola), afetará a profundidade do ponto em que a bola aterrissará na quadra adversária, a elevação após o quique etc. Essas são somente as variações mais básicas, é claro — porque o *topspin* pode ser pesado ou leve, a cruzada pode ser mais aberta ou mais fechada etc. Há ainda questões como a distância que você abre entre a bola e o seu corpo, a empunhadura que está sendo usada, até que ponto seus joelhos estão dobrados e/ou seu peso está colocado à frente e se você é capaz de ao mesmo tempo acompanhar a bola e ver o que seu adversário está fazendo depois de sacar. Tudo isso conta também. Além disso há o fato de que você não está pondo um objeto estático em movimento e sim revertendo o voo e o giro (em níveis variados) de um projétil viajando na sua direção — viajando, no caso do tênis profissional, a uma velocidade que inviabiliza o raciocínio consciente. O primeiro saque de Mario Ancic, por exemplo, costuma atingir 210 km/h. Como há 23,77 m entre sua linha de fundo e a de Ancic, o saque dele leva 0,41 segundos para chegar até você.[9] É menos do que o tempo necessário para piscar duas vezes bem rápido.

A conclusão é que o tênis profissional envolve intervalos de

---

[9] O cálculo está sendo feito aqui com a bola voando como se fosse um passarinho, para simplificar. Por favor, não escrevam enviando correções. Se você quiser levar em conta o quique do saque e desse modo calcular a distância total percorrida pela bola como a soma das duas pernas mais curtas de um triângulo oblíquo,[9a] por favor vá em frente — você chegará a algo entre dois e cinco centésimos de segundo adicionais, o que é insignificante.

[9a] (Quanto mais lenta a superfície de uma quadra de tênis, mais próximo de um triângulo reto você vai chegar. Na grama rápida, o ângulo do quique é sempre oblíquo.)

tempo breves demais para a ação calculada. No que diz respeito ao tempo, estamos mais no domínio operacional dos reflexos, reações puramente físicas que prescindem do raciocínio consciente. Mesmo assim, uma devolução de saque eficaz depende de um grande conjunto de decisões e ajustes físicos que são muito mais conscientes e intencionais do que piscar, pular de susto etc.

Devolver com sucesso uma bola de tênis sacada com força requer o que alguns chamam de "senso cinestésico", ou seja, a habilidade de controlar o corpo e suas extensões artificiais por meio de sistemas de tarefas complexos e muito velozes. Existe uma nuvem inteira de termos para os diversos componentes dessa habilidade: sensação, toque, forma, propriocepção, coordenação, coordenação visuomotora, cinestesia, graça, controle, reflexos e por aí vai. Para os tenistas juvenis promissores, o objetivo primordial dos rigorosos regimes de treino diário dos quais frequentemente ouvimos falar é refinar o senso cinestésico.[10] O treinamento é tão muscular quanto neurológico. Rebater milhares de bolas dia após dia desenvolve a capacidade de fazer "sentindo" o que não se pode fazer com o raciocínio consciente comum. Treinos repetitivos dessa natureza costumam parecer maçantes e até mesmo cruéis para quem vê de fora, mas quem está fora não tem como perceber o que acontece dentro do jogador — uma sequência interminável de minúsculos ajustes e uma percepção dos efeitos de cada mudança que vai se tornando mais aguda à medida que se afasta da consciência normal.[11]

---

[10] O condicionamento físico também é importante, mas isso acontece principalmente porque a primeira coisa que a fadiga física ataca é o senso cinestésico. (Há outros antagonistas, como o medo, a inibição e o transtorno extremo — é por isso que estruturas psíquicas frágeis são raras no tênis profissional.)

[11] A melhor analogia leiga é provavelmente a maneira como um motorista experiente consegue se desincumbir de toda a miríade de decisões e ajustes necessários para dirigir bem sem precisar prestar atenção nisso.

O tempo e a disciplina que um treinamento cinestésico para valer exige são uma das razões para que os tenistas do topo do ranking tendam a ser pessoas que dedicaram a maior parte da vida desperta ao tênis, começando (o mais tardar) no início da adolescência. Foi aos treze anos, por exemplo, que Roger Federer finalmente desistiu do futebol e de uma infância digna desse nome para entrar no centro nacional de treinamento de tênis da Suíça, em Ecublens. Aos dezesseis, abandonou os estudos em sala de aula e partiu para a competição internacional a sério.

Poucas semanas depois de abandonar o colégio, Federer foi campeão juvenil em Wimbledon. Isso obviamente não é algo que qualquer jovem dedicado ao tênis consegue fazer. O que também deixa óbvio que é preciso mais que tempo e treinamento — há também o talento puro e simples em seus diferentes graus. Uma capacidade cinestésica extraordinária já deve estar presente (e ser verificável) numa criança apenas para que os anos de prática e treino valham a pena... mas a partir daí, com o passar do tempo, a nata começa a subir e a se destacar. Assim, um tipo de explicação técnica para o domínio de Federer é que ele tem um pouco de talento cinestésico a mais que os outros tenistas profissionais. Só um pouquinho, já que todo mundo no Top 100 é cinestesicamente superdotado — mas o tênis, como já foi dito, é um jogo de centímetros.

Essa resposta é plausível porém incompleta. Ela provavelmente não teria sido incompleta nos anos 1980. Em 2006, contudo, é justo questionar por que esse tipo de talento ainda importa tanto. Lembre do que há de verdadeiro no dogma e na placa de Wimbledon. Sendo ou não um virtuose da cinestesia, Roger Federer domina hoje o maior, mais forte, mais bem condicionado e mais bem treinado grupo de tenistas masculinos de nível profissional que jamais existiu, com todo mundo usando uma espécie de raquete nuclear que, segundo se diz, tornou a calibragem fina do senso cinestésico tão irrelevante quanto tentar assobiar Mozart no meio de um show do Metallica.

Segundo fontes confiáveis, a história do lançador de moeda honorário William Caines é que um dia, quando ele estava com dois anos e meio, sua mãe encontrou uma bolota em sua barriga, levou o garoto ao médico e a bolota foi diagnosticada como um tumor maligno no fígado. E nesse ponto não se pode nem imaginar, é claro... uma criancinha sendo submetida a quimioterapia pesada, a mãe obrigada a assistir, a levá-lo para casa, acarinhá-lo e depois trazê-lo de volta até aquele lugar para mais quimioterapia. Como ela respondeu à pergunta do filho — a grande pergunta, a pergunta óbvia? E quem poderia responder à dela? O que um padre ou um pastor poderiam dizer que não soasse grotesco?

Está 2-1 para Nadal no segundo *set* da final, e o saque é dele. Federer venceu o primeiro *set* por 6-0 mas depois decaiu um pouco, como às vezes acontece, e foi logo sofrendo uma quebra. Agora, na vantagem de Nadal, os jogadores disputam um ponto com dezesseis trocas de bola. Nadal está sacando bem mais rápido que em Paris e esse saque vai bem no centro. Federer devolve com um *forehand* fraco que flutua alto por cima da rede e só se safa porque Nadal jamais entra na quadra depois do saque. O espanhol manda um *forehand* característico, cheio de *topspin*, bem fundo para o *backhand* de Federer; Federer devolve com um *backhand* ainda mais carregado de *topspin*, quase um golpe de quadra de saibro. Isso é inesperado e faz Nadal recuar um pouco, respondendo com uma bola forte, curta e baixa que aterrissa um pouquinho na frente do T da linha de saque no *forehand* de Federer. Contra a maioria dos adversários, Federer poderia simplesmente terminar o ponto numa bola como essa, mas Nadal dificulta sua vida, entre outros motivos, porque ele é mais veloz que a maioria e consegue alcançar coisas que os outros não conseguem; por isso Federer apenas manda um *forehand* médio-forte, chapado e cruzado, abrindo mão de uma tentativa de golpe vencedor em troca de uma bola baixa e angulada que força Nadal para o fundo e para fora do lado de iguais, seu *backhand*. Nadal, em plena corrida, devolve um *backhand* forte na paralela em direção ao *backhand* de Federer; Federer retribui com um *slice* que volta percorrendo a mesma trajetória, uma bola baixa e flutuante com *backspin*, obrigando Nadal a retornar para a mesma posição. Nadal dá um *slice* que volta pelo mesmo caminho — já são três bolas na mesma paralela — e Federer devolve outra vez com um *slice* no mesmo ponto da quadra, ainda mais lento e flutuante que o outro, e Nadal firma a posição e bate um grande *backhand* de duas mãos novamente na mesma paralela — é como se Nadal já tivesse acampado em seu lado de iguais; ele já não retorna para o centro da linha de fundo entre os golpes; Federer o hipnotizou um pouco. Agora Federer rebate com um *backhand* muito potente e profundo, cheio de *topspin*, do tipo que passa chiando, em direção a um ponto da linha de fundo situado no comecinho da quadra de vantagem de Nadal, que o alcança e devolve com um *forehand* cruzado; e Federer responde com um *backhand* cruzado ainda mais potente e pesado que voa rumo à linha de fundo com tanta velocidade que Nadal é forçado a bater o *forehand* apoiado no pé traseiro e depois se contorce todo para retornar ao centro enquanto a bola aterrissa talvez uns sessenta centímetros mais curta do que deveria, novamente no *backhand* de Federer. Federer avança até essa bola e a rebate com um *backhand* cruzado totalmente diferente, dessa vez bem mais curto e angulado, um ângulo que ninguém poderia prever, uma bola tão pesada e deformada pelo *topspin* que ela voa raso, pega quase em cima da linha lateral e decola com tudo depois de quicar, impedindo Nadal de entrar na quadra para interceptá-la a tempo ou de alcançá-la lateralmente pela linha de fundo, por causa de todo aquele ângulo e *topspin* — fim do ponto. É uma bola vencedora espetacular, um Momento Federer; mas assistindo ao vivo também podemos ver como Federer começou a armar essa bola vencedora com quatro ou até mesmo cinco golpes de antecipação. Tudo que veio depois daquele primeiro *slice* paralelo foi planejado pelo suíço para deslocar e aplacar Nadal, e então romper seu ritmo e equilíbrio antes de abrir aquele último, inimaginável ângulo — um ângulo que só foi possível graças ao *topspin* extremo.

O *topspin* extremo é a marca inconfundível do estilo *power-baseline* atual. Nisso a placa de Wimbledon tem razão.[12] O motivo que torna o *topspin* tão crucial, todavia, não é de compreensão geral. O que geralmente se compreende é que as raquetes de ligas de alta tecnologia imprimem muito mais potência à bola, como tacos de beisebol de alumínio comparados com a boa e velha madeira. Mas esse dogma é falso. A verdade é que, com a mesma resistência à tensão, as ligas de carbono são mais leves que a madeira e isso permite que as raquetes modernas sejam algumas dezenas de gramas mais leves e tenham faces pelo menos uma polegada mais largas do que uma antiga Kramer ou Maxply. É a largura da face que é fundamental. Uma face mais larga significa uma área de encordoamento maior, o que significa um *sweet spot* [ponto ideal de impacto] maior. Com uma raquete de liga você não precisa atingir a bola no centro geométrico exato das cordas

---

[12] (... quer dizer, presumindo que o "com muito *topspin*" da placa está modificando "dominam" e não "golpeadores potentes", o que pode ser o caso ou não — a gramática britânica pode ser meio ambígua.)

para obter uma boa potência. Tampouco precisa de precisão total para gerar *topspin*, efeito que (lembremos) requer inclinação da face e um golpe curvado para cima que raspa sobre a bola em vez de pegá-la de frente — isso era bem difícil de fazer com as raquetes de madeira por causa das faces mais estreitas e do *sweet spot* manhoso. Os aros maiores e mais leves e o centro mais generoso das raquetes de liga permitem que os tenistas deem golpes mais velozes e coloquem muito mais *topspin* na bola... e quanto mais *topspin* você põe na bola, mais forte pode bater, porque a margem de erro é maior. O *topspin* faz a bola passar alta por cima da rede, descrever um arco acentuado e descer com velocidade na quadra adversária (ao invés de talvez sair voando longe).

A fórmula básica, então, é que as raquetes de liga permitem o *topspin*, que por sua vez permite golpes de fundo amplamente mais velozes e potentes que os de vinte anos atrás — hoje é comum ver profissionais do tênis masculino serem arrancados do chão e darem meia-volta em pleno ar com a força de seus golpes, o que nos velhos tempos só se via em Jimmy Connors.

Connors, por sinal, não foi o pai do estilo *power-baseline*. Ele soltava o braço na linha de fundo, é verdade, mas seus golpes de fundo eram chapados e sem efeito e tinham de passar muito rente à rede. Bjorn Borg também não foi um verdadeiro *power-baseliner*. Borg e Connors jogavam em versões especializadas do estilo *baseline* clássico, que tinha evoluído como contrapeso ao estilo ainda mais clássico do saque e voleio, este a forma dominante do tênis masculino durante décadas e que teve em John McEnroe seu maior expoente moderno. Você provavelmente sabe disso tudo e talvez saiba também que McEnroe superou Borg e a partir daí meio que dominou o tênis masculino até o surgimento, em meados dos anos 1980, (a) das raquetes modernas de liga de carbono[13] e (b)

---

[13] (às quais nem Connors nem McEnroe conseguiram aderir com muito sucesso — seus estilos estavam presos às raquetes pré-modernas.)

de Ivan Lendl, que jogava com uma forma preliminar de liga e foi o verdadeiro progenitor do estilo *power-baseline*.[14]

Ivan Lendl foi o primeiro tenista do topo do ranking com golpes e táticas que pareciam projetados de acordo com as capacidades especiais das raquetes de liga. Seu objetivo era vencer pontos a partir da linha de fundo valendo-se de passadas ou bolas vencedoras. Sua arma eram os golpes de fundo, em especial o *forehand*, que era capaz de bater com potência avassaladora graças à quantidade de *topspin* na bola. A combinação de potência e *topspin* também permitia a Lendl fazer algo que resultou determinante no advento do estilo *power-baseline*. Ele era capaz de criar ângulos radicais e extraordinários nos golpes de fundo batidos com força, principalmente por causa da velocidade com que uma bola cheia de *topspin* pesado pode mergulhar e aterrissar sem sair voando longe. Em retrospecto, isso modificou toda a física do tênis agressivo. Foi o ângulo que tornou o estilo de saque e voleio tão letal durante décadas. Quanto mais perto da rede você está, maior a porção aberta da quadra do adversário — a vantagem clássica do voleio é que você podia bater em ângulos que fariam a bola sair muito para fora caso fossem aplicados da linha de fundo ou do meio da quadra. Mas o *topspin* de um golpe de fundo, se for realmente extremo, pode deixar a queda da bola rápida e rasa o bastante para explorar boa parte desses ângulos. Principalmente se o golpe de fundo for aplicado numa bola um pouco curta — quanto mais curta a bola, mais ângulos possíveis. Potência, *topspin* e ângulos agressivos a partir da linha de fundo: pronto, temos o estilo *power-baseline*.

---

[14] Em termos de forma, com seu *forehand* em chicoteio, *backhand* letal de uma mão e tratamento implacável das bolas curtas, Lendl de alguma maneira antecipou Federer. Mas o tcheco era também rígido, frio e brutal; seu jogo era impressionante, mas não bonito. (Meu parceiro de duplas na faculdade costumava dizer que ver Lendl jogar era como assistir a *Triunfo da vontade* em 3D.)

Não que Ivan Lendl tenha sido um tenista de grandeza imortal. Ele foi simplesmente o primeiro tenista de ponta a demonstrar do que eram capazes *topspin* e força bruta a partir da linha de fundo. E o mais importante é que o feito era replicável, assim como a raquete de liga. Uma vez ultrapassado certo limiar de talento físico e treino, os requisitos principais eram potencial atlético, agressividade e uma força e condicionamento superiores. O resultado (deixando de lado uma série de complicações e subespecialidades[15]) foi o tênis profissional masculino dos últimos vinte anos: tenistas cada vez maiores, mais fortes e com melhor condicionamento físico saindo do chão para gerar quantidades nunca vistas de potência e *topspin*, tentando forçar a bola curta ou fraca que lhes permitirá matar a jogada.

Estatística ilustrativa: Quando Lleyton Hewitt derrotou David Nalbandian na final masculina de Wimbledon em 2002, não houve um único ponto de saque e voleio.[16]

O estilo *power-baseline* genérico não é chato — sobretudo se comparado com os pontos de dois segundos de duração no saque e voleio dos velhos tempos ou com a atmosfera lunar de tédio da trocação no estilo *baseline* clássico. Mas ele é estático e limitado até certo ponto: não é, como os gurus temeram publicamente durante anos, o fim da linha evolutiva do tênis. O tenista que mostrou essa verdade foi Roger Federer. E ele conseguiu mostrá-la *no âmago* do tênis moderno.

Esse *âmago* é o que importa aqui; é isso que um registro puramente neural deixa de fora. E é por isso que atributos excitantes como toque e sutileza não devem ser mal interpretados. Com

---

[15] Veja por exemplo a eficiência contínua de uma certa presença do saque e voleio (principalmente na forma adaptada de um Sampras ou Rafter, muito dependente do *ace* e da agilidade) em quadras rápidas no decorrer dos anos 1990.
[16] O fato de que 2002 foi a última final pré-Federer em Wimbledon também é ilustrativo.

Federer não se trata de isso ou aquilo. Não falta nada da potência de Lendl e Agassi nos golpes de fundo do suíço, ele sai do chão ao rebater e pode derrubar até mesmo Nadal do fundo da quadra.[17] O que é bizarro, e no fundo equivocado, com relação à placa de Wimbledon é o seu tom pesaroso. A sutileza, o toque e o requinte não morreram na era *power-baseline*. Pois ainda estamos, em 2006, em plena era *power-baseline*: Roger Federer é um *power-baseliner* matador, de primeira. A diferença é que ele não é apenas isso. Há também sua inteligência, sua antecipação sobrenatural, seu senso da quadra, sua capacidade de ler e manipular os adversários, de combinar efeitos e velocidades, de iludir e disfarçar, de usar a previsão tática, a visão periférica e o alcance cinestésico em

---

[17] No terceiro set da final de 2006, com o placar em três games a três e 30-15, Nadal manda um segundo saque alto no *backhand* de Federer. É evidente que o treinador orientou Nadal a bater alto e forte no *backhand* de Federer e é isso que ele faz, um ponto após o outro. Federer devolve com um *slice* curto no centro da quadra de Nadal — não curto o bastante para que Nadal responda com um golpe vencedor, mas curto o bastante para atraí-lo ligeiramente para dentro da quadra, de onde Nadal reúne forças e aplica todo o poder de seu *forehand* num golpe firme e pesado em direção (de novo) ao *backhand* de Federer. A potência aplicada na bola faz com que Nadal ainda esteja recuando para a linha de fundo quando Federer sai do chão cravando um *backhand* paralelo cheio de *topspin* na quadra de iguais de Nadal, que alcança a bola — em posição desfavorável mas com extrema velocidade — e consegue devolver com uma das mãos no fundo do (de novo) *backhand* de Federer, mas dessa vez a bola é flutuante e lenta, dando a Federer tempo de contornar e aplicar um *forehand* de dentro para fora, o *forehand* mais forte batido por qualquer tenista neste torneio e com a dose necessária de *topspin* para que a bola desça no canto de vantagem de Nadal, e o espanhol chega lá mas não consegue devolver. Imenso aplauso. Mais uma vez, o que parece ser uma espantosa bola vencedora da linha de fundo foi na verdade um golpe armado por aquele brilhante primeiro *slice* semicurto e pela própria previsibilidade de Nadal no que se refere ao lugar e à força com que rebaterá cada bola. Mas Federer deu uma pancada das boas naquele último *forehand*. As pessoas estão se olhando e aplaudindo. O lance do Federer é que ele é Mozart e Metallica ao mesmo tempo, e a harmonia fica, sabe-se lá como, refinada.

vez da mera potência maquinal — tudo isso expôs os limites e as possibilidades do tênis masculino como é jogado hoje.

O que soa muito pomposo e bacana, claro, mas por favor entenda que no caso desse cara não se trata de algo pomposo nem abstrato. Nem bacana. Da mesma maneira empática, empírica e dominadora com que Lendl deu seu recado, Roger Federer está mostrando que a velocidade e a força do tênis atual são somente seu esqueleto, não sua carne. Tanto no sentido figurado quanto no literal, ele deu novo corpo ao tênis masculino e pela primeira vez em muitos anos o futuro do esporte é imprevisível. Você precisava ter visto, nas quadras secundárias do complexo, o balé diversificado que foi o Torneio Juvenil de Wimbledon esse ano. Deixadinhas e efeitos combinados, saques lentos, truques armados com três jogadas de antecipação — ao lado dos corriqueiros grunhidos e bolas a jato. Não se pode saber se havia algo como um Federer embrionário entre aqueles jovens, é claro. O gênio é irreplicável. A inspiração, contudo, é contagiosa e multiforme — e só de ver de perto a força e a agressividade tornando-se vulneráveis à beleza nos sentimos inspirados e (num sentido efêmero, mortal) reconciliados.

Por sinal, é mais ou menos aqui, ou no próximo game, assistindo à partida, que aquelas três coisas íntimas que estavam separadas se reúnem e viram uma coisa só. A primeira é um sentimento de profundo privilégio pessoal por estar vivo para ver tudo isso; a segunda é o pensamento de que William Caines provavelmente também está aqui em algum lugar da Quadra Central assistindo, talvez ao lado da mãe. A terceira coisa é a lembrança repentina da maneira efusiva como o motorista do ônibus da imprensa me prometeu justamente essa experiência. Porque ela existe. É difícil de descrever — é como um pensamento que é também um sentimento. Não seria correto extrapolar ou fingir que há nisso qualquer espécie de equilíbrio equitativo; seria grotesco. Mas a verdade é que a divindade, entidade, energia ou fluxo genético aleatório que gera crianças doentes também gerou Roger Federer, e olha ele ali. Olha só isso.

NOTAS DOS TRADUTORES

Em 27 de agosto de 2006, uma semana após a publicação original do artigo "Federer como experiência religiosa", o *New York Times* publicou esta correção em sua versão on-line. "Um artigo na revista *PLAY* do último domingo sobre o tenista Roger Federer fez referência incompleta a um ponto disputado entre Federer e Andre Agassi na final do US Open de 2005 e descreveu incorretamente a posição de Agassi na última bola do ponto. Uma troca de golpes de fundo ocorrida no meio do ponto não foi descrita. E Agassi permaneceu na linha de fundo durante a bola vencedora de Federer; ele não subiu à rede."

1ª EDIÇÃO [2012] 5 reimpressões

ESTA OBRA FOI COMPOSTA PELO GRUPO DE CRIAÇÃO EM MINION E
IMPRESSA PELA GRÁFICA BARTIRA EM OFSETE SOBRE PAPEL PÓLEN
DA SUZANO S.A. PARA A EDITORA SCHWARCZ EM JUNHO DE 2024

A marca FSC® é a garantia de que a madeira utilizada na fabricação do papel deste livro provém de florestas que foram gerenciadas de maneira ambientalmente correta, socialmente justa e economicamente viável, além de outras fontes de origem controlada.